J. Jerosch, J. Heisel, A. B. Imhoff (Hrsg.) Fortbildung Orthopädie · Traumatologie – Die ASG-Kurse der DGOOC

Band 10: **Wirbelsäule und Schmerz**

J. Jerosch J. Heisel A. B. Imhoff (Hrsg.)

Fortbildung Orthopädie · Traumatologie
Die ASG-Kurse der DGOOC

Band 10: **Wirbelsäule und Schmerz**

Mit 84 Abbildungen in 137 Einzeldarstellungen und 50 Tabellen

Prof. Dr. med. Dr. h.c. mult. *Jörg Jerosch*
Johanna-Etienne-Krankenhaus
Klinik für Orthopädie und Orthopädische Chirurgie
Am Hasenberg 46, 41462 Neuss

Prof. Dr. med. Dr. h.c. mult. *Jürgen Heisel*
Fachkliniken Hohenurach
Orthopädische Abteilung
Immanuel-Kant-Straße 31, 72574 Bad Urach

Prof. Dr. med. *Andreas B. Imhoff*
Abteilung und Poliklinik für Sportorthopädie
TU München
Connollystraße 32, 80809 München

ISBN 978-3-7985-1481-2   ISBN 978-3-7985-1959-6 (eBook)
DOI 10.1007/978-3-7985-1959-6

Bibliografische Information Der Deutschen Bibliothek
Die Deutsche Bibliothek verzeichnet diese Publikation in der Deutschen Nationalbibliografie;
detaillierte bibliografische Daten sind im Internet über <http://dnb.ddb.de> abrufbar.

Dieses Werk ist urheberrechtlich geschützt. Die dadurch begründeten Rechte, insbesondere die der Übersetzung, des Nachdrucks, des Vortrags, der Entnahme von Abbildungen und Tabellen, der Funksendung, der Mikroverfilmung oder der Vervielfältigung auf anderen Wegen und der Speicherung in Datenverarbeitungsanlagen, bleiben, auch bei nur auszugsweiser Verwertung, vorbehalten. Eine Vervielfältigung dieses Werkes oder von Teilen dieses Werkes ist auch im Einzelfall nur in den Grenzen der gesetzlichen Bestimmungen des Urheberrechtsgesetzes der Bundesrepublik Deutschland vom 9. September 1965 in der jeweils geltenden Fassung zulässig. Sie ist grundsätzlich vergütungspflichtig. Zuwiderhandlungen unterliegen den Strafbestimmungen des Urheberrechtsgesetzes.

www.steinkopff.springer.de

© Springer-Verlag Berlin Heidelberg 2004
Ursprünglich erschienen bei Steinkopff-Verlag Darmstadt 2004

Die Wiedergabe von Gebrauchsnamen, Handelsnamen, Warenbezeichnungen usw. in diesem Werk berechtigt auch ohne besondere Kennzeichnung nicht zu der Annahme, dass solche Namen im Sinne der Warenzeichen- und Markenschutz-Gesetzgebung als frei zu betrachten wären und daher von jedermann benutzt werden dürften.

Produkthaftung: Für Angaben über Dosierungsanweisungen und Applikationsformen kann vom Verlag keine Gewähr übernommen werden. Derartige Angaben müssen vom jeweiligen Anwender im Einzelfall anhand anderer Literaturstellen auf ihre Richtigkeit überprüft werden.

Herstellung: Klemens Schwind
Umschlaggestaltung: Erich Kirchner, Heidelberg
Satz: K+V Fotosatz GmbH, Beerfelden

SPIN 11314431   105/7231-5 4 3 2 1 0 – Gedruckt auf säurefreiem Papier

Vorwort

Der *10. Band der ASG-Fortbildungskurse* erscheint um den großen gemeinsamen deutschen unfallchirurgischen und orthopädischen Jahreskongress in Berlin. Wie auch die Jahre zuvor haben wir wieder aktuelle Übersichtsreferate der Jahre 2002 bis 2004 ganz überwiegend aus unserem Fortbildungsprogramm zusammengetragen.

Unter dem ersten großen Hauptthema „*Wirbelsäule*" werden zunächst die *degenerativen Bandscheibenerkrankungen* behandelt, hier zunächst die intradiskale elektrothermale Therapie, außerdem die perkutane Laserbehandlung als jeweils minimalinvasives Verfahren. Zunehmende Bedeutung erlangt der alloplastische Ersatz der unteren lumbalen Bandscheiben als konkurrierendes Verfahren zur monosegmentalen Spondylodese. Letztendlich werden Leitlinien in der Nachbehandlung von Wirbelfrakturen und Bandscheibenoperationen besprochen.

Im Anschluss daran sind konservative und operative Behandlungsstrategien bei *lumbaler Spinalkanalstenose* zusammengestellt. Hier wird versucht, einen aktuellen Überblick über die konservativen, medikamentösen und physikalischen sowie auch über moderne operative Methoden wie die der 'undercutting decompression' zu geben.

Als weiterer Schwerpunkt ist ein aktuelles Update bezüglich der *Osteoporose* niedergelegt; hier werden die Richtlinien der Diagnostik, die aktuellen Leitlinien der medikamentösen Behandlung, Möglichkeiten konservativer physikalischer und bewegungstherapeutischer Vorgehensweisen sowie letztendlich die moderne minimalinvasive operative Methode der Vertebroplastik und Kyphoplastik abgehandelt.

Ein gewichtiger Abschnitt des Fortbildungsbandes beschäftigt sich mit der *orthopädischen Schmerztherapie*. Auch hier soll ein Überblick über sinnvolle konservative Behandlungsmaßnahmen bei diesen Problempatienten vermittelt werden.

Abschließend möchten wir uns an dieser Stelle wiederum herzlich bei den vielen Referenten bedanken, die sich in unser Fortbildungskonzept einbinden und uns ihre Manuskripte zur Verfügung gestellt haben. Weiterhin gilt unser Dank dem Steinkopff Verlag und hier besonders „unserer" geschätzten Dr. Gertrud Volkert, die seit Jahren den ASGs eng verbunden ist und die sich stets um eine zügige und ordentlich ausgestattete Druckniederlegung unserer Fortbildungsreihe bemüht.

Im Herbst 2004

Für die ASG-Kommission

Jörg Jerosch
Jürgen Heisel
Andreas B. Imhoff

Inhaltsverzeichnis

Degenerative Veränderungen

■ Bandscheibenerkrankungen

1 Neuroanatomische Grundlagen des diskogenen Schmerzes 3
P. M. Faustmann

2 Die Intradiskale Elektrothermale Therapie (IDET) 6
G. M. Heß

3 Indikationen und Grenzen der perkutanen Lasertherapie 14
J. Hellinger

4 Aktuelle Verfahren in der Behandlung der Spondylodiszitis 27
K.-St. Delank, P. Eysel

5 Die lumbale Bandscheibenprothese 34
M. Ogon, S. Becker

6 Indikation, Technik und Frühergebnisse der Bandscheibentotalendoprothetik 41
A. Krödel, I. Löer

7 Operative Therapiemöglichkeiten der HWS-Syndrome 48
H.-P. Kaps

8 Leitlinien der Nachbehandlung bei Wirbelfrakturen
und nach Bandscheibenoperationen 55
H.-P. Kaps

■ Spinalkanalstenose

9 Lumbale Spinalkanalstenose –
Klinische Symptomatik – konservative Behandlungsstrategien 62
J. Heisel

10 Die Mikrotechnik der dorsalen Dekompression 67
R. Haaker, A. Ottersbach, J. Krämer

11 Mikrochirurgische Dekompressionsoperation bei lumbaler Spinalkanalstenose:
Technik und Langzeitergebnisse 70
V. Rohde, M. F. Oertel, J. M. Gilsbach

12 Indikation und Technik der operativen Stabilisierung
bei der lumbalen Spinalkanalstenose (LSS) 74
K.-St. Delank, P. Eysel

Osteoporose

13 Diagnostik der Osteoporose 83
S. Götte

14 Zeitgemäße medikamentöse, physiotherapeutische
und orthetische Behandlung der Osteoporose 90
T. Drabiniok, J. Heisel

15 Nutzbare Hilfsmitteleffekte und Konstruktionsprinzipien
als Orientierungshilfe für die Osteoporosetherapie 103
I. Barck

16 Vertebroplastik und Kyphoplastik – Indikationen, Möglichkeiten
und Probleme 110
J. Jerosch

Schmerztherapie

17 Medikamentöses Stufenschema in der Schmerztherapie 125
J. Heisel

18 Der Psychologe als Verhaltensmoderator
in der orthopädischen Schmerztherapie 131
M. Baum

19 Multimodale interdisziplinäre Therapiestrategie
beim chronifizierten Rückenschmerz 136
H.-R. Casser

20 Einsatz von Botulinumtoxin A in der Schmerztherapie
der Haltungs- und Bewegungsorgane 140
R. Placzek, M. Söhling, M. Gessler, J. Jerosch

21 Epiduralkatheter 151
C. Royé

22 Schmerztherapie –
Präventive und präemptive Konzepte im Akutkrankenhaus 154
O. Kremer, E. Eypasch

23 Perioperatives Schmerzmanagement beim Erwachsenen 164
U. Junker

Autorenverzeichnis

Dr. med. Ingo Barck
Leiter Med. Kommunikation
Bauerfeind AG Büro Kempen
Arnoldstraße 15
47906 Kempen

Dipl.-Psych. Matthias Baum
Psychologischer Psychotherapeut
Abt. Klinische Psychologie/Psychotherapie
Fachbereich Orthopädie/Traumatologie
Fachkliniken Hohenurach
Immanuel-Kant-Straße 31
72574 Bad Urach

Dr. med. Stephan Becker
III. Orthopädische Abteilung
Orthopädisches Spital Wien-Speising
Speisingerstraße 109
1130 Wien, Österreich

Prof. Dr. med. Hans-Raimund Casser
DRK-Schmerzzentrum
Auf der Steig 14–16
55131 Mainz

Dr. med. Karl-Stefan Delank
Klinik und Poliklinik für Orthopädie
Universität zu Köln
Joseph-Stelzmann-Straße 9
50924 Köln

Dr. med. Thomas Drabiniok
Orthopädische Abteilung
Fachkliniken Hohenurach
Immanuel-Kant-Straße 33
72574 Bad Urach

Prof. Dr. med. Ernst Eypasch
Klinik für Allgemeinchirurgie,
Viszeralchirurgie und Unfallchirurgie
Heilig-Geist Krankenhaus
Graseggerstraße 105
50737 Köln

Univ.-Prof. Dr. med. Peer Eysel
Klinik und Poliklinik für Orthopädie
Universität zu Köln
Joseph-Stelzmann-Straße 9
50924 Köln

Priv.-Doz. Dr. med.
Pedro Michael Faustmann
Abteilung für Neuroanatomie und
Molekulare Hirnforschung
Ruhr-Universität Bochum
Universitätsstraße 150
44780 Bochum

Dr. med. Manfred Gessler
Praxis für Neurologie und Schmerztherapie
Cosimastraße 4
81925 München

Prof. Dr. med. Joachim Michael Gilsbach
Neurochirurgische Klinik
Technische Universität Aachen
Pauwelsstraße 30
52057 Aachen

Dr. med. Siegfried Götte
Facharzt für Orthopädie
Albert-Schweitzer-Straße 9a
82008 München-Unterhaching

Priv.-Doz. Dr. med. Rolf Haaker
Orthopädische Klinik
am St.-Vincenz-Hospital
Danziger Straße 17
33034 Brakel/Westfalen

Prof. Dr. med. Dr. h.c. mult. Jürgen Heisel
Orthopädische Abteilung
Fachkliniken Hohenurach
Immanuel-Kant-Straße 32
72574 Bad Urach

Prof. Dr. med. Johannes Hellinger
Orthopäde und Chirurg – Rheumatologe
Windenmacherstraße 2
80333 München

Dr. med. G. Michael Heß
CCM
Orthopädische Chirurgie München
Steinerstraße 6
81369 München

Prof. Dr. med. Dr. h.c. mult. Jörg Jerosch
Klinik für Orthopädie und Orthopädische
Chirurgie
Johanna-Etienne-Krankenhaus Neuss
Am Hasenberg 46
41462 Neuss

CA Dr. med. Uwe Junker
Abteilung für Spezielle Schmerztherapie
und Palliativmedizin
Sana Klinikum Remscheid
Krankenhaus Lennep
Hans-Potyka-Straße 28
42897 Remscheid

Prof. Dr. med. Hans-Peter Kaps
Abteilung für Querschnittgelähmte,
Orthopädie und Rehabilitationsmedizin
BG-Unfallklinik Tübingen
Schnarrenbergstraße 95
72076 Tübingen

Prof. Dr. med. Jürgen Krämer
Orthopädische Universitätsklinik Bochum
St. Josef-Hospital
Gudrunstraße 56
44791 Bochum

Dr. med. Oliver Kremer
Klinik für Allgemeinchirurgie,
Viszeralchirurgie und Unfallchirurgie
Heilig-Geist Krankenhaus
Graseggerstraße 105
50737 Köln

Prof. Dr. med. Andreas Krödel
Klinik für Orthopädie und Orthopädische
Chirurgie mit Sportmedizin
Alfried Krupp Krankenhaus Essen
Hans-Niemeyerstraße 2
45130 Essen

Dr. med. Ingo Löer
Klinik für Orthopädie und Orthopädische
Chirurgie mit Sportmedizin
Alfried Krupp Krankenhaus Essen
Hans-Niemeyerstraße 2
45130 Essen

Dr. med. Markus Florian Oertel
Neurochirurgische Klinik
Technische Universität Aachen
Pauwelsstraße 30
52057 Aachen

Prim. Univ. Doz. Dr. med. Michael Ogon
III. Orthopädische Abteilung
Orthopädisches Spital Wien-Speising
Speisingerstraße 109
1130 Wien, Österreich

Dr. med. A. Ottersbach
Orthopädische Klinik
am St.-Vincenz-Hospital
Danziger Straße 17
33034 Brakel/Westfalen

Dr. med. Richard Placzek
Centrum für Muskuloskeletale Chirurgie
Klinik Unfallchirurgie/Orthopädie
Charité-Campus Virchow-Klinikum
Augustenberger Platz 1
13353 Berlin

Priv.-Doz. Dr. med. Veit Rohde
Neurochirurgische Klinik
Technische Universität Aachen
Pauwelsstraße 30
52057 Aachen

Dr. med. Christoph Royé
Praxisklinik Grevenbroich
Rheydterstraße 131 a
41515 Grevenbroich

Dr. med. Manfred Söhling
Praxis für Orthopädie
Schageshofstraße 2
47877 Willich-Anrath

Degenerative Veränderungen

- **Bandscheibenerkrankungen** Kapitel 1–8
- **Spinalkanalstenose** Kapitel 9–12

KAPITEL 1

Neuroanatomische Grundlagen des diskogenen Schmerzes

P. M. Faustmann

Zusammenfassung

■ **Ziel.** Nachweis der Innervation der Bandscheiben und nervalen Verschaltung des somatosensiblen und autonomen Nervensystems paravertebral.

■ **Methoden.** Literaturübersicht über histochemische und immunhistochemische Nachweise der Bandscheibeninnervation unter tierexperimentellen Bedingungen und an menschlichem Operationsmaterial.

■ **Ergebnisse.** Myelinisierte Nervenfasern und positive neuronale Markierungen für schmerzleitende Fasern finden sich im Anulus fibrosus der Bandscheibe mit Betonung der dorsalen Anteile und des Ligamentum longitudinale posterior. Unter Bandscheibendegeneration lassen sich nervale Sprossungen bis in den Nucleus pulposus nachweisen. Die Innervation erfolgt über aus den Rami ventrales nervi spinales rücklaufende sinuvertebrale Nerven (Rami meningei), die sich plexusartig im Bereich der Ligamenta longitudinale posterior und anterior polysegmental ausdehnen und über autonome Anteile aus den Rami communicantes grisei bestehen und somit über mehrere Segmente eng mit dem paravertebralen Truncus sympathicus kommunizieren. Experimentell und klinisch postoperativ führen Sympathektomien und Traumatisierungen der paravertebralen Muskulatur zu einer Denervierung dieser Nervengeflechte mit u.a. reduzierter Expression neuronaler Marker in der paravertebralen Muskulatur.

■ **Schlussfolgerungen.** Als neuroanatomische Grundlagen des diskogenen Schmerzes sind festzuhalten:
1. Die Bandscheiben sind im Bereich des Anulus fibrosus innerviert.
2. Unter Degeneration kommt es zu einer nervalen Einsprossung in den Nucleus pulposus.
3. Die plexusartige Ausdehnung der sinuvertebralen Nerven und die Verbindungen zum paravertebralen Sympathikus ermöglichen eine polysegmentale Signal- und Schmerzausbreitung.
4. Die Innervationen der Bandscheibe und der paravertebralen Muskulatur sind verbunden.
5. Die Expression neuronaler Marker am Sarkolemm der tiefen paravertebralen Muskulatur ist beim Postdiscotomiesyndrom reduziert.

Einleitung

Wesentliche Voraussetzung für die Wahrnehmung eines diskogenen Schmerzes ist die Innervation der Bandscheibe (des Discus intervertebralis). Neben den klassischen segmentalen, radikulären Schmerzsyndromen finden sich sehr häufig auch bei morphologisch segmentalem Befund polysegmentale und pseudoradikuläre Beschwerdebilder. Diese Schmerzweiterleitungen, -ausbreitungen und -projektionen setzten als neuroanatomisch fassbares Korrelat nervale Verbindungen voraus.

Der Ramus ventralis des Spinalnerven gibt nach ventral einen Ramus meningeus (sinuvertebralen Nerven) ab, der neben dieser Radix spinalis zusätzlich eine Radix sympathica aus dem mit dem Truncus sympathicus in Verbindung stehenden Ramus communicans griseus hat. Dieser sinuvertebrale Nerv innerviert überwiegend das Periost des Wirbelkanales, das Ligamentum longitudinale posterius, die Dura mater, die epiduralen Gefäße und den Discus intervertebralis [1, 2]. Im Folgenden sollen die klinischen und experimentellen Untersuchungen zur Innervation des Discus intervertebralis und seine lokoregionalen nervalen Verbindungen vorgestellt werden, um ein Verständnis für die oft zunächst ungewöhnlich erscheinenden Schmerzsyndrome im Zusammenhang mit Bandscheibenerkrankungen zu wecken und die neuroanatomische Basis für diagnostische und therapeutische Interventionen zu legen.

Nervenendigungen im Discus intervertebralis

Erste systematische histologische Untersuchungen an menschlichen Bandscheiben unterschiedlichen Alters (foetal bis 77 Jahre) zeigten eine altersabhängige Zunahme freier Nervenendigungen im Anulus fibrosus und eingekapselter Rezeptororgane an der Oberfläche des Anulus fibrosus [3]. In der degenerierten menschlichen Bandscheibe fanden sich zudem Cholinesterase positive freie Nervenendigungen im Nucleus pulposus [4, 5]. In einer kontrollierten Querschnittsstudie konnte mit immunhistochemischem Nachweis des nozizeptiven Neurotransmitters Substanz P und des Nervenwachstum assoziierten Proteins GAP 43 eine nervale Einsprossung in den Nucleus pulposus der Bandscheiben von Patienten mit chronischem Rückenschmerz erfasst werden [6]. Tierexperimentelle Untersuchungen konnten immunhistochemisch mit einem Antiserum gegen das neuroaktive Calcitonin-Gene-Related-Peptide (CGRP) nervale Verbindungen vom Anulus fibrosus der Bandscheibe in die sinuvertebralen Nerven und Rami communicantes der Ratte nachweisen [7].

Die sinuvertebralen Nerven (Rami meningei)

Nach ihrem segmentalen Abgang aus dem Ramus ventralis des Spinalnerven nehmen die sinuvertebralen Nerven einen interindividuell variablen plexusartigen Verlauf und stehen über die Rami comunicantes grisei mit dem Truncus sympathicus in direkter Verbindung [1, 8–11]. Histochemische Untersuchungen an menschlichen Foeten identifizierten sechs verschiedene Verlaufstypen des sinuvertebralen Nerven mit einsegmentalem kaudo-kranialen oder kraniokaudalen, nach kranial und kaudal aufzweigend, über zwei Segmente nach kranial oder nach kaudal, oder in Segmenthöhe kreuzend [8]. An anatomischen Präparationen erwachsener Menschen ließen sich zudem nach Entfernung des Musculus psoas major zwei topographische Varianten der Rami communicantes mit einem oberflächlich schrägen oder einem tiefen queren Verlauf nachweisen [9]. Die funktionell bedeutsame Verbindung somatosensibler und autonomer Innervation in den lumbalen Segmenten wurde durch experimentelle Untersuchungen an der Ratte nach intradiskaler Applikation von Fluoro-Gold erfasst. Das intradiskal im Segment L5/6 applizierte Fluoro-Gold wurde sieben Tage später sowohl über die sinuvertebralen Plexus polysegmental in den Nervenwurzel L3/4 bis L6/S1 als auch über den Truncus sympathicus geleitet polysegmental in den Nervenwurzeln T13/L1 bis L2/L3 nachgewiesen [10]. Eine signifikante Reduktion der histochemischen Markierung der sinuvertebralen Plexus L2 bis L6 konnte experimentell an der Ratte durch bilaterale Sympathektomie induziert werden [11].

Der Discus intervertebralis und die paraspinale Muskulatur

Experimentelle Untersuchungen am Schwein konnten nach elektrischer Stimulation des posterolateralen Anulus fibrosus der Bandscheibe eine Verstärkung motorischer Aktionspotentiale in der paraspinalen Muskulatur (Musculus multifidus und Musculus longissimus) nachweisen [12]. Diese Befunde sprechen für funktionell bedeutsame nervale Verbindungen zwischen den somatosensiblen Afferenzen im Discus intervertebralis, die über den sinuvertebralen Nerven aus dem Ramus ventralis des Spinalnerven stammen, und der paraspinalen Muskulatur, die über den medialen Ast des Ramus dorsalis des Spinalnerven angesteuert wird. Eigene immunhistochemische und molekularbiologische Untersuchungen an sequentiell entnommenen Muskelproben eines Patienten, der sich aufgrund eines Postdiskotomiesyndroms einer Revisionsoperation unterziehen musste, zeigten eine signifikante Reduktion der Expression der sarkolemmal lokalisierten neuronalen Nitrid-Oxid-Synthase (nNOS) ausschließlich im segmentalen medialen Musculus multifidus [13]. Dieser Befund einer Denervierung segmentaler paraspinaler Muskulatur kann einerseits durch eine im Rahmen der Erstoperation erfolgte Traumatisierung der Muskulatur, andererseits unter Berücksichtigung der experimentell erhobenen Befunde zur funktionellen nervalen Kopplung im Bewegungssegment [12] auch durch die Bandscheibenerkrankung alleine erklärt werden.

Literatur

1. Bogduk N (2000) Klinische Anatomie von Lendenwirbelsäule und Sakrum. Springer, Berlin Heidelberg New York
2. Faustmann PM, Dermietzel R (2004) Funktionelle Anatomie und Biomechanik – Halswirbelsäule, Lendenwirbelsäule. In: Wirth CJ, Zichner L, Krämer J (eds) Orthopädie und Orthopädische Chirurgie. Wirbelsäule, Thorax. Thieme, Stuttgart 3–27
3. Malinsky J (1959) The ontogenetic development of nerve terminations in the intervertebral discs of man. Acta anat 38:96–113
4. Coppes MH, Marani E, Thomeer RTWM, Oudega M, Groen GJ (1990) Innervation of annulus fibrosis in low back pain. Lancet 336:189–190
5. Coppes MH, Marani E, Thomeer RTWM, Groen GJ (1997) Innervation of „painful" lumbar discs. Spine 20:2342–2350
6. Freemont AJ, Peacock TE, Goupille P, Hoyland JA, O'Brien J, Jayson MIV (1997) Nerve ingrowth into diseased intervertebral disc in chronic back pain. Lancet 350:178–181
7. Suseki K, Takahashi Y, Takahashi K, Chiba T, Yamagata M, Moriya H (1998) Sensory nerve fibres from lumbar intervertebral discs pass through rami communicantes – a possible pathway for discogenic low back pain. J Bone Joint Surg 80-B:737–742
8. Groen GJ, Baljet B, Drukker J (1990) Nerves and nerve plexuses of the human vertebral column. Am J Anat 188:282–296
9. Higuchi K, Sato T (2002) Anatomical study of lumbar spine innervation. Folia Morphol 61:71–79
10. Ohtori S, Takahashi K, Chiba T, Yamagata M, Sameda H, Moriya H (2001) Sensory innervation of the dorsal portion of the lumbar intervertebral discs in rats. Spine 26:946–950
11. Nakamura S, Takahashi K, Takahashi Y, Morinaga T, Shimada Y, Moriya H (1996) Origin of nerves supplying the posterior portion of lumbar intervertebral discs in rats. Spine 8:917–924
12. Indahl A, Kaigle AM, Reikeras O, Holm SH (1997) Interaction between the porcine lumbar intervertebral disc, zygapophysial joints, and paraspinal muscles. Spine 24:2834–2840
13. Zoidl G, Grifka J, Boluki D, Willburger RE, Zoidl C, Krämer J, Dermietzel R, Faustmann PM (2003) Molecular evidence for local denervation of paraspinal muscles in failed-back surgery/postdiscotomy syndrome. Clin Neuropathol 22:71–77

Die Intradiskale Elektrothermale Therapie (IDET)

G. M. Heß

Überblick

Die intradiskale elektrothermale Therapie (IDET) ist ein modernes Therapieverfahren zur Behandlung chronischer, diskogener Lumbalgien. Dabei wird eine Wärmesonde perkutan in die zu behandelnde Bandscheibe eingeführt und ihre Spitze anschließend erwärmt. Die dadurch induzierten Effekte sind schlussendlich nicht geklärt, Hypothesen gehen von einer Schrumpfung der Kollagenfasern des Anulus fibrosus, einer Ablation von Nozizeptoren in der Bandscheibe wie auch einer zellulären Regeneration nach thermischer Läsion aus. Bezüglich der klinischen Ergebnisse liegt inzwischen eine randomisierte, doppelblinde und placebo-kontrollierte Studie vor, welche einen Effekt der Therapie belegt.
Die intradiskale elektrothermale Therapie ist ein minimal-invasives Verfahren, welches sehr sicher ist und die Lücke zwischen der konservativen Therapie und Operationen, wie dem totalen Bandscheibenersatz oder der Spondylodese an der Lendenwirbelsäule schließt.

Pathoanatomie

Chronische Rückenschmerzen sind eine der häufigsten Ursachen für Erwerbsunfähigkeit und vorzeitige Berentung. Es wird geschätzt, dass 70 bis 90% der europäischen und amerikanischen Bevölkerung zu irgend einem Zeitpunkt in ihrem Leben akute Lumbalgien erleiden. Akute Schmerzen im Bereich der LWS können häufig durch eine konservative Therapie mit analgetischer Medikation, Krankengymnastik und einer Änderungen des Lebensstils gelindert werden bzw. klingen mit der Zeit von alleine ab. Dies ist bei 90% der Patienten innerhalb von 6 bis 12 Wochen der Fall, allerdings haben epidemiologische Studien gezeigt, dass die Beschwerden in 60% der Fälle rezidivieren [1].
Chronische Lumbalgien können rezidivierend oder persistierend sein. Bei etwa 40% der Patienten mit chronischen Beschwerden wird ein diskogener Schmerz als Beschwerdeursache vermutet [2, 3]. Es wird angenommen, dass dem chronischen diskogenen Schmerz ein Netzwerk von Ursachen zugrunde liegt. Als innervierte Struktur (Ramus sinuvertebralis) ist die Bandscheibe in der Lage, Schmerzen hervorzurufen [4]. Zahlreiche Studien haben gezeigt, dass das äußere Drittel des Anulus von nozizeptiven Fasern durchzogen ist, welche auf Schmerz vermittelnde Neuropeptide, wie Substanz P, reagieren. Darüber hinaus finden sich Nozizeptoren im äußeren, posterolateralen Anteil der Bandscheibe. Möglicherweise sind diese Nozizeptoren für die zu Lumbalgien führenden mechanischen Irritationen zuständig, während andere Faktoren, wie die enzymatische Aktivität der Phospholipase A2 eher zu einer chemischen Irritation führen.
Zum natürlichen Verlauf der Bandscheibendegeneration gehört der Verlust von Flüssigkeit im Nucleus, mit der Folge, dass sich die Lamellen des Anulus verziehen. Dieses Phänomen führt zu einer erhöhten Mobilität der betroffenen Segmente und zu einer Scherbelastung des Anulus. Im weiteren Verlauf kann es zu einer Delamination des Anulus und zu Fissuren kommen. Die anuläre Delamination ist ein nachweislich eigenständiges und von anulären Fissuren getrennt auftretendes Ereignis. Die Fissuren können radial oder konzentrisch sein, wie die Abb. 1 zeigt. Die fortschreitende degenerative Veränderung der Bandscheibe verändert auch ihre mechanischen Eigenschaften. Die Rissbildung (internal disc disruption, [5]) und die Delamination des Anulus können zu chronischen Schmerzen führen. Es wurde gezeigt, dass Mechanorezeptoren in der Wand der Bandscheibe im Rahmen der Mobilisierung der Bandscheibe

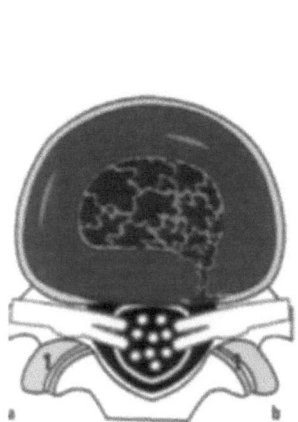 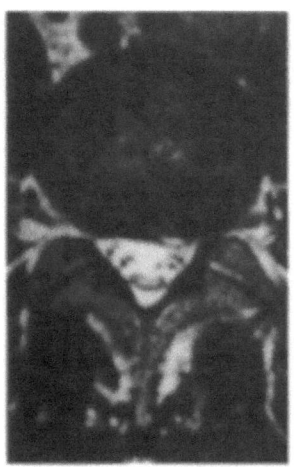 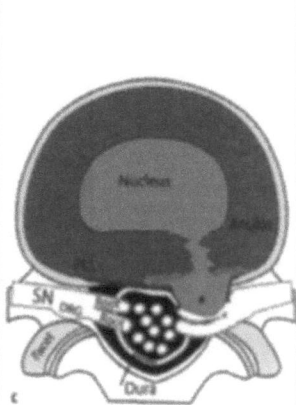

Abb. 1. Unterschiedliche Pathologien: Links kleine radiäre und konzentrische Fissuren mit Neovaskularisation und Einsprossen von Nervenfasern (**a**), entsprechendes Erscheinungsbild im axialen MRT der LWS (T2-gewichtet) mit dorsaler High-Intensity-Zone (HIZ (**b**) und große radiäre Fissur mit intraforaminalem Bandscheibenvorfall (**c**)

Signale erzeugen und nozizeptive Gewebe nach Behandlung mit Entzündungsmediatoren sensibilisiert werden. Dies führt zu einer Senkung der Reizschwelle. Die Kombination aus anulären Fissuren, Delamination und Mikrofrakturen von Kollagenfibrillen mit der Folge einer mechanischen Verformung der anulären Lamellen und anschließender Sensibilisierung von Nozizeptoren, welche möglicherweise bereits durch Phospholipase A2, Stickoxide, einen gesunkenen pH-Wert oder die Aktivität von Metalloproteinasen vorsensibilisiert waren, bildet ein Szenario für den chronischen diskogenen Schmerz. Afferente Stimuli führen zur Freisetzung von Substanz P und zur Schmerzempfindung. Wiederholte Stimulierung des dorsalen Nervenwurzelganglions führt nachweislich zu prolongierter neuraler Aktivität der Rezeptorfelder im peripheren Anteil der Bandscheibe, welche unter fortgesetzter axialer Belastung bestehen bleibt.

Wirken mechanische und chemische Reize zusammen, kann es zu chronischen diskogenen Schmerzen kommen. Eine Zone hoher Intensität (HIZ) im T2-gewichteten MRT korreliert in mehr als 80% der Fälle mit einer schmerzhaften internen Bandscheibenruptur [6]. Das MRT führt aber nur in weniger als 50% der Fälle zur Diagnose anulärer Fissuren.

Wirkungsweise IDET

Die Anwendung von Wärme zur Beeinflussung der Gewebebeschaffenheit ist seit Jahrzehnten bekannt. Nekrotisierung, Ablation, Koagulation und physikalische Therapie gehören zu den Bereichen, in denen Wärme therapeutisch eingesetzt wird.

Wirkung auf Nervengewebe

Die Innervation des Discus intervertebralis ist seit den 30er Jahren des 20. Jahrhunderts im Rahmen von Forschungsarbeiten zunehmend dokumentiert worden. Die Arbeit von Bogduk [4] legte den Ursprung der lumbalen Bandscheibeninnovation dar. Coppes und Mitarbeiter [7] erkannten nozizeptive Eigenschaften in den Nerven des äußeren Anulus fibrosus. Sie fanden Nervenfasern, welche bis ins mittlere Drittel des Anulus reichten. Freemont und Mitarbeiter [8] beobachteten darüberhinaus eine signifikante Neovaskularisierung mit neuraler Expression von Substanz P und brachten diese Vorgänge mit der Degeneration der Bandscheibe und Lumbalgien in Verbindung. Sie identifizierten Nervenfasern bis in die Tiefe des inneren Drittels des Anulus fibrosus sowie im Nucleus pulposus verschiedener Bandscheibenproben.

Die thermische Denervation ist gut belegt und wird im Gehirn oder an anderen Stellen zur Schädigung von Nerven eingesetzt. Die von der Wärmesonde erzeugte Wärme wird zur Wand des Anulus geleitet. Brodkey und Mitarbeiter [9] stellten fest, dass Nerven im Gehirn bei 45 °C irreversibel blockiert werden. Cosman und Mitarbeiter [10] verwendeten eine thermische Schädigung zur Ausschaltung neuraler Gewebe entlang von 45 °C-Isothermen. Die mit dem IDET-System erzeugten Temperaturen im äußeren Drittel des Anulus von 42 bis 46 °C werden für die Destruktion von Nozizeptoren für ausreichend gehalten.

Wirkung auf Kollagen

Die Kontraktion von Kollagenfasern ist bei nicht ablativem Einsatz von Laserenergie an Gelenkkapseln oder in jüngerer Zeit bei der Radiofrequenzanwendung an der Gelenkkapsel des Schultergelenkes gut belegt [11]. Es ist bekannt, dass eine direkte Korrelation zwischen der eingesetzten Wärmemenge und der Dauer der Erhitzung des Gewebes einerseits, sowie der resultierenden kollagenen Kontraktion andererseits besteht. Die Kontraktion wird durch das Aufbrechen wärmeempfindlicher Brücken innerhalb der Kollagenfibrillen verursacht. Das Gerüst der Bandscheibe setzt sich vorwiegend aus Kollagenen des Typs 1 und 2 zusammen, die sich in ihrer molekularen Struktur ähnlich sind. Die Zugfestigkeit dieser Kollagenfasern resultiert aus der gestreckten Konformation des Triple-Helix-Moleküls, das durch Wasserstoff-Brückenbindungen quer vernetzt ist. Der Bruch dieser stabilisierenden Wasserstoff-Bindungen setzt die Molekülstränge frei, die daraufhin kollabieren. Dieser Kollaps führt zu einem kontrahierten Zustand, der als denaturierte oder Zufallsknäuelung der Kollagenfaser bezeichnet wird (Abb. 2).

Die optimale Temperatur für die Kontraktion von Kollagen liegt bei 65 °C. Die niedrigste Temperatur bei der die wärmeempfindlichen Wasserstoffbrücken anfangen aufzubrechen, beträgt 60 °C. Mit zunehmender Temperatur brechen mehr Bindungen auf, wobei es oberhalb von 75 °C keinen signifikanten Kontraktionseffekt mehr gibt. Bei der intradiskalen elektrothermalen Therapie wird ein Temperaturbereich zwischen 65 und 75 °C für die Kollagenkontraktion angestrebt. Geographische Darstellung der Beziehung von Zeit und Temperatur gibt die Abb. 3 wieder.

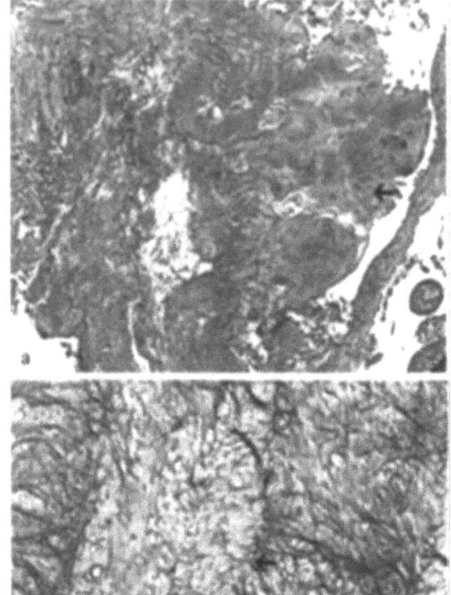

Abb. 2a, b. Kontraktion und Zunahme des Durchmessers der Kollagenfasern durch Erhitzung. **a** Behandelte (200 ×) Probe, zeigt Kontraktion des Kollagen. **b** Unbehandelte Kontrolle (200 ×), zeigt normale Struktur der Kollagenfasern des Anulus

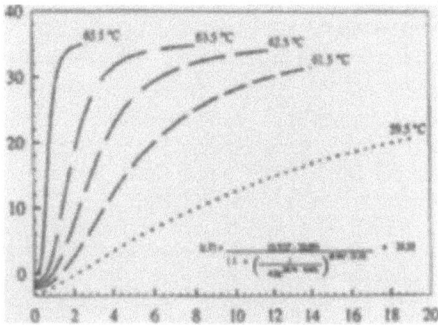

Abb. 3. Ausmaß der Kollagen-Kontraktion (in Prozent) in Abhängigkeit von Zeit und Temperatur (bovine Patellarsehne)

Wirkung auf Chondrozyten

Neueste und bislang unveröffentlichte Ergebnisse eines in-vitro-Versuchs demonstrieren eindrucksvoll, dass es durch die IDET-Behandlung zu einer thermischen Schädigung mit Zelltod von Chondrozyten in der Bandscheibe kommt. Untersuchungen nach 2 Wochen zeigen eine teilweise Regeneration, Untersuchungen nach 4 Wochen eine nahezu vollständige Regeneration der Zellen, wobei sich lediglich eine geringe Narbe in dem Bereich der Sondenplatzierung nachweisen lässt. Für eine abschließende Beurteilung muss die Veröffentlichung dieser Studie abgewartet werden.

Zur Wirkungsweise des IDET-Verfahrens wurden zahlreiche Validierungsstudien durchgeführt, um die zugrunde liegenden Parameter zur Wärmewirkung auf die unterschiedlichen Gewebe bei intradiskaler Anwendung zu erfassen. Untersuchungen im Tierversuch und in vitro führten zu dem Ergebnis, dass die Wärmeabgabe und Koagulation in hohem Maße steuerbar sind. Bei diesen Studien wurde wesentliches Augenmerk gelegt auf die erreichten Temperaturen und die Temperaturverteilung in der Bandscheibe (Abb. 4), sowie auf die Maximaltemperaturen im Epiduralraum und die Volumenreduktion der behandelten Bandscheibe. Nähere Informationen zu den einzelnen Studien können über die Herstellerfirma Smith & Nephew GmbH, 22869 Schenefeld angefordert werden.

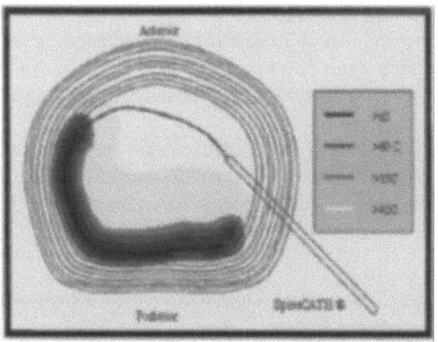

Abb. 4. In-vitro-Temperaturverteilung in der Bandscheibe bei Erwärmung entsprechend des hohen Temperaturprotokolls bis 90 °C

Patientenauswahl

Aus der Gruppe der Patienten mit chronischen diskogenen Lumbalgien, welche durch eine umfassende konservative Therapie mit krankengymnastischen Übungsbehandlungen, medizinischer Trainingstherapie, physikalischer Therapie, analgetischer und antiphlogistischer Medikation keine bleibende Besserung erfahren haben, gilt es, die Patienten zu selektionieren, welche von der intradiskalen elektrothermalen Therapie profitieren können.

Zunächst einmal gilt es, die Diagnose „diskogenes Schmerzsyndrom" zu sichern. Dies geschieht durch Erhebung einer gründlichen Anamnese, bei der die meisten Betroffenen über vorherrschende Lumbalgien klagen, teilweise auch mit einer pseudoradikulären Schmerzausstrahlung, jedoch keine monoradikuläre Schmerzsymptomatik oder neurologische Ausfallerscheinungen aufweisen.

Des Weiteren geben die typischerweise geeigneten Patienten auf Befragen an, dass die chronischen Lumbalgien vor allem im Sitzen ausgeprägt seien und die Sitzzeit deutlich einschränkten. Viele Patienten sind hingegen bei Bewegung schmerzfrei und müssen ihre Körperhaltung häufig ändern, um eine Beschwerdelinderung zu erfahren.

Die klinische Untersuchung ist bei Patienten mit diskogenem Schmerzsyndrom oft unergiebig, sensible und motorische Ausfallerscheinungen müssen aber ausgeschlossen werden.

Von den bildgebenden Verfahren sollten Röntgenaufnahmen der LWS in 2 Ebenen, bei Verdacht auf eine segmentale Instabilität auch Funktionsaufnahmen in Inklination und Reklination, sowie eine Kernspintomographie durchgeführt werden.

Die Nativröntgenbilder zeigen in der Regel einen altersentsprechenden Normalbefund, teilweise kann eine geringe Höhenminderung eines Zwischenwirbelraumes notiert werden.

In der Kernspintomographie gilt es, das Signal der Bandscheiben (Dehydrierung, „black disc") sowie der Endplatten (Modic-Veränderungen) zu beurteilen, sowie die Kontur des dorsalen Anulus zu beschreiben und einen (sequestrierten) Bandscheibenvorfall auszuschließen.

Besonderes Augenmerk ist auf das Vorhandensein einer High-Intensity-Zone (HIZ) zu richten, welche im T2-gewichteten MRT im Bereich des dorsalen Anulus auftreten kann und in mehr als 80% der Fälle mit einer internen Bandscheibenruptur korreliert.

Das diagnostische Procedere umfasst auch den Ausschluss anderer Schmerzgeneratoren, wie z.B. eines Facettengelenksyndroms (z.B. durch intraartikuläre, bildwandlergesteuerte Injektionen oder einem Medial-Branch-Block der entsprechenden Segmente) oder eines schmerzhaften ISG-Syndroms und endet mit Durchführung einer Diskographie.

Die idealen Kandidaten für das IDET-Verfahren zeigen eine deutliche Provokation der sonst vorherrschenden Lumbalgien bei geringem Injektionsdruck und geringem Injektionsvolumen des Kontrastmittels während der Diskographie.

Bezüglich der Injektionsvolumina und der Parameter des Öffnungsdrucks sei auf die Leitlinien der International Spinal Injection Society (ISIS) verwiesen [12].

Das Muster der Kontrastmittelverteilung wird fluoroskopisch an Hand der Klassifikation nach Adams oder im Postdiskographie-CT an Hand der Dallas-Klassifikation beschrieben.

Gelingt in der mutmaßlich pathologischen Bandscheibe eine Schmerzprovokation, so sollte auch eine Diskographie einer benachbarten Bandscheibe als Kontrolle durchgeführt werden, wobei diese negativ hinsichtlich einer Schmerzprovokation sein muss.

Die Diskographie sollte mindestens 2 Tage vor der geplanten intradiskalen elektrothermalen Therapie angefertigt werden, so dass Kontrastmittelreste die Positionierung des Katheters nicht stören können.

Patienten mit einer Claudicatio spinalis Symptomatik bei bestehender spinaler Enge kommen für die Behandlung nicht in Frage, ebenso wenig Patienten mit überwiegend radikulären Schmerzen bei sequestrierten Bandscheibenvorfällen.

Bei einer Höhenminderung des Zwischenwirbelraumes um mehr als 50% ist die Anwendung des Verfahrens aufgrund der schlechten Katheternavigation deutlich erschwert und die Ergebnisse weniger befriedigend.

Bei einigen Patienten mit interner Bandscheibenruptur ist die Diskographie falsch negativ, weil ein intradiskaler Druck während der Diskographie nicht aufgebaut werden kann. In diesen Fällen kann die IDET-Therapie dennoch sinnvoll sein. Voraussetzung ist, dass die anderen diagnostischen Voraussetzungen, wie oben beschrieben, gegeben sind und sich aus den einzelnen Puzzlestücken ein stimmiges Bild ergibt.

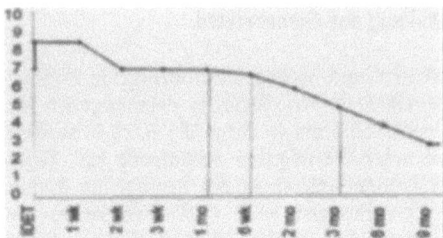

Abb. 5. Typischer Verlauf der Schmerzen (Angabe entsprechend VAS) nach IDET

Wird bei einem Patienten die Indikation zur intradiskalen elektrothermalen Therapie gestellt, so ist es unabdingbar, mit ihm den zeitlichen Ablauf der Rekonvaleszenz nach dem Eingriff und insbesondere die typische Erholungskurve eingehend zu erklären. Wie in Abb. 5 gezeigt, kommt es bei den meisten Patienten nach der Intervention zunächst zu einer Verstärkung ihrer gewohnten Schmerzen, welche bis zu 2 Wochen anhalten kann. Erst danach tritt eine langsame und schrittweise Besserung ein. Dies muss dem Patienten bereits vor dem Eingriff bewusst sein, um hier einer falschen Erwartungshaltung und Sorgen über den Beschwerdeverlauf vorzubeugen.

Auf die eigentliche Nachbehandlung soll hier nur kurz eingegangen werden. Es ist empfehlenswert, die Patienten für 6 Wochen mit einer Lumbal-Bandage (z.B. Lumbotrain) zu versorgen. Erst nach Ablauf dieser 6 Wochen sollte mit stabilisierenden krankengymnastischen Übungsbehandlungen begonnen werden. Hierzu existiert ein sehr detailliertes Nachbehandlungsschema, welches den Patienten ausgehändigt werden kann und bei Bedarf über die Herstellerfirma bezogen werden kann.

Die Arbeitsunfähigkeit nach dem Eingriff liegt zwischen 10 Tagen für aufsichtsführende Tätigkeiten und 4 Monate für schwere körperliche Arbeiten.

Operative Technik

Der Eingriff der intradiskalen elektrothermalen Therapie sollte idealerweise in einem Operationssaal und fluoroskopisch-gesteuert durchgeführt werden. Nur so kann eine genaue Positionierung des Katheters erreicht und auch überprüft werden.

Der Patient wird auf dem Bauch gelagert und entsprechend der Standardvorgehensweise für steriles Arbeiten bei perkutanen Eingriffen vorbereitet und abgedeckt.

In der Regel reicht es aus, den Eingriff in Lokalanästhesie durchzuführen, manche Patienten benötigen aber auch eine leichte Analgosedierung. Ganz wesentlich für die Sicherheit des Eingriffes ist die Fähigkeit des Patienten zur Kooperation. Eine Allgemeinanästhesie ist daher kontraindiziert, da eine etwaige Nervenwurzelreizung bei einer Fehlplatzierung des Katheters so unbemerkt bleiben könnte. So sind beide in der Literatur publizierten Fälle eines Cauda-Equina-Syndroms nach IDET auf Durchführung des Eingriffes in Vollnarkose zurückzuführen.

Für die Positionierung der Introducer-Nadel wird ein posterolateraler Zugang in Point-of-Needle-Technik verwendet. Der Bildwandler wird dabei so eingestellt, dass zum Einen die Endplatten des betroffenen Segmentes parallel ausgerichtet sind und im schrägen Strahlengang der obere Gelenkfortsatz des kaudalen Wirbels das gegenständliche Bandscheibenfach in etwa halbiert (Abb. 6). Ziel ist es, den Anulus unmittelbar vor dem oberen Gelenkfortsatz im so genannten sicheren Dreieck, d.h. der kaudalen Hälfte des Bandscheibenraumes zu punktieren. Die Nadellage wird im a.p. und seitlichen Strahlengang dokumentiert und anschließend der Katheter vorgeschoben. Er kann dabei sowohl durch die vorgebogene Spitze, als auch durch Rotation nach kranial oder kaudal navigiert werden. Es ist zu fordern, dass der gesamte dorsale Anulus abgedeckt wird (Abb. 7). Sollte dies von einer Seite nicht möglich sein, so ist nach Erwärmen des Katheters ein weiterer Katheter von der Gegenseite einzuführen, um den gesamten dorsalen Anulus zu behandeln.

Die Erwärmung folgt dem im Generator programmierten Temperaturprotokoll, wobei bei einer Temperatur von 65°C gestartet und in Schritten von 30 Sekunden die Temperatur um je 1°C gesteigert wird. Nach 13 Minuten wird eine Temperatur von 90°C erreicht, welche für 4 Minuten gehalten wird.

Anschließend können Katheter und Nadel entfernt werden. Eine Antibiose ist zu empfehlen, sei es als Single-Shot i.v. Gabe, oder als intradiskale Injektion.

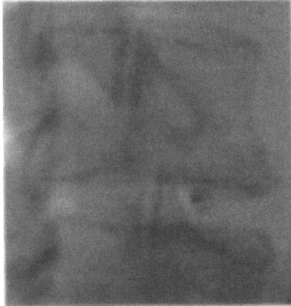

Abb. 6. Postero-lateraler Zugang, „Point-of-Needle"-Technik

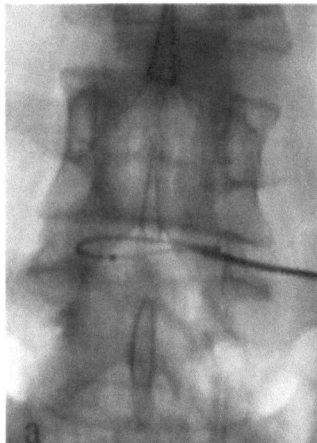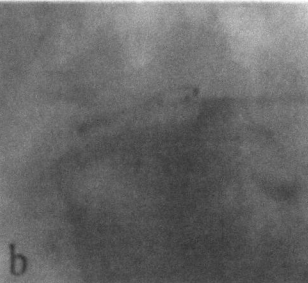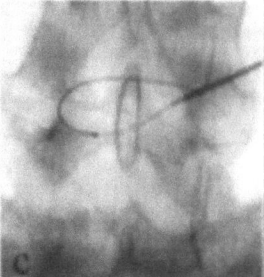

Abb. 7. Optimale Lage des IDET-Katheters mit vollständiger Abdeckung des dorsalen Anulus; Ansicht im a.p. (**a**), seitlichen (**b**) und a.p. Gantry (**c**) Strahlengang

Ergebnisse

Zur intradiskalen elektrothermalen Therapie liegen zahlreiche Studien vor, welche bei der Herstellerfirma angefordert werden können. Besonders erwähnenswert ist die von Kevin Pauza und Mitarbeitern [13] durchgeführte randomisierte, prospektive, doppelblinde und placebokontrollierte Studie. Die Einschlusskriterien umfassen ein Alter von 18 bis 65 Jahren, Lumbalgien seit mehr als 6 Monaten mit Verstärkung im Sitzen, Ausschluss von radikulären Schmerzen, Ausschluss einer Depression (Beck-Depression-Scale), Ausschluss von Voroperationen an der Lendenwirbelsäule, Begrenzung auf eine Höhenminderung von maximal 30% der Ausgangshöhe des Zwischenwirbelraumes und Nachweis einer positiven Diskographie, entsprechend den ISIS-Kriterien von maximal 2 benachbarten Bandscheiben und negativer Kontrolletage.

64 Patienten mit einem Durchschnittsalter von 41 Jahren wurden in die Studie aufgenommen, 77% davon hatten seit mehr als 2 Jahren chronische Lumbalgien. Während des Eingriffs wurde eine 3:2-Randomisierung durchgeführt. 56 Patienten beendeten die Studie. In der Kontrollgruppe umfasste der Eingriff die Platzierung der Introducer-Nadel im äußeren Anulus, das Vorspielen des typischen Geräusches des IDET-Generators, das Einspielen von Bildern auf dem Monitor des C-Bogens. Außerdem wurde auf eine gleichmäßige Verteilung von Dauer des Eingriffs sowie Häufigkeit eines uni- und bilateralen Zuganges geachtet.

Als Outcome-Variablen wurden festgelegt: 10-Punkt visuelle Analogskala (VAS), SF-36, Oswestry-Disability-Index und Back-Depression-Inventory (BDI). Die Vorabuntersuchungen sowie die Nachbehandlung erfolgte durch verblindete Untersucher. Die Entblindung erfolgte 6 Monate nach dem Eingriff.

Tabelle 1 zeigt die Ergebnisse der erfassten Variablen. Es zeigt sich für VAS, den Bodily-Pain-Teil des SF-36, den Ostwestry-Index und den BDI eine statistisch signifikante Verbesserung in der IDET-Gruppe, verglichen mit der Kontrollgruppe.

Die Physical-Function-Skala des SF-36 zeigt insgesamt keinen Unterschied in der Verbesserung zwischen den beiden Gruppen. Betrachtet man jedoch die Patienten, welche präoperativ eine deutliche Einschränkung aufwiesen,

Tabelle 1. Outcomevariablen für Versuchs- und Kontrollgruppe, Signifikanzniveau (Nach Pauza et al. [12])

	IDET	Placebo	p-Wert
VAS	−2,4	−1,2	0,03
SF36 BP	+17,3	+8,6	0,03
Oswestry	−10,9	−5,2	0,04
BDI	−1,1	+0,6	0,02
SF36 PF	+15,1	+12,3	0,32

d. h. einen niedrigen Wert in der Physical-Function-Skala des SF-36 erreichten, so zeigt sich auch hier eine statistisch signifikante Verbesserung in der IDET-behandelten Gruppe, verglichen mit der Kontrollgruppe.

Nicht unerwähnt bleiben soll eine weitere randomisierte, prospektive, doppelblinde und placebo-kontrollierte Studie, welche von Freeman und Mitarbeitern [14] in Australien durchgeführt wurde und noch nicht publiziert wurde. Diese Studie zeigt im Unterschied zur Pauza-Studie keinen Effekt, weder in der Versuchsgruppe, noch einen Plazeboeffekt in der Kontrollgruppe, wie er für zahlreiche interventionelle Therapien belegt ist. Neben dieser Ungereimtheit weist sie zwei entscheidende Schwächen im Studiendesign auf: Zum Einen wurde mit dieser Studie bereits 1999 begonnen, zu einem Zeitpunkt, als man noch davon ausging, dass es ausreiche, wenn der IDET-Katheter den dorsalen Anulus auf der beschwerdeführenden Seite abdecke. Erst die Studie von Slipman und Mitarbeitern 2001 [15] führte zu dem aktuell gültigen Vorgehen mit Behandlung des gesamten dorsalen Anulus. Zum Anderen wurden in der Studie von Freeman „workers compensation" Patienten nicht ausgeschlossen. Zahlreiche Studien [16, 17] belegen aber eindrucksvoll, dass „compensation" der bedeutsamste Einflussfaktor für das Ergebnis (hinsichtlich Beschwerdedauer, Funktionseinschränkung, Arbeitsunfähigkeit, u. a.) einer konservativen wie auch operativen Therapie ist.

Zusammenfassung

Die intradiskale elektrothermale Therapie stellt ein sicheres, minimalinvasives Verfahren zur Behandlung diskogener Lumbalgien dar, welches die Lücke zwischen konservativer Therapie und operativer Therapie verkleinert und einer Gruppe gut ausgewählter Patienten eine neue therapeutische Option gibt. Unabdingbar ist dafür die eindeutige Diagnose einer diskogenen Schmerzursache.

Literatur

1. Andersson GBJ (1999) Epidemiological features of chronic low back pain. Lancet 354:581-585
2. Schwarzer A, Aprill C, Derby R, Bogduk N (1995) The prevalence and clinical features of internal disc disruption in patients with chronic low back pain. Spine 20:1878
3. Kuslich SD (1991) The tissue origin of low back pain and sciatica: A report of pain response to tissue stimulation during operations on the lumbar spine using local anesthesia. Orthop Clin North Am 22:181-187
4. Bogduk N, Tynan W, Wilson AS (1981) The nerve supply to the human intervertebral discs. J Anat 132:39-56
5. Crock HV (1986) Internal disc disruption. Spine 11:650-653
6. Lam KS, Carlin D, Mulholland RC (2000) Lumbar disc high-intensity zone: the value and significance of provocative discography in the determination of the discogenic pain source. Eur Spine J 9:36-41
7. Coppes NH, Marani E, Thomeer RT, Oudega M, Groen GJ (1990) Innervation of annulus fibrosis in low back pain. Lancet 336:189-190
8. Freemont AJ, Peacock TE, Goupille P, Hoyland JA, O'Brian J, Jayson MIV (1997) Nerve ingrowth into diseased intervertebral discs in chronic back pain. Lancet 350:178-181
9. Brodkey JS, Miyazaki Y, Ervin FR, Mark VH (1964) Reversible heat lesions with radiofrequency current. J Neurosurg 21:49-53
10. Cosman ER, Cosman BJ (1988) Methods of making nervous system lesions. Stereotactic and Functional Neurosurgery, pp 2490-2499
11. Wall MS, Doug XH, Torzilli PA et al (1999) Thermal Modification of collagen. J Shoulder Elbow Surg 8:339-344
12. Endres S, Bogduk N (2001) Practice guidelines and protocols. Lumbar disc stimulation. Syllabus of the ISIS 9th Annual Scientific Meeting. Spinal Injection Society, San Francisco, 1456-1475
13. Pauza KJ, Howell S, Dreyfuss P, Peloza JH, Dawson K, Bogduk N (2004) A randomized, placebo-controlled trial of Intradiscal Electrothermal Therapy for the treatment of discogenic low back pain. Spine J 4:27-35
14. Freeman BJC, Fraser RD, Cain CMJ, Hall DJ (2003) A randomized double-blind controlled efficacy study: Intradiscal Electrothermal Therapy (IDET) versus placebo. Proceedings of the European Spine Society Annual Meeting, September 2003
15. Slipman CW et al (2001) Side of symptomatic annular tear and site of low back pain: Is there a correlation? Spine 26:E165-168
16. Greenough CG, Fraser RD (1989) The effects of compensation on recovery from low-back injury. Spine 14:947-955
17. Butterfield PG, Spencer PS, Redmond N, Feldstein A, Perrin N (1998) Low back pain: Predictors of absenteeism, residual symptoms, functional impairment, and medical costs in Oregon workers' compensation recipients. American Journal of Industrial Medicine 34:559-567

KAPITEL 3

Indikationen und Grenzen der perkutanen Lasertherapie

J. Hellinger

Einleitung

Seit über 60 Jahren kann mit offenen Bandscheibenoperationen und in den letzten zwei Jahrzehnten auch mit neuen Techniken zur Befestigung der Wirbel bei Versteifungsoperationen vielen Patienten geholfen werden. Dennoch ist nicht zu verleugnen, dass bei der offenen Bandscheibenchirurgie zumindest immer mit Verwachsungen im Rückenmarkskanal und bei den Versteifungsoperationen mit Lockerungen in den angrenzenden Bewegungssegmenten als gewissermaßen normaler postoperativer Verlauf mit allen möglichen neuen schmerzauslösenden Veränderungen gerechnet werden muss.

Die intradiskale Therapie setzte vor mehreren Jahrzehnten mit der Chemonukleolyse wegen der allseits bekannten Komplikationen der offenen Diskuschirurgie ein. Es wurden dann über die endoskopische intradiskale Diskektomie bis hin zur automatisierten Absaugdiskektomie und der transkutanen Diskektomie verschiedene Verfahren entwickelt, die zu mechanischen Entlastungen führen sollten. Vor diesem Hintergrund ist die 1986 eingeführte nonendoskopische perkutane Laserdiskusdekompression und -nukleotomie (PLDN) mit dem Nd-YAG-Laser 1064 nm [10] als Pionierleistung zu sehen. Perkutane Lasertherapie ist hier nicht mit dem Einsatz von Softlasergeräten [41] zu sehen. Vielmehr handelt es sich um, wenn auch minimalinvasive, Interventionen mit allen ihren Konsequenzen.

Grundlagen

Grundgedanke und Zielstellung war durch intradiskale Druckminderung auch eine Entlastung der nervalen Strukturen im Spinalkanal und Wirbelloch zu erzielen. Dies fußte auf der Kenntnis der Interaktion eines Laserlichtstrahles mit dem Diskusgewebe. Bei dem Beschuss von Diskusgewebe mit dem Nd-YAG-Laser 1064 nm entsteht eine kleiner Vaporisationsdefekt, der mit einem Karbonisationssaum ausgekleidet ist. Diese Ablation des Diskusgewebes ist messbar gering [48]. Der Nd-YAG-Laser 1320 nm führt zu einer gering höheren Ablation im Vaporisationsbereich [9]. Der intradiskale Druckabfall bis zu 55,6% wurde durch diese Arbeitsgruppe eindrucksvoll mit hoher statistischer Signifikanz für den Nd-YAG-Laser 1320 nm demonstriert. Der Ablationsdefekt durch die Vaporisation ist selbstverständlich bei Anwendung mechanischer Diskektomieverfahren größer. Da die klinischen Ergebnisse jedoch nicht an die Resultate der Anwendung des Nd-YAG-Lasers intradiskal heranreichen, mussten noch andere Mechanismen Wirkung zeigen. Bedeutsam erscheinen experimentelle Untersuchung der Osaka-Gruppe mit dem Nachweis, dass die Druckminderung in der Bandscheibe weder alters- noch degenerationsgradabhängig ist [62].

Neben der Vaporisation ist besonders ein thermischer Effekt bemerkenswert. Nach Beschuss des Diskusgewebes mit hoher Hitzeentwicklung an der Spitze der Laserfiber entsteht durch Koagulation jenseits des Karbonisationssaumes des Vaporisationsdefektes eine Schrumpfung der Kollagenfibrillen. Dies ist in experimentellen Untersuchungen [22] und an histologischen Präparaten bei Re-Operationen nachgewiesen [29, 54]. Durch die bekannte Textur der Kollagenanordnung des Faserrings in der Bandscheibe muss mit einer Verkleinerung des Gesamtvolumens gerechnet werden. Experimentelle eigene Untersuchungen bei Beschuss von Meniskusresektaten mit einer schlagartigen Schrumpfung des halbmondförmigen Gebildes nach Nd-YAG-Laser 1064 nm-Beschuss [22] ließen den zwingenden Beschluss zu, dass auch ein zirkuläres Gebilde wie die Bandscheibe einem derartigen *Shrinkingeffekt* nach Beschuss unterliegen muss. An explantierten Rinderbandscheiben konnte dieses Shrinkingphänomen eindrucksvoll demonstriert werden. Der Verlust an Durchmesser der Bandscheiben betrug dabei bis zu 14%. Vergleichende Untersuchungen [22] mit dem Holmium-YAG-Laser erbrachten dabei lediglich Werte bis zu 1%. Der Nachweis dieses Shrinkingphänomens ist auch durch weitere In-vitro-Untersuchungen belegt. Turgut et al. [58] haben den Wasserverlust, die Proteoglykan- und Kollagenveränderungen eindrucksvoll nachgewiesen. Auch in vivo konnte der Effekt bewiesen werden. Japanische Kollegen [34] berichten über die Messung der Größe extrudierter Diskusanteile bei offenen Operationen und gleichzeitiger intradiskaler Nd-YAG-Laser Diskusdekompression- und nukleotomie mit deutlicher Verkleinerung um mm-Größe des prolabierten Diskusanteiles. Dem entspricht auch die Demonstration der CT-Videos von Grönemeyer [15] mit der sichtbaren unmittelbaren Wirkung des Shrinkingeffektes durch Verkleinern der Zirkumferenz der Bandscheibe. Mayer [38] hat bei endoskopisch Nd-YAG-Laser-assistierter perkutaner Nukleotomie ein plötzliches Zusammenziehen der intradiskalen Strukturen in seinen Videos ebenfalls sichtbar werden lassen.

CT-Untersuchungen zur Dichte des protrudierten oder extrudierten Bandscheibenanteiles im Spinalkanal erbrachten eine signifikante Senkung der Houndsfields-Einheiten am ersten postoperativen Tag nach der Nd-YAG-PLDN [28]. Weiter konnte bildgebend der Nachweis einer Druckentlastung im Spinalkanal mit MRI-Myelogrammen ebenfalls bereits am ersten postoperativen Tag statistisch gesichert nachgewiesen werden [61]. Die Druckentlastung im Spinalkanal wird mit dem verbesserten Liquorfluss, der Erweiterung des eingeengten Duralsackes und der Normalisierungstendenz aufweisenden Form des Thekalsackes demonstriert. Als Effekt ist davon abzuleiten, dass die venösen Plexus, das sympathische Nervengeflecht an der Ventralseite der Dura, die arteriellen Zuströme und direkt komprimierte Nervenfasern und Nervenwurzeln Entlastung finden. Brat (2003) [4] bestätigte dies durch den MRI-Nachweis der Verkleinerung der Extrusionen.

Der hintere Faserring der Bandscheibe ist mit einer Vielzahl von Nozizeptoren bestückt. Für die Entstehung der vertebragenen Schmerzen bei Diskuserkrankung ist dies eine bedeutsame Erkenntnis. Durch die Hitzewirkung des Nd-YAG-Laser 1064 nm wird mit Sicherheit ein Teil der Nozizeptoren zerstört. Damit ist ein weiterer Wirkungsmechanismus beschrieben. Jedoch werden nicht nur Nozizeptoren ausgeschaltet, sondern auch Nervenfasern, die im Zuge einer Vaskularisation des degenerierten Bandscheibengewebes nachgewiesen sind, zu gleich zerstört. Vierter Wirkungsmechanismus ist die Denaturierung von Chemokininen aus dem zerrissenen Bandscheibengewebe. Diese Chemokinine besitzen für die Schmerzentstehung im Rahmen der degenerativen Diskuserkrankungen mit intradiskaler Zerreissung, Fissurbildung im Faserring, Protrusion und Extrusion eine grundlegende Bedeutung.

Alle operativen Maßnahmen, ob minimalinvasiv oder nicht minimalinvasiv, führen zu einer weiteren Instabilität im Bewegungssegment. Das einzige Verfahren, bei dem keine Zunahme der Instabilität erfolgt, wie Siebert [51] demonstrieren konnte, ist die Nd-YAG-Laser 1064 nm Anwendung. Im Gegenteil beschreiben Wittenberg und Steffen [60] sogar eine Stabilitätszunahme bei ihren Messungen hinsichtlich der Translationsbewegung am Wirbelsäulenpräparat. Zusätzlich zu dieser primären offenbaren Stabilitätszunahme kommen die in den experimentellen Untersuchungen nachgewiesenen qualitativ besseren Narbenbildungen vom fibrokartilaginären Typ durch die biostimulatorische Wirkung des Nd-YAG-Laser-Strahles [57]. Der primäre Vernarbungsvorgang ist bis 6 Wochen gut nachweisbar, jedoch erst nach 1 Jahr vollends abgeschlossen. Daraus resultiert auch ein gewisser Late-Shrinking-Effekt mit bisher klinisch nicht nachweisbarer Zunahme von Instabilitäten im Bewegungssegment.

Anwendungssicherheit

Neben der Beachtung der gesetzlich vorgeschriebenen Umgangsweise mit Laserstrahlen der Anwendungsklasse 4 von den zu schaffenden Voraussetzungen zur allgemeinen Sicherheit des Patienten sowie des Operationssaalpersonales ist eine wichtige experimentelle Vorraussetzung der Nachweis über die Eindringtiefe des Nd-YAG-Laser-Strahles neben dem Vaporisationsdefekt an der Spitze der Laserfiber und die Wärmeverteilung in der Bandscheibe. Dazu liefern die Arbeitsgruppe um Siebert [48], sowie Schmolke für die Halswirbelsäule [50], die Grundlagen mit ihren Messungen. Bei einer definierten durchschnittlichen Beschussdauer von einer Sekunde und 20 Watt ist mit der Eindringtiefe von 6 mm zu rechnen. In keinem Fall wurden Temperaturen oberhalb des Koagulationsniveaus der Proteine im Spinalkanal oder in den anschließenden Deck- und Grundplatten bei korrekter Lage der Fiberspitze gemessen. Diese Untersuchungen waren für die Sicherheit des Eingriffes entscheidend. Daraus schlussfolgernd konnte für die Technik der lumbalen, thorakalen und zervikalen Nd-YAG-PLDN für die ersteren beiden der dorso-laterale Zugangsweg für die Nadelplatzierung im dorso-lateralen Drittel und für die zervikale Anwendung im ventralen der jeweiligen Bandscheiben festgelegt werden. Die Dosis-Wirkungs-Beziehung im klinischen Einzelfall ist noch nicht völlig geklärt. Maximaldosen mit 1600 J pro Bandscheibenbereich im lumbalen Sektor wurden nach den experimentellen Untersuchungen postuliert. Im thorakalen Bereich wurden zunächst Dosen wegen der geringeren Bandscheibengröße bis 1000 J errechnet. Entsprechend verringert sich die Dosis pro Segment auf 300 bis 400 J an der HWS. Im klinischen Experiment der Pilotstudien zeigt sich die Toleranz bei Regionalanästhesie und Analgosedation für die Patienten im LWS- und Thorakalbereich von Einzelschüssen 15 Watt/1 Sekunde Beschussdauer. Im zervikalen Anteil wurden 20 Watt/0,3 Sekunden mit je 5 Sekunden Pause nach 5 Schüssen empirisch zur Anwendung gebracht. Die segmentale Dosis im lumbalen Bereich wurde im Laufe der nun 15 Jahre bestehenden Erfahrungen auf eine Gesamtdosis von 900 bis 1100 J reduziert, ohne dass sich die Ergebnisse negativ veränderten. Für diese Dosen wurden im Gegensatz zur Anwendung des Holmium-Yag-Lasers und des Nd-YAG-Lasers 1320 nm keinerlei Deck- und Grundplattenschäden festgestellt. Vereinzelte in den MRI-Aufnahmen sichtbare Ödemveränderungen in den angrenzenden Wirbelkörpern der operierten Bandscheibe entsprechend den gleichen Effekten wie sie nach offenen Eingriffen vorwiegend auftreten können.

Zusammenfassend zu den Grundlagen ist festzustellen, dass der Nd-YAG-Laser 1064 nm bei nonendoskopischer perkutaner intradiskaler Anwendung zwei Wirkungsmechanismen zur Beseitigung der diskalen Schmerz- und Lähmungsursachen aufweist: Zum ersten ist es ein Effekt wie bei der offenen intraspinalen Dekompression. Die mechanische Entlastung der intraspinalen Strukturen wie venöse Plexus, spinale Arterien, radikuläre Arterien und der nervalen Strukturen wie Nervenwurzel und selbst der langen Bahnen wird durch die besprochenen biophysikalischen Veränderungen verursacht. Dieser Wirkungsmechanismus beruht auf der Verbindung der intradiskalen Druckminderung durch die Vaporisation und ganz besonders dem *Shrinkingeffekt* mit der Druckentlastung maximal im Spinalkanal. Dabei kommt der venösen Kongestion größte Bedeutung zu. Sie führt bereits im geringen Ausmaße zur Veränderung der Synapsen im dorsalen Spinalganglion [56].

Die vom Autor präferierte multisegmentale Dekompression zur Verminderung der venösen Stase ist durch die Untersuchungen von Porter und Warth [45] zur Bedeutung der Zweihöhenpathologie untermauert.

Der zweite Wirkungsmechanismus im Rahmen der Behandlung der vertebragenen diskogenen Schmerzsyndrome durch die intradiskale Nd-YAG-Laser-Anwendung ist in schmerztherapeutischer Hinsicht zu sehen. Die Zerstörung der Nozizeptoren im hinteren Faserring zählt dabei ebenso wie die Destruktion der im Rahmen der Neovaskularisation in das Bandscheibengewebe eingesprossenen Nervenfasern dazu. Nicht zu unterschätzen ist die Denaturierung von schmerzaktivierenden Kininen aus dem zerrissenen Bandscheibengewebe.

Die experimentellen Grundlagen in vitro, in vivo und in der klinischen Forschung lassen keine Zweifel mehr an der Wirksamkeit des Nd-YAG-Laser 1064 nm auf das Gewebe des Diskus intervertebrales und somit auf die pathologischen Erscheinungsformen mit klinischen Syndromen hegen.

Gegenüber anderen Lasertypen ist im Experiment der CO_2-Laser zu nennen. Diesem Lasertyp entspringt ebenfalls auf Grund seiner Wellenlänge ein hervorragender unmittelbarer Shrinkingeffekt [35]. Technische Schwierigkeiten bei der Applikation am Menschen haben jedoch die Verbreitung dieses Lasertyps verhindert. Die ähnlich dem Nd-YAG-Laser 1064 nm wirkende Wellenlänge von 1320 nm erfordert offenbar zu Erzielung eines ausreichenden Shrinkings der Bandscheibe höhere Dosen mit bis zu 8% nachgewiesenen Deck- und Grundplattenschäden [13], der KTP-Laser ist in der Wirkungsweise und dem Effekt dem Nd-YAG-Laser ähnlich [32, 37], jedoch fehlen Grundlagenuntersuchungen wie beim Nd-YAG-Laser 1064 nm. Der Diodenlaser in den Wellenlängen 910 bis 980 nm ist zweifelsfrei mit der größten thermischen Wirkung in der Bandscheibe anzusetzen und zeigt ein ähnliches Shrinkingphänomen wie der Nd-YAG-Laser 1064 nm. Für die Wellenlänge 940 nm wurden eigene Untersuchungen in einer prospektiv randomisierten Blindstudie nach Experimenten zum Shrinkingeffekt durchgeführt [44]. Es wurde eine verringerte Jouledosis für die segmentale Anwendung gefunden und als ausreichend bewertet. Dies muss bei der klinischen Anwendung zur Vermeidung von thermischen Schäden an Deck- und Grundplatten unbedingt Berücksichtigung finden.

Der vielfach eingesetzte Holmium-YAG-Laser mit seiner Wellenlänge von 2100 nm ist als gepulster Laser für die nonendoskopische intradiskale Anwendung nach unseren Untersuchungen nicht geeignet [21]. Die gegenüber dem Nd-YAG-Laser 1064 nm etwas größere Ablationsmenge bleibt jedoch im Milligrammbereich [48], so dass dieser Effekt klinisch vernachlässigt werden kann. Der Shrinkingeffekt dagegen ist um eine 10er Potenzgröße geringer und die durch offenbares Scattering auftretenden Deck- und Grundplattenschäden sind nicht zu vernachlässigen [5].

Technik

Die Anwendung des Nd-YAG-Laser 1064 nm zur intradiskalen Diskusdekompression und -nukleotomie setzt den sicheren Zugang zur Bandscheibe voraus. Im lumbalen und thorakalen Bereich ist der dorso-laterale Zugangsweg für die Nadelplatzierung im dorsolateralen Drittel der Bandscheibe von uns bevorzugt. Zervikal wird der rechtsseitige ventrale Zugang medial der großen Gefäße und lateral der Trachea ausgeführt. Die Punktion erfolgt nach lokaler Anästhesie der Hautregion, des Subkutangewebes, der lumbalen oder thorakalen paravertebralen Muskulatur polysegmental, sowie der benachbarten nervalen Versorgung der kleinen Wirbelgelenke und zervikal der prävertebralen Muskulatur mit Mepivacain 0,5%ig. Zusätzlich ist eine Analgosedation mit Stand-by des Anästhesisten notwendig.

Der Eingriff wird von uns im lumbalen und thorakalen Bereich in Seitlage mit Zugang von der für den Patienten schmerzhafteren Seite vorgenommen. An der Halswirbelsäule wird rechtsseitig ventral mit Überstreckung des Halses die Punktion ausgeführt. Die Einführung der Kanüle erfolgt durch Kontrolle im Fluoroskop [12], in zwei, gegebenfalls mehreren Ebenen absolut sicher, da die Nadelspitze in zwei Ebenen im Raum genau bestimmt werden kann. Der Überstand der Barefiber von 400/600 μ beträgt 2 mm und bei einer Dosis bestimmten Eindringtiefe von 6 mm ist garantiert somit eine sichere Positionierung intradiskal möglich.

In seltenen Fällen des nicht Erreichens des Bandscheibenraumes ist die Möglichkeit einer punktförmigen Laserosteotomie [19] zur Überwindung der Wirbelkörperkanten, Spondylophyten oder transartikulär möglich. In ganz seltenen Fällen wurde auch eine transdurale Punktion des Segmentes L5/S1 komplikationsfrei vorgenommen.

Indikation

Ausgehend von vieljährigen Erfahrungen mit einer schmerzorientierten nosologischen Klassifikation diskogener vertebragener Syndrome [17, 26] wurde die Indikation von Anbeginn an weitgestellt. Diese klinische Koordination der Indikation fußt auf Beschwerdebild, Beschwerdegrad und klinische Befunde in Zuordnung zur heute möglichen maximal auszuweitenden bildgebenden Diagnostik.

Beschwerdebild und klinischer Befund präferieren dabei eindeutig die Entscheidung vor bildgebenden Beschreibungsbefunden. Symptomfreiheit bei diskaler Pathologie bedarf keiner Intervention [59]! Auf der Basis jahrzehntelanger Erfahrungen mit der offenen Diskus- und Wirbelsäulenchirurgie wurde die Indikation von Anbeginn ausgeweitet, und nicht nur im Hinblick auf die Ausdehnung auf zervikale Befunde gestellt, während Siebert [51] und andere [4, 12, 43] die Indikation auf die monosegmental bedingten monoradikulären Syndrome beschränkten. Nach eigenen Untersuchungen betragen im anliegenden Krankengut diese jedoch nur 9% der diskogenen allein radikulären Schmerzsyndrome [33].

Die Indikation ist bei diskogenen Schmerzsyndromen im Bereich der HWS, BWS und LWS mit bildgebend gesicherten Bulgings, Protrusionen und Extrusionen gegeben. Der Eingriff stellte den letzten Schritt vor einer sonst notwendigen offenen Operation oder dem therapeutischen Nihilismus von konservativ austherapierten Patienten bei diesen Krankheitsbildern dar.

Allgemeine Kontraindikation bestehen mit Ausnahme schwerer Hämostasestörungen nicht. Eine Altersbegrenzung, auch nach oben, ist nicht gegeben. Es finden sich immer noch schrumpfbare Kollagenfasern im Anulus fibrosus. Das Indikationsspektrum soll an Beispielen für die einzelnen diskogenen Schmerzsyndrome in Verbindung mit der bildgebenden Ursachenfindung dargestellt werden.

Lokale lumbale Schmerzsyndrome

Es handelt sich um ein therapieresistentes lumbales lokales Schmerzsyndrom einer 48-jährigen Patientin mit vertikaler Instabilität im Segment L5/S1 und Protrusion, die nach langjähriger konservativer Behandlung an einer NSAR-Allergie litt. 1992 wurde die nonendoskopische perkutane Laserdiskusdekompression und -nukleotomie* in diesem Segment ausgeführt. Das Schmerzgeschehen wurde beseitigt. Bei einer Kontrolluntersuchung 2002 war die Patientin zufrieden. Die diskutierte Fusionsoperation wurde bislang vermieden. Keine Schmerzmedikation.

Pseudoradikuläres lumbales diskogenes Schmerzsyndrom

Es handelt sich um eine 49 Jahre alte Frau. Zweijährige Rückensschmerzanamnese und Ausstrahlung in die Oberschenkel bei 12 Monate andauernder Arbeitsunfähigkeit. Ursache war eine deutliche Diskusprotrusion L5/S1. Nach Nd-YAG-PLDN in diesem Segment war die Patientin schlagartig schmerzfrei und wurde 6 Wochen später arbeitsfähig. Die Kontrolluntersuchung 4 Jahre nach dem Eingriff ergab keine neuerlichen Schmerzrezidive. Die Patientin war andauernd arbeitsfähig.

Lumbale und zervikale diskogene radikuläre Schmerzsyndrome

Die Mehrzahl der Eingriffe wird wegen radikulärer diskogener Schmerzsyndrome bei Bulging, Protrusionen, gedeckten und nicht gedeckten Extrusionen ausgeführt. Dabei zeigen die 4 Jahreskontrollen [11, 33] und die 8 Jahreskontrollen [55] die Anzahl der offenen operativen Eingriffe konstant weit unter 10%. Über 90% der nachuntersuchten Patienten unterzögen sich dem Eingriff bei wiederauftretenden Beschwerden in gleicher Weise. Beispielhaft wird der Fall eines 42-jährigen Mannes mit nicht gedeckter Extrusion L4/5 und gedeckter Extrusion L5/S1 demonstriert. Nach der bisegmentalen Nd-YAG-PLDN 1992 verschwanden die radikulären Symptome. Bei der Kontrolluntersuchung nach 2 Jahren wurden nur noch gelegentliche lokale lumbale Schmerzen angegeben.

Vegetative diskogene Schmerzsyndrome

Für vegetative diskogene Schmerzsyndrome [7] auch bei polysegmentalen Ursachen, z. B. vertebragener vegetativer Syndrome wie die Claudicatio spinalis ist die Methode risikoarm einsetzbar. Beispiel hier ist eine 91-jährige Frau mit polysegmentaler osteoligamentärer Spinalstenose, Pseudospondylolisthesis L4/5 und einer Gehstrecke von 20 m mit ausgeprägter zusätzlicher radikulärer Symptomatik. Die Nd-YAG-PLDN 1991 in den betroffenen 4 Segmenten führte zu einer sofortigen Beseitigung der radikulären Symptomatik und einer Gehstreckenerweiterung auf über 1000 m. Bei der Kontrolluntersuchung 2004 bestanden keine Zeichen für ein radikuläres Syndrom, eine unveränderte Gehstrecke von 1000 m, sowie gelegentliche lumbale lokale Schmerzen.

Indikation und Bildgebung

Indikation und Bildgebung müssen besprochen werden. Für die Indikation ist die Klinik und nicht die bildgebende Darstellung der Veränderung maßgebend. In Korrelation zum klinischen Schmerzsyndrom wurde immer vom Diskusbulging über die Protrusion bis zur gedeckten und ungedeckten Extrusion die Indikation gestellt. Natürlich ist die Erfolgsrate bei nichtgedeckten Diskusextrusionen am geringsten. Es wurden aus der Gesamtserie der konsekutiv prospektiven Großstudie die Fälle 600 bis 699 ausgewertet. Dabei zeigte sich eine Verteilung von 85% Protrusionen und gedeckten Extrusionen, sowie 15% nicht gedeckte Extrusionen bzw. gedeckte Extrusionen mit Dislokationen nach kaudal und kranial sowie vom Knopflochtyp. Die offene Operationsinzidenz, als totales Versagen der Methode zu werten, wurde in 3% bei der ersten Gruppe und 20% bei der letzten Gruppe festgestellt. Es ist durch die abgebildete anatomische Situation leicht erklärbar. Trotzdem konnten in 4 von 5 Fällen bei nicht gedeckten Extrusionen offene Operationen verhindert werden. Bei dieser weiten Indikationsstellung blieben als Kontraindikationen neben nicht diskogenen Schmerzursachen und nicht vertebragenen Schmerzursachen lediglich noch freie Sequester. Hier ist die Frage zu diskutieren, was ist ein Sequester.

In der Studie von Messing-Jünger und Bock [40] wurden 40% freie Sequester bei 4000 Bandscheibenoperation angegeben. Sie selbst zweifeln bei der multizentrischen Studie diese Zahl an. Der Sequester stellt ein aus dem Gewebsverband losgelöstes Stück Bandscheibe dar. Dieses Stück Bandscheibe kann lose innerhalb des Diskus liegen, wie etwa bei einer intradiskalen Diskusderuption oder bei Bulging. Es ist möglich, dass der Sequester sich in einer Protrusion befindet. Bei gedeckten und nicht gedeckten Extrusionen ist eine Einklemmung in Faserring denkbar. Schließlich bleibt der *frei* im Spinalkanal liegende Bandscheibensequester für diese Definition übrig.

Selbstverständlich kann mit einer intradiskalen Laserstrahlwirkung kein direkter Einfluss auf diesen Sequester genommen werden. Vielmehr sind die Einwirkung des Nd-YAG-Lasers mit seinen Effekten auf eine Restprotrusion oder -extrusion mit Beengung der Wurzel im Wirbelloch bei gleichzeitigem freien Sequester anzunehmen.

Zwischen dem 23.11.1989 und dem 23.11.2002 wurden 3970 lumbale Nd-YAG-PLDN ausgeführt. Dabei handelt es sich in 7 Fällen um den Nachweis eines frei im Spinalkanal liegenden Sequesters. Diese freien Seqester führten sechsmal zu einem radikulären Schmerzsyndrom und einmal zu einem Caudasyndrom. Alle Radikulärsyndrome konnten mit der Nd-YAG-PLDN beseitigt werden. Der Patient mit Caudasyndrom wurde offen erfolgreich nachoperiert. Die 6 Fälle mit der Kombination freier Sequester und radikulärem Syndrom (Tabelle 1) schwanken im Alter von 29 und 69 Jahren. Nur 2 Patienten zeigten eine monosegmentale diskale Erkrankung. Unabhängig von der Dauer der Symptome war die Zufriedenheit mit dem Eingriff in allen Fällen gegeben. Bei 3 Patienten bestand lediglich zum Zeitpunkt der Nachuntersuchung ein leichtes lokales Schmerzsyndrom. Die zwei Patienten mit ausgeprägten Fußheberparesen konnten erfolgreich behandelt werden. Bei der 6 Wochenkontrolle waren die Fußheberparesen (Janda 1, Janda 2) vollständig verschwunden. Auch der SLRT zeigt das typische Muster vor und nach der Nd-YAG-PLDN (Tabelle 2).

Zwei typische Fälle sollen die Ausnahmeindikation im Sinne eines Borderline-Eingriffes [25] belegen. Eine 52-jährige Patientin mit lumbalen radikulären Schmerzsyndrom und Fußheberparese Janda 1 wies einen freien Sequester in Höhe von L4 im Spinalkanal gelegen mittig auf. Zusätzlich ließ sich eine im Bild als gedeckte Extrusion erscheinende Veränderung L4/5 nachweisen. In der Annahme dies sei die Hauptursache der Drucksteigung im Foramen und Spinalkanal wurde die Nd-YAG-PLDN L4/5 ausgeführt. Der SLRT besserte sich schlagartig von 40° auf negativ, die Fußheberparese innerhalb einer Woche von Janda 1 auf Janda 3 bis 4. Nach 6 Wochen weiterer konservativer Behandlung der Fußheberparese bei einer Verbesserung auf Janda 5 wird Normalisierung der Kraft erreicht. Das Kontroll-MRI zeigt die weitgehende Resorption des freien Sequesters zusätzlich der Rückbildung der kaudalen Dislokation an der ausgetretenen Bandscheibe L4/5. Wegen eines leichten Rezidives des lumbalen radikulären Schmerzsyndroms ohne neurologische Ausfälle erfolgte nach 4 Jahren die Wiedervorstellung. Es liegt noch ein residueller Schatten des freien Sequesters vor. Die Behandlung war erfolgreich mit einem NSAR-Kurzstoß (Abb. 1 a-c).

Als zweiter Fall eine 34-jähriger Landwirt mit schwerem lumbalen radikulären Schmerzsyn-

Tabelle 1. Freie Sequester und lumbale radikuläre Schmerzsyndrome

	Symptomdauer	Schmerz (6 Wochenkontrolle)	Zufriedenheit
1	24 Wochen/12 Wochen vor offener Nukleotomie	Iliosakralgelenke	ja
2	4 Wochen (Lähmung 1 Woche)	–	ja
3	6 Wochen	lokal, gering	ja
4	12 Wochen (Lähmung 7 Wochen)	lokal, gering	ja
5	6 Wochen	–	ja
6	6 Wochen	–	ja

Tabelle 2. Freie Sequster und lumbale radikuläre Schmerzsyndrome. Straight leg raising-Test und Paresen 6 Wochen nach Nd:YAG-PLDN

SLRT in Grad			Fußheberlähmung	
präoperativ li	präoperativ re	postoperativ	präoperativ	postoperativ
30	60	negativ		
negativ	40	negativ	Janda 1	Janda 5
70	negativ	negativ		
60	40	negativ	Janda 2	Janda 5
40	60	negativ		
80	70	negativ		

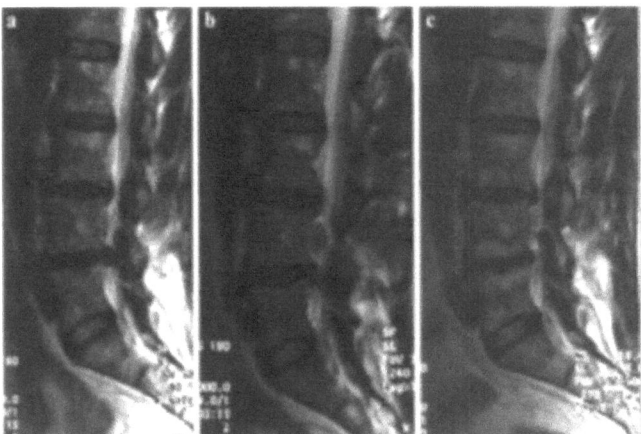

Abb. 1 a–c. Verhalten des freien Sequesters in Höhe L4 vor, 6 Wochen und 4 Jahre nach Nd-YAG-PLDN wegen radikulären lumbalen Schmerzsyndroms mit Fußheberlähmung

drom und Fußheberparese Janda 2. Im MRI freier Sequester in Höhe der Bandscheibe L4/5 mit deutlicher Bedrängung der Nervenwurzel, erosiver Osteochondrose und residueller nicht gedeckter Extrusion. Nach Nd-YAG-PLDN Rückbildung der Parese innerhalb von 6 Wochen, sofort negativer SLRT und bei der Kontrolle nach 1 Jahr mit weitgehender Beschwerdefreiheit und Resorption des Sequesters. Diese Erfahrung deckt sich mit den Ergebnissen bei der Behandlung von Patienten mit diskogenen vertebragenen Schmerzsyndrom bei freien Sequestern [42]. Auch konnte allein mit konservativen Maßnahmen nicht selten erfolgreich therapiert werden. Außerdem sind Fälle mit freien Sqeuestern bekannt, die beschwerdefrei sind.

Eine weitere Borderline-Indikation ist von Seiten der nosologischen Klassifikation her gegeben. Neben der erfolgreichen Anwendung bei lokalen, pseudoradikulären, radikulären und vegetativen (Claudicatio spinalis-Symptomen) Syndromen gilt dies für die medullären Symptome im zervikalen und thorakalen Bereich, sowie für die Kauda-Konus-Syndrome. In der Literatur werden diese apodiktisch als Kontraindikation geführt [49, 51]. Eigene Erfahrungen unter offener Operationsbereitschaft mit 31 Fällen von Konus-Kauda-Syndromen in 12-jähriger Beobachtungszeit von 1990 bis 2002 zeigen jedoch eindrucksvoll, dass auch hier vor der offenen Operation eine Chance mit der Nd-YAG-Laser-PLDN besteht. Nur in einem Fall musste eine offene Operation, hierbei handelt es sich um eine Postnukleotomiesyndrom mit freiem Sequester, nachgeschaltet werden [25]. Auch bei zervikalen und thorakalen medullären Syndromen mit diskogener Hauptursache ist ein Therapieversuch gerechtfertigt [20].

Patientenauswahl

Immer wieder wird darauf hingewiesen eine Patientenauswahl nach besonderen Kriterien sei die Grundlage für den Erfolg [43, 51]. Im Klartext bedeutet dies schlussendlich, dass besonders Patienten mit beginnenden Somatisierungen ausgeschlossen werden. Dies ist nicht gerechtfertigt, da die allgemeine durchschnittliche Anamnesedauer länger als 3 Monate ist. Damit wäre nach schmerztherapeutischer Definition bereits die Grenze der Chronifizierung erreicht. Für die Patientenauswahl gelten die für die Indikation aufgezeichneten Definitionen mit dem Zusatz einer 6-wöchigen erfolglosen konservativen Therapie bei indizierter offener Nukleotomie, Dekompressionsoperation. Für die Patientenauswahl gelten wiederum die beschriebenen Indikationen.

Die Wertigkeit der Diskographie [14] ist umstritten. Selbst wird sie hauptsächlich zur Verifikation der intradiskalen Kanülenposition angewandt.

Klinische Erfahrungen

Eine multizentrische Megastudie von 4977 Patienten, davon 316 mit diskogenen zervikalen und 38 mit thorakalen bandscheibenbedingten Schmerzsyndromen wurden zwischen dem 23. 11. 1989 bis 12. 1. 1999 in der beschriebenen Technik einheitlich behandelt. Die Dokumentation erfolgte konsekutiv und unter Erfassung des Schmerzbildes, des klinischen Befundes, des neurologischen Befundes, der bildgebenden Diagnostik sowie zunehmend mit dem computerisierten Spine-Motion-Test mit integriertem Rückenmuskel-EMG zur Quantifizierung der lokalen vertebralen Befunde. Dieser als prospektive Studie mit repetitivem Kontrolldesign zu wertende klinische experimentelle Ansatz diente zur andauernden Evaluierung der zunächst als neulandmedizinisches Verfahren eingeführten Behandlungsmethode. Von Anfang an wurden auch bandscheibenvoroperierte Patienten mit Postnukleotomiesyndrom einbezogen [23]. Deren Anteil betrug über die Jahre unverändert 20%. Aufgrund der langjähriger Erfahrung mit der offenen Bandscheiben- und Wirbelsäulenchirurgie wurde die polysegmentale Anwendung der nonendoskopischen perkutanen Laserdiskusdekompression und -nukleotomie mit dem Nd-YAG-Laser 1064 nm eingeführt [20].

Alle Patienten wurden nach 6 Wochen kontrolliert. Die Nachuntersuchungsrate betrug dabei 90%. Die restlichen 10% wurden durch Telefoninterview befragt. Dieser vorgesehene Untersuchungszeitraum von 6 Wochen ist inzwischen durch vielfältige Studien bestätigt [2]. Der Zeitraum ist für die primäre Vernarbung zerrissener Bandscheibenteile repräsentativ angesetzt [54].

Die Ergebnisse sind während der Jahre unverändert gleich gut. Subjektiv ist das Erfolgsresultat an der Lendenwirbelsäule mit 80%, an der Halswirbelsäule mit 86,5% und an der Brustwirbelsäule mit 90% positiv konstant. Objektiv ergibt sich hinsichtlich der Änderung des Straight-Leg-Raising-Testes mit 90% Besserung bei LWS-Patienten vom ersten postoperativen Tag an unverändert ein eindrucksvolles Zeichen. Diese Befunde wurden nun ebenfalls bei Kontrolluntersuchungen bis zu 4 Jahren bestätigt. Dies wurde auch bei Untersuchungen bis zu 8 Jahren nachgewiesen [55]. Die Rückbildung von

Tabelle 3. Komplikationsraten von offenen und minimalinvasiven Interventionen bei diskalen Schmerzsyndromen im Prozent

Zervikal	offen		Dekompression Spinalstenose	Nd:YAG-PLDN
	ventral	dorsal		
Gesamt	6–9	3–5	10–25	1,0
Letalität	0,2–0,5	selten	2–17	0
Neurologische Verschlechterung	3,7–24,8	0,4–5,7	4–26	0,7

Lumbal	Nukleotomie	Dekompression, Fusion	PD PED PAD	Nd:YAG PLDN
Gesamt	5,1–14	6–17 (31)	3,7	0,5
Letalität	1–2	selten	0	0
Neurologische Verschlechterung	0,5–9,3	6	1,6	0,3

Lähmungen in allen Wirbelsäulenbereichen konnte unverändert mit über 90% registriert werden! Zusätzlich wurden bei der computerisierten Messung der Wirbelsäulenbeweglichkeit deutliche Zunahmen registriert [33].

Komplikationen

Die Komplikationsdichte ist für den Lumbalbereich bei 1‰ schwerer Schäden. An der Halswirbelsäule ist sie mit 0,77% im Laufe der Jahre weiter gesunken. An der Brustwirbelsäule trat einmal ein Pneumothorax auf. Im Vergleich mit offenen Operationen ist somit eine außerordentlich niedrige Komplikationsdichte zu verzeichnen (Tabelle 3). Allerdings müssen in jedem Fall alle möglichen Risiken einer wirbelsäulennahen oder intradiskalen Intervention bedacht werden. Dies muss in der Aufklärung zum Eingriff Berücksichtigung finden [24].

Diskussion

Zusammenfassend ist festzustellen, dass der Nd-YAG-Laser 1064 nm bei nonendoskopischer perkutaner intradiskaler Anwendung zwei Wirkungsmechanismen zur Beseitigung der diskalen Schmerz- und Lähmungsursachen aufweist.

Zum ersten ist es ein Effekt wie bei der offenen intraspinalen Dekompression: Die mechanische Entlastung der intraspinalen Strukturen wie venöse Plexus, spinale Arterien, radikuläre Arterien und der nervalen Strukturen wie Nervenwurzel und lange Bahnen.

Dieser Wirkungsmechanismus beruht auf der Verbindung der intradiskalen Druckminderung durch die Vaporisation und dem Shrinking-Phänomen mit der Druckentlastung maximal im Spinalkanal. Dabei kommt der venösen Kongestion größte Bedeutung zu, da sie dort bereits im geringen Ausmaße zu Veränderungen der Synapsen im dorsalen Spinalganglion führt [56]. Die vom Autor präferierte multisegmentale Dekompression zur Verminderung der venösen Stase ist durch die Untersuchungen von Porter und Warth (1992) [45] zur Bedeutung der Zweihöhenpathologie bestätigt.

Der zweite Wirkungsmechanismus im Rahmen der Behandlung des vertebragenen diskogenen Schmerzsyndroms durch die intradiskalen Wirkungen des Nd-YAG-Lasers ist in schmerztherapeutischer Hinsicht zu sehen. Die Zerstörung der Nozizeptoren im hinteren Faserring zählt dabei ebenso wie die im Rahmen von Neovaskularisationen des Bandscheibengewebes eingesprossten Nervenfasern. Nicht zu unterschätzen ist die Denaturation von schmerzaktivierenden Kininen aus dem zerrissenen Bandscheibengewebe.

Die dargestellten experimentellen Grundlagen in vitro, in vivo und in der klinischen Forschung lassen keinen Zweifel mehr an der Wirksamkeit des Nd-YAG-Laser 1064 nm auf das Gewebe des Discus intervertebralis und somit auf pathologische Erscheinungsformen mit klinischen Syndromen trotz sehr gemischter Datenlage zu. Diese Verwirrung beruht auf falschen Zitaten [49], Vermengung der Ergebnisse verschiedener verwendeter Lasertypen [63] und gar wissenschaftlicher Falschangaben [52].

Die immer wieder aufgestellte Behauptung von psychologischen Effekten ist nicht aufrecht zu erhalten. Die Frage nach Wirksamkeit für den Patienten oder Spaß [39], Placebo oder gar Mumpitz, wie sie von nicht informierter oder ignoranter Seite vor allem in der nicht wissenschaftlichen Presse aufgeworfen werden, kann eindeutig von der Grundlagenforschung her mit nachgewiesener Wirksamkeit zur intradiskalen und intraspinalen Druckentlastung bei minimalsten Schädigungsmöglichkeiten gegenteilig beantwortet werden. Die klinischen Ergebnisse der Megastudie und die Auswertung der Metaanalyse bestätigen dies eindrucksvoll [27].

PLDN-Nd-YAG zwischen konservativer und operativer Therapie

Die nonendoskopische perkutane Laserdiskusdekompression und -nukleotomie mit dem Nd-YAG-Laser 1064 nm ist zwischen erfolgloser konservativer Therapie und sonst notwendiger offener Operationstechnik, Bandscheibenoperationen in mikrochirurgischer, endoskopischer oder Fusionstechnik bei mehretagigem Befall, angesiedelt. Sie stellt den letzten Schritt in dieser Palette vor dem sonst notwendigen Eingriff dar. Hoogland [30] hat kürzlich die Frage in den Raum gestellt, dass eine sehr frühzeitige operative Behandlung von Bandscheibenvorfällen insgesamt besser wäre als eine konservative

Behandlung. Dem kann aus meiner 40-jährigen Erfahrung auf diesem Gebiet nicht zugestimmt werden. Die Chance neuerlich an der Bandscheibe operiert zu werden, liegt nach finnischen Statistiken mit Totalerfassung aller bandscheibenoperierten Patienten innerhalb 10 Jahren bei 16% in Orthopädischen Kliniken und bei 24% in Neurochirurgischen Kliniken [31]. Somit ist immer eine konservative Behandlung mit physikalischer Therapie unter verschiedenen Gesichtspunkten in Kombination mit einer medikamentösen abschwellenden und entzündungshemmenden Maßnahme sinnvoll. Allerdings darf nicht vergessen werden, dass die medikamentöse Therapie mit alleiniger NSAR-Medikation, ganz abgesehen von den Nebenwirkungen der notwendigen Glucocorticoide, immerhin mit schweren Komplikationen bis 10% Magengeschwüren, 1% Magengeschwürkomplikationen und bis zu 0,1% tödlichen Zwischenfällen belastet ist [16]. Damit ist die Komplikationsdichte der Nd-YAG-PLDN auch da niedriger, sodass spätestens nach einer 6-wöchigen erfolglosen konservativen Theapie die Indikation zum Eingriff gestellt werden sollte. Dieser ist auch bei Patienten mit schweren Allgemeinerkrankungen ohne Ausnahme möglich. Bisher habe ich in 15 Jahren der Anwendung noch keinen Patienten wegen Allgemeinerkrankung vom Eingriff ausschließen müssen.

Laserauswahl

Der Lasereinsatz erfordert natürlich die nötigen Kenntnisse in der Laserphysik und damit muss man selbstverständlich auch die Auswahl des geeigneten Lasers bedenken. Die Ergebnisse sind nur so positiv zu erzielen, wenn der richtige Laser mit der entsprechenden Wellenlänge, die auf das Bandscheibengewebe in der beschriebenen Weise wirkt, angewandt wird. Dies ist nach allen experimentellen und klinischen Ergebnissen der Nd-YAG-Laser 1064 nm. Auch der Nd-YAG-Laser 1320 nm bringt gute Ergebnisse, erfordert offenbar jedoch mindestens die dreifach höhere Dosis. Damit sind Schäden an den benachbarten Wirbelkörpern möglich. Der Holmium-YAG-Laser ist bei der nonendoskopischen, also nur durch eine perkutane Nadelpunktion durchgeführten Operation weniger geeignet. Dies wurde klinisch bestätigt [46]. Er darf nach meinen experimentellen Untersuchungen und klinischer Erfahrung bei offenen oder endoskopischen Bandscheibenoperationen nur assistierend unter Sicht zur Anwendung kommen [21]. Der zuletzt entwickelte Diodenlaser mit Wellenlängen um 940 nm (910–980 nm) besitzt die höchste thermische Wirkung, wie experimentelle Untersuchungen der eigenen Arbeitsgruppe mit sehr gutem Shrinkingmechanismus nachweisen lassen. Er bringt bei einer klinischen prospektiven randomisierten einfachen Blindstudie die gleichen Ergebnisse ohne Steigerung der Komplikationen wie der Nd-YAG-Laser 1064 nm [44]. Bedauerlicherweise wurden hier auch schon wieder Fälle mit viel zu hohen Dosen demonstriert, die schwere Schädigungen im Nachbarwirbel zeigen. Das gleiche gilt für den KTP-Laser, der bei richtiger Auswahl der Fiberspitze zum Geradeausschuss, gute Ergebnisse ohne Schäden an den benachbarten Wirbeln ermöglicht.

Neuerdings wird eine sog. intradiskale Elektrowärmetherapie empfohlen. Die von den Gebrüder Saal (2000) [47] entwickelte Methode wurde ganz speziell nur bei inneren Bandscheibenzerreissungen mit Rückenschmerzen angewandt. Damit soll eine Schrumpfung, wie sie durch den Nd-YAG-Laser in viel höherem Maße und kürzerer Zeit erfolgen kann, erzielt werden. Die Methode ist viel aufwendiger und nach Aussage dieser Autoren nur für diese kleine Patientengruppe geeignet. Nach meinen langjährigen Erfahrungen ist der Nd-YAG-Laser-YAG-Laser gegenüber dem als IDET-Verfahren bezeichneten elektro-thermischen Vorgehen von Seiten der physikalischen Wirkung auf das Gewebe gewissermaßen als Super-IDET zu bezeichnen.

Zum Schluss bleibt noch einmal festzuhalten, dass trotz vielfacher Diskussionen um Sinn und Widersinn intradiskaler Therapie die nonendoskopische perkutane Laserdiskusdekompression und -nukleotomie mit dem Nd-YAG-Laser 1064 nm bei der Behandlung von bandscheibenbedingten Schmerzsyndromen lokaler oder ausstrahlender Art mit und ohne Lähmungen bei den Fällen ohne frei im Rückenmarkskanal liegenden Bandscheibenstücken und vorwiegend band- oder knochenbedingten Einengungen die Methode der Wahl vor der Durchführung offener Eingriffe ist. Im Gegenteil stelle ich die Frage, ob bei Kenntnis dieser Methode, die in der Hand der bisher wenigen Experten hervorragende Ergebnisse liefert, es noch gerechtfertigt ist, dass in Deutschland allein über 60 000 Bandscheibenoperationen und über 10 000 Versteifungsoperationen ausgeführt werden, abgesehen von den chronifizierten diskogenen vertebragenen Schmerzsyndromen, die mit einer Daueropioidtherapie nach meiner Meinung kaum gerechtfertigt nur symptomatisch behandelt werden.

Zusammenfassung

Bei einer großen Zahl von Patienten konnte das diskogene vertebragene Schmerzsyndrom beseitigt oder auf ein erträgliches Maß reduziert werden. Die sonst notwendige offene Operation als Mikrodiskektomie, endoskopische transforaminale Sequestrotomie bis hin zur mehretagigen Fusionsdekompressions-Operation ist in etwa 90% vermieden worden. Die Erfolgsrate beträgt an der Lendenwirbelsäule mit 80%, an der Halswirbelsäule mit 86,5% und an der Brustwirbelsäule mit 95% zufriedenen Patienten unter Einbeziehung vieler Kranker, denen eine offene Operation überhaupt nicht zumutbar wäre, sehr hohe Werte. Bei einer Komplikationsdichte von bisher insgesamt nach Metaanalysen erhobenen 0,66% steht das Verfahren von dieser Seite her konkurrenzlos zur Verfügung.

Der Nd-YAG-Laser 1064 nm besitzt aufgrund seines Absorptionsspektrums beste Voraussetzungen nach experimentellen Untersuchungen durch Vaporisation von Diskusgewebe zu einem intradiskalen Druckabfall zu führen. *Als noch wichtigeres Geschehen ist durch die thermische Wirkung die schlagartige Druckverminderung im Spinalkanal infolge des Shrinkingeffektes mit Verkürzung der Kollagenfibrillen im Verbund der Bandscheibe zu sehen.* Zusätzliche Effekte sind die Stabilitätssteigerung im Bewegungssegment sowie die Destruktion von Nozizeptoren und Nervenfasern im hinteren Faserring sowie der vaskularisierten Bandscheibe im Degenerationsprozess. Nicht zu vernachlässigen ist auch die Denaturierung von schmerzauslösenden bandscheibengenerierten Kininen.

Da auch hinsichtlich Eindringtiefe des Nd-YAG 1064 nm Laserstrahles und Wärmekonvektion exakte Untersuchungen mit dem fehlenden Nachweis einer Schädigung bei richtiger Dosierung vorliegen, ist der Nd-YAG-Laser 1064 derzeit der Laser [1, 3, 6, 8, 18, 53, 55, 63] unserer Wahl für die intradiskale Bandscheibendekompression und -nukleotomie.

Literatur

1. Anders JO, Pietsch S, Staupendahl G (1999) Kritische Betrachtung der Indikationen des Holmium: YAG- und des Neodym:YAG-Lasers in der orthopädischen Chirurgie anhand einer In-vitro-Studie. Biomediz Techn 44:83–86
2. Berendsen GAM, vd Berg SGM, Kessels AHF, Weber WEJ, Kleef M (2001) Randomized Controlled Trial of percutaneous intradiscal Radiofrequency Thermocoagulation for chronic discogenic Back pain. Spine 26:287–292
3. Berendsen B-T, Schlangmann B, Schmolke S (1995) Percutaneous Laser Disc Decompression (PLLD): Fundamental Experiments and Clinical Findings. User letter Dornier 1:20–22
4. Brat H, Bouziane F, Lambert J, Divano L (2003) CT-guided percutaneous Laser-Disc-Decompression (PLDD): prospective clinical outcome. Laser Med Sci 18(Suppl 2):16
5. Casper GD (1998) Results of a prospective clinical trial of the Holmium-YAG-Laser discdecompression utilizing a side-firing fiber: Four year follow-up. Abstr. 5. intern. Cong. IMLAS, Sevilla/Spain
6. Castro WHM, Halm H, Schinkel V (1992) Neodymium-YAG-1064 nm Laservaporisation von lumbalen Bandscheiben: Klinische Frühergebnisse. Laser Shaker, Aachen, S 187
7. Choy DSJ (1999) Early relief of Erectile Dysfunction after Laser Decompression of Herniated Lumbar. Disc J Clin Laser Med Surg 17:25–27
8. Choy DSJ, Altmann P, Trokel SL (1995) Efficiency of disc ablation with laser of various wave length. J Clin Laser Med Surg 13:153–156
9. Choy DSJ, Ascher PW, Saddekni S, Alkaites D, Liebler W, Hughes J, Diwan S, Altmann P (1992) Percutaneous Laser Disc Decompression. Spine 17:949–956
10. Choy DSJ, Case RB, Ascher PW (1987) Percutaneous laserablation of lumbar disc. Ann Meet Orthop Res Soc 1:19
11. Evermann H, Stern S (1998) Four Years follow up non-endoscopic percutaneous laser disc decompression (PLDD) Abstr 5 Intern Congr IMLAS. Sevilla/Spain
12. Gangi A., Dietemann JL, Ide C, Brunner P, Klinkart A, Warter ZM (1996) Percutaneous laser disk decompression under CT and fluoroscopic guidance: indications, technique and clinical experiment. Radiographics 16:89–96
13. Grasshoff H, Mahlfeld K, Kayser R (1998) Komplikationen nach perkutaner Laser-diskus-dekompression (PLDD) mit dem Nd-YAG-Laser. Lasermedizin 14:3–7
14. Grasshoff H, Kayser R, Mahlfeld N, Mahlfeld D (2001) Diskographiebefund und Ergebnis der perkutanen Laserdiskusdekompression (PLDD). Fortschr Röntgenstr 173:191–194
15. Grönemeyer D (1991) CT-guided lumbar laser nucleotomy. Abstr. Internat. Symposium „New Developments in Knee and Spine Sugery". Munich, Germany

16. Gromnica-Ihle E (2000) Notfälle durch unerwünschte Arzneimittelwirkungen. Med Rev 4:8-9
17. Hellinger J (1981) Zur Nosologie und Therapie zervikaler vertebraler Syndrome bei degenerativen Erkrankungen. Z Orthop 119:595-596
18. Hellinger J (1992) Ein neuer Weg der Bandscheiben-Chirurgie. Ärztl Praxis 44:21-22
19. Hellinger J (1992) Die Laserosteotomie als Zugangsmöglichkeit zur lumbalen und zervikalen perkutanen Nukleotomie. Laser Med Surg 8:105
20. Hellinger J (1995) Nonendoskopische perkutane Laserdiskusdekompression und Nukleotomie. Med Bild 5:49-56
21. Hellinger J (1995) Holmium-YAG-assistierte offene Nukleotomie. Laser Med Surg 11:86-87
22. Hellinger J (1999) Technical aspects of percutaneous cervical and lumbal laser-disc-decompression and -nucleotomy. Neurol Res 21:99-102
23. Hellinger J (2000) Nd-YAG-Laser-YAG PLDN in postnucletomy syndrome. In: Brock M, Schwarz W, Wille (ed) Spinal Surgery and Related Disciplines. Monduzzi, Bologna, pp 277-280
24. Hellinger J (2002) Komplikationen der nonendoskopischen perkutanen Laserdiskusdekompression und --ukleotomie (PLDN) mit dem Neodym-YAG-Laser 1064 nm. Orthop Praxis 38:335-341
25. Hellinger J (2003) Borderline indications for lumbar Nd-YAG-PLDN. Intern. 21. Course for percutaneous endoscopic spinal surgery and complementary techniques. Zürich/Schweiz, 29.-30. Jan
26. Hellinger J, Manitz U (1981) Vertebragene Syndrome bei degenerativen Wirbelsäulenerkrankungen. Med Akt 6:275-278
27. Hellinger J, Stern S (2000) Nonendoskopische PLDN-Nd-YAG 1064 nm – Eine 10-Jahres-Bilanz als Megastudie und Metaanalyse. Newsletter Dornier Med Tech, S 2
28. Hellinger J, Linke DR, Heller HJ (2001) A biophysical explanation for Nd-YAG percutaneous laser disc decompression success. J Clin Laser Med & Surg 19:235-238
29. Hilbert J, Braun A, Papp J, Czech C, Wicke HJ (1995) Erfahrungen mit der perkutanen Laserkuskusdekompression bei lumbalem Bandscheibenschaden. Orthop Prax 31:217-221
30. Hoogland Th (2001) Neue Therapien bei Rückenschmerzen. Orthpress 2:52-54
31. Kiskimäki I, Seitsala S, Östermann H, Rissanen P (2000) Reoperations after lumbar disc surgery. Spine 25:1500-1508
32. Knight M, Patko J, Wan AS (1998) KTP-523 laser disc decompression- 6 years experience. Abstr 5. Intern Congr IMLAS, Sevilla/Spain
33. Kornelli H, Hellinger J (1998) Der computerisierte Spine-motion-Test mit integriertem perkutanem Rückenmuskel-EMG prä- und postoperativ nach perkutaner Laserdiskusdekompression und -nukleotomie. Schmerz 12:(Suppl 1/98):63
34. Kosaka R, Onomura T, Yonyzawa T et al (1992) Lasernucleotomy – a case report of open procedures. J Japan Spine Res Soc 3:249
35. Kolařik J, Nadvornik B, Rozhold O (1990) Photonucleolysis of intervertebral disc and its herniation. Zbl Neurochir 51:69-71
36. Kühn R, Hellinger J, Graner H, Soukop R, Walch H (1979) Klinisch-neurologische, röntgenologische und elektrodiagnostische Nachuntersuchungsergebnisse des lumbalen Bandscheibenvorfalls. Beitr Orthop Traumatol 17:703-705
37. Liebler WA (1995) Percutaneous laser disc nucleotomy. Clin Orthop 310:58-66
38. Mayer HM (1991) Percutaneous endoscopic laserdiscectomy. Internat. Symposium „New Developments in Knee and Spine Surgery". Munich, Germany
39. Mayer HM, Müller G, Schwetlick G (1993) Lasers in percutaneous disc surgery: beneficial technology or gimmick? Acta Orthop Scand 64 (Suppl 251):38-44
40. Messing-Jünger AM, Bock WJ (1995) Lumbale Nervenwurzelkompression. Ein kooperatives Projekt zur Qualitätssicherung in der Neurochirurgie. Zbl Neurochir 19:26-56
41. Miriutora NF (2000) Lasertherapy in the treatment of discogenic neurological manifestations of spinal osteochondrosis. Vopr Kurortol Fizioter 3:30-33
42. Menchetti PPM, Longo L (2003) Dioden Laser treatment of migrated disc. Laser Med Sci 18 (Suppl 2):17
43. Ohnemeiss DD, Guyer RD, Hochschuler SH (1994) Laserdiscdecompression. The importance of proper patient selection. Spine 19:2054-2058
44. Paul M, Hellinger J (2000) Nd-YAG (1064) verus diode (940 nm) PLDN: a prospective randomised blinded study. In: Brock M, Schwarz W, Wille C (ed) Spinal Surgery and Related Disciplines. Monduzzi, Bologna, pp 555-558
45. Porter RW, Ward D (1992) The significance of two level pathology. Spine 17:9-15
46. Reinhardt S, Wittenberg RH, Kraemer J (2000) Chemucleolysis versus laser disc decompression. A prospective randomised trial. J Bone Joint Surg 82-B (Suppl 1):247
47. Saal JS, Saal JA (2000) Management of chronic discogenic low back pain with a termal intradiscal catheter. Spine 25:382-388
48. Schlangmann BA, Schmolke S, Siebert WE (1996) Temperatur- und Ablationsmessungen bei der Laserbehandlung von Bandscheibengewebe. Orthopäde 25:3-9
49. Schmolke S, Gossè F, Rühmann O (1997) Die perkutane Laser-Diskusdekompression. In: Matzen KA (Hrsg) Therapie des Bandscheibenvorfalls. Zuckschwert, München, S 223-231
50. Schmolke S, Kirsch L, Barth F, Gosse A (1998) Infrarot-Thermographie und Bestimmung des Ablationsvolumens bei zervikaler Lasernukleotomie. In: Matzen KA (Hrsg) Therapie des Bandscheibenvorfalls. Zuckschwerdt, München, S 193-201
51. Siebert W (1993) Percutaneous laserdiscdecompression: the European experience. Spine 7:103-133
52. Siebert W (1996) Corrigendum. Percutaneous Laser Discectomy of Cervical Disc: Preliminary Clinical Results. J Clinical Laser Med Surg 14:354

53. Siebert W, Bise K, Breitner S et al (1988) Die Nucleus-pulposus-Vaporisation. Eine neue Technik zur Behandlung des Bandscheibenvorfalls? Orthop Praxis 12:73
54. Skuginna A, Reinicke J (1997) Open discectomy after failed percutaneous laser discdekompression; histological results. Abstr. III. Kongress EfORT Barcelona, p 581
55. Stern S, Evermann H (2003) Eight years follow up non-endoscopic percutaneous laser disc decompression (PLDD) – high technic tool for intradiscal pain therapy or placebo? 10. Intern. Congr. IMLAS Luxembourg
56. Sugawara O, Atsuta Y, Iwahara T, Muramoto T, Watakabe M, Takemitsu Y (1996) The Effects of Mechanical Compression and Hypoxia on Nerve Root and dorsal root Ganglia. Spine 21:2089–2094
57. Thal DR, Werkmann K., Leheta F., Schober R, Ulrich P (1996) Effects of Nd-YAG-Laserradiation in cultured porcine vertebral tissue. SPIE, Vol 2623, pp 312–231
58. Turgut M, Acikgöz B, Klinc S, Özcan OE, Erbengi (1996) Effects of Nd-YAG laser on experimental disc degeneration. Acta Neurochir (Wien) 138: 1348–1354
59. Weishaupt D, Zanetti M, Hodler J, Boos N (1998) Imaging of the lumbar Spine: Prevalence of intervertebral Disk extrusion and sequestration, Nerve root compression, endplate abnormalities and osteoarthritis of the joints in asymptomatic Volunteers. Radiology 209:661–666
60. Wittenberg RH, Steffen R (1997) Minimal-invasive Therapie lumbaler Bandscheibenvorfälle. Bücherei d Orthop 68:23–24
61. Wuttge R, Hellinger J, Hellinger S (2000) Prä- and postoperative MR-Myelography of PLDN. Spinal Surgery and Related Disciplines. In: Brock M Schwarz W, Wille C (ed) Monduzzi, Bologna, pp 895–898
62. Yonyzawa T, Matomura K, Atsumi K, Kosaka R et al. (1991) Laser nucleotomy a preliminary study for vaporizing the degenerated nucleus. Laser in der Orthopädie, Symp. Hannover, Germany
63. Zweifel K, Panoussopoulos A (1996) Laser und Bandscheibenchirurgie. In: Berlin HP, Müller G (ed) Angewandte Lasermedizin. ecomed, Landsberg

KAPITEL 4

Aktuelle Verfahren in der Behandlung der Spondylodiszitis
K.-St. Delank, P. Eysel

Einleitung

Die weitaus häufigste Form der Spondylodiszitis beim Erwachsenen wird durch eine hämatogene Septikämie verursacht, geht in aller Regel von den Deck- und Grundplatten der Wirbelkörper aus und erstreckt sich im weiteren Verlauf auf das bradytrophe Gewebe der angrenzenden Bandscheiben. Aber auch das gut durchblutete spongiöse Gewebe der Wirbelkörper kann von der Entzündung betroffen werden, sodass sekundär die Stabilität der ventralen Säule kompromittiert wird und eine kyphotische Deformität entsteht. Zusätzlich können auch Veränderungen im frontalen Profil der Wirbelsäule hervorgerufen werden. Neben der ossären Ausbreitung der Entzündung kann es darüber hinaus zu einer entzündlichen Raumforderung in den paravertebralen Weichteilen oder zu einem intraspinalen Abszess mit entsprechenden lokalen Folgen kommen.

Neben der hämatogen bedingten Spondylodiszitis kennen wir, mit einem oft atypischen Ausbreitungsmuster, die iatrogen verursachte Diszitis sowie die kindliche Diszitis. Die isolierte Entzündung der Bandscheibe kann auf Grund der bei Kindern noch bestehenden Gefäßversorgung des Discus entstehen. Dies stellt eine seltene Indikation zur konservativen Therapie dar.

Der Anteil der Spondylodiszitis an allen Osteomyelitiden wird mit etwa 2-4% angegeben [3]. Aus ätiologischer Sicht war die tuberkulöse Spondylitis als Ursache der sog. „Pott'schen Trias" (Abszess, Lähmung der unteren Extremitäten, Gibbus) über eine lange Zeit die häufigste entzündlichen Veränderungen der Wirbelsäule. Das Ursachenspektrum hat sich in der jüngeren Vergangenheit in zunehmenden Maße zu Gunsten unspezifischer Entzündungen verlagert [1]. Durch jede pyogene Lokal- oder Allgemeininfektion ist die Ausbildung einer hämatogenen Spondylodiszitis möglich. Begünstigend wirken Risikofaktoren wie ein Diabetes mellitus, ein chronischer Alkoholabusus, oder eine langfristige Kortikosteroidtherapie die mit einer reduzierten Immunabwehr einhergehen.

Der mikrobiologische Keimnachweis gelingt bei akuten Verläufen in 40-80% der Fälle. Durch intraoperativ gewonnene Abstriche ist am zuverlässigsten der Nachweis eines Erregers möglich. Falls keine operative Therapie angestrebt wird, muss der Versuch einer Keimisolierung für die Bestimmung eines Resistogramms erfolgen. Mit Hilfe der CT-gesteuerten Punktion gelingt der mikrobiologische Nachweis nur in 27-65% der Fälle. Zumindest die histologische Diagnosesicherung ist etwas häufiger d.h. in 55-89% möglich. Die daraus resultierende Problematik einer nicht zielgerichteten antibiotischen Behandlung muss bei der Abwägung der Operationsindikation mit berücksichtigt werden. Als Erreger wird am häufigsten Staphylokokkus aureus nachgewiesen. In sinkender Frequenz werden als weitere Keime Staphylokokkus epidermidis, E. coli sowie Proteus gefunden. Als Raritäten sind Infektionen durch Pilze oder auch Echinokokken anzusehen. Die Frequenz der iatrogen verursachten Spondylodiszitis nach Bandscheibenoperationen wird mit durchschnittlich etwa 1% (0,2-3%) in der Literatur angegeben. Aseptische Spondylitiden werden im Rahmen entzündlich-rheumatischer Grunderkrankungen beobachtet.

Hinsichtlich der Lokalisation ist die Spondylodiszitis am häufigsten in den Abschnitten der thorakolumbalen Wirbelsäule anzutreffen, an der Halswirbelsäule tritt sie in weniger als 5% der Fälle auf. Die Ausweitung über mehrere Segmente ist in einer Frequenz von 10-20% anzutreffen. Die Wahrscheinlichkeit einer epiduralen Abszedierung steigt von kaudal nach kranial an und wird lumbal in 24%, thorakal in 33% und cervical in 90% der Fälle beschrieben [3].

Zu Beginn der Erkrankung stehen oftmals uncharakteristische Symptome in Form von subfebrilen Temperaturen, Müdigkeit, Nachtschweiß und unspezifischen Rückenschmerzen im Vordergrund, sodass die diagnostische Abklärung der Spondylodiszitis zu diesem Zeitpunkt schwierig ist. Mit einer Diagnoseverzögerung von durchschnittlich 6 Monaten seit dem Auftreten der ersten Krankheitssymptome ist zu rechnen. Erst bei einem progredienten Verlauf kommt es dann zu belastungsabhängigen Schmerzen, typischer Weise mit einem Erschütterungsschmerz der Wirbelsäule und, bei einer Beteiligung nervaler Strukturen, zu einer radikulären oder pseudoradikulären Symptomatik. Laborchemisch können die Entzündungszeichen (C-reaktives Protein, BSG, Leukozyten), in Abhängigkeit von der Aktivität der Entzündung, erhöht sein.

Die unbehandelte Entzündung der Wirbelsäule verläuft mit einer zunehmenden Destruktion des Bewegungssegmentes, die sich typischerweise in dem nativen Röntgenbild widerspiegelt. Durch Eysel u. Peters [2] wurden 4 verschiedene radiologische Stadien (Abb. 1 a–d) der Erkrankung beschrieben. Im Stadium I kommt es durch die Entzündung mit dem damit verbundenen Spannungsverlust im Bereich der Bandscheibe zu einer Erniedrigung der Intervertebralraumhöhe welche bereits im Nativröntgenbild auffällig wird. Eine zunehmende knöcherne Destruktion, die zunächst als Konturunregelmäßigkeit der Grund- und Deckplatten, später als ausgedehntere Osteolyse erkennbar ist, charakterisiert das Stadium II. Der weitere Substanzverlust der Wirbelkörper führt dann, bei unverändert einwirkender Belastung, zu einem Verlust der Tragfähigkeit, mit Ausbildung einer segmentalen Kyphose (Stadium III). Am Ende des natürlichen Krankheitsverlaufes steht die Ankylosierung in einer mehr oder weniger ausgeprägten Kyphose mit knöchernen Abstützungsreaktionen (Stadium IV) bei einer meist „ausgebrannten" Entzündung.

Mit einer sehr hohen Sensitivität (96%) und Spezifität (92%) ermöglicht heutzutage die Kernspintomographie die frühzeitige Diagnosesicherung und muss daher großzügig eingesetzt werden. Der entzündungsbedingte Anstieg der extrazellulären Flüssigkeit führt zu einer Signalminderung in den T1-gewichteten und zu einem Signalanstieg in den T2-gewichteten Aufnahmen. Kontrastmittelverstärkte Aufnahmen sind insbesondere zum Nachweis epiduraler Abszesse hilfreich. Die wichtigste Differenzialdiagnose der Spondylodiszitis, die erosive Osteochondrose, zeigt in den T2-gewichteten Aufnahmen typischerweise keine Signalanhebung. Aber auch Osteolysen als Folge einer tumorösen Raumforderung müssen stets differenzialdiagnostisch in Erwägung gezogen werden.

Einen zusätzlichen Beitrag in der Differenzierung zwischen einer infektiös bedingten Spondylodiszitis und degenerativen Veränderungen kann die ^{18}F-FDG Positronenemissionstomographie (PET) geben. Die Sensitivität liegt nahezu bei 100% und insbesondere bei voroperierten Patienten ist die Spezifität gegenüber der MRT gleich oder sogar besser [16].

Die Knochenszintigraphie hat auf Grund der schlechten Spezifität von 78% nur zur Aufdeckung eines multilokulären Befalls eine Bedeutung. Die reine Diszitis bleibt im Skelettszintigramm negativ.

Mit Hilfe der Computertomographie gelingt die optimale Darstellung der knöchernen De-

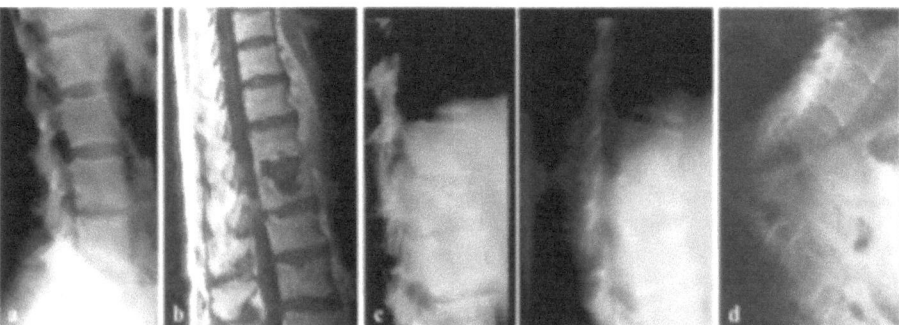

Abb. 1 a–d. Vier Stadien der Destruktion bei der Spondylodiszitis nach Eysel/Peters [2]. **a** Erniedrigung Zwischenwirbelraum; **b** Destruktion Deck- und Grundplatten; **c** Kyphotische Deformation; **d** Ankylosierung

struktionen. Dies kann für die präzise Planung des operativen Vorgehens notwendig sein. Zusätzlich können Gasansammlungen innerhalb eines Abszesses dargestellt werden, die in der MRT nur als signalfreie Zone abgebildet werden.

Konservative Therapie

Unabhängig von der Art des therapeutischen Vorgehens beruht das Grundprinzip in der Behandlung der Spondylodiszitis auf einer Ruhigstellung des betroffenen Wirbelsäulenabschnittes und der resistogrammgerechten antibiotischen Behandlung. Bei der konservativen Therapie besteht, neben der bereits erwähnten Schwierigkeit einer Keimasservierung, die Problematik einer notwendigen konsequenten mehrmonatigen Immobilisation. Zumindest in der akuten Phase muss dies in Form einer strikten Bettruhe, mit allen daraus resultierenden Risiken, erfolgen. In Abhängigkeit von dem befallenen Wirbelsäulenabschnitt kann, bei radiologischen Zeichen einer beginnenden knöchernen Konsolidation, im weiteren Verlauf die Ruhigstellung durch eine reklinierende Orthese erfolgen. Mit Hilfe der Orthese ist die vorsichtige Mobilisation aus dem Bett heraus möglich. Ziel ist es dabei durch Reklination der Wirbelsäule die Kraftübertragung auf die dorsalen Elemente zu verlagern und somit die geschwächten Wirbelkörper zu entlasten. Am besten gelingt dies im thorakolumbalen Übergang, biomechanisch problematisch ist dagegen die Ruhigstellung im kraniocervicalen Übergang, hochthorakal und unterhalb von L3. Für die Akutversorgung ist ein Baycastmieder zu empfehlen, ansonsten sollte an der HWS der Philadelphiakragen, an der BWS/thorakolumbaler Übergang ein Rahmenstützkorsett und an der LWS ein 2-Schalen-Kunststoffkorsett verwendet werden.

Bei einer bereits eingetretenen kyphotischen Deformation ergibt sich durch die konservative Behandlung keine Möglichkeit, dass Wirbelsäulenprofil effektiv zu korrigieren. Die Indikation für eine konservative Therapie besteht somit nur bei gering progredienten entzündlichen Verläufen, ohne eine Stabilitätsgefährdung der Wirbelsäule und ohne Ausbildung eines intraspinalen Abszesses.

Operative Therapie

Als eine Möglichkeit der operativen Therapie bei der Spondylodiszitis werden in den vergangenen Jahren auch so genannte minimal-invasive Verfahren in der Literatur beschrieben. Bavinzski [6] beschreibt z. B. die Verläufe von 17 Patienten mit einer postoperativen bakteriellen Spondylodiscitis nach Nucleotomie. Nach Debridement des Bandscheibenfachs von dorsal über einen mikrochirurgischen Zugang erfolgte die Einlage eines geschlossenen Saug-Spül-Drainage-Systems in den Intervertebralraum. Die

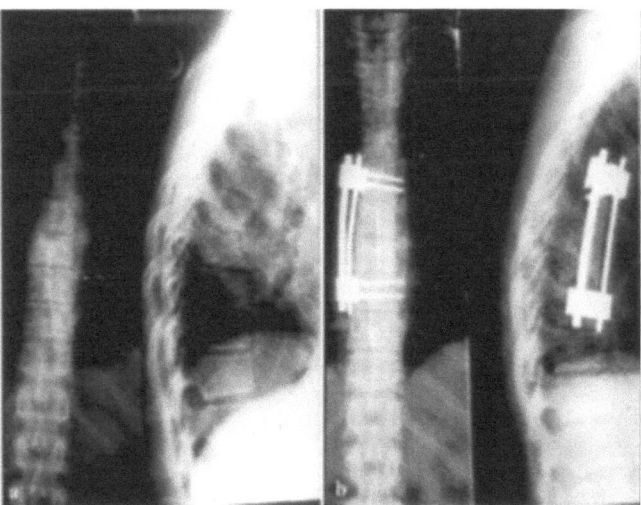

Abb. 2 a, b. Spondylodiszitis Th 7/8, ventrale Ausräumung, Fibulaspaninterposition, ventrale CDH-Spondylodese

Spülrate, mit normaler Kochsalzlösung ohne Antibiotikazusatz, betrug 30–50 ml/h. Nach einer 2- bis 4-wöchigen Bettruhe wurden 16 Patienten rasch schmerzfrei. Langfristig konnte bei 82% ein exzellentes bzw. gutes klinisches Resultat erzielt werden. Insbesondere bei älteren multimorbiden Patienten erscheint auch die alleinige CT-gesteuerte Punktion und ggf. Drainage eine erfolgreiche Alternative zur Operation darzustellen. In einem Kollektiv von 40 Patienten mit einer Spondylodiscitis, welche mit einer CT-gesteuerte Punktion/Drainage behandelt wurden, mussten nur drei im weiteren Verlauf einer Operation zugeführt werden. Die Immobilisationsdauer betrug allerdings 8 Wochen [10].

Über einen percutanen, transpedikulären Zugang berichtet eine Arbeitsgruppe aus Galveston, USA [8, 9]. Dabei wird der Entzündungsherd über den nach kaudal angrenzenden Pedikel punktiert, debridiert und ggf. mittels einer Saug-Spül-Drainge drainiert. Dieses Verfahren wird als sicher und effektiv beschrieben.

Unabhängig von dem Ausmaß der knöchernen Destruktion ist eine eindeutige Operationsindikation bei neurologischen Ausfallerscheinungen sowie bei einem intraspinalen Abszess (Abb. 3a–c) gegeben. Bereits eingetretene segmentalen Fehlstellungen (Stadium III) oder aber auch ausgedehnte ossäre Destruktionen (Stadium II) erfordern eine operative Herdausräumung und Stabilisierung. Lässt sich trotz einer dreimonatigen suffizienten konservativen Therapie kein Rückgang der Entzündungsparameter erkennen, sollte auch in diesen Fällen die operative Herdausräumung und ggf. Stabilisierung angestrebt werden. Kann durch die bildgebenden Verfahren und auch durch eine CT-gesteuerte Biopsie ein tumoröses Geschehen nicht sicher ausgeschlossen werden, so besteht die Indikation für eine diagnostische Vertebrotomie.

Die Technik der operativen Behandlung der Spondylodiszitis ist in den vergangenen Jahrzehnten einem erheblichen Wandel unterlegen (Tabelle 1). Nachdem man zunächst versuchte durch verschiedenen extrafokalen Fusionstechniken eine Defektüberbrückung zu erzielen, wurden bereits Ende des 19. Jh. erste Berichte über eine Laminektomie und Herdausräumung bekannt. Diese von dorsal vorgenommene Sanierung des Entzündungsherdes ging jedoch teilweise mit erheblichen neurologischen Komplikationen einher, sodass seit den 60er Jahren des vergangenen Jahrhunderts die ventrale Herdausräumung und Spanverblockung favori-

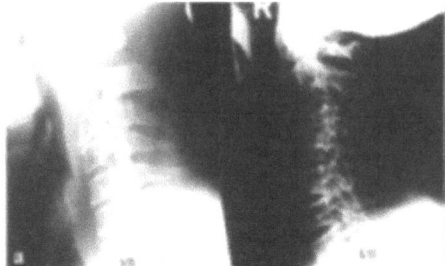
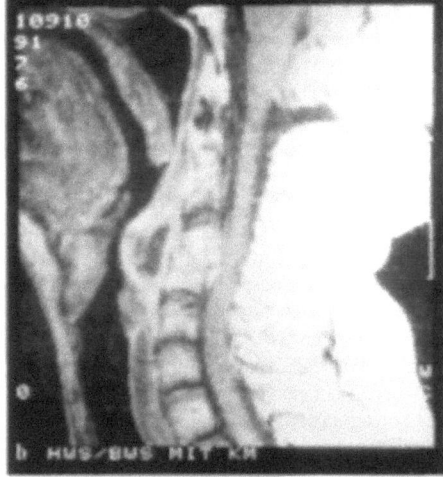
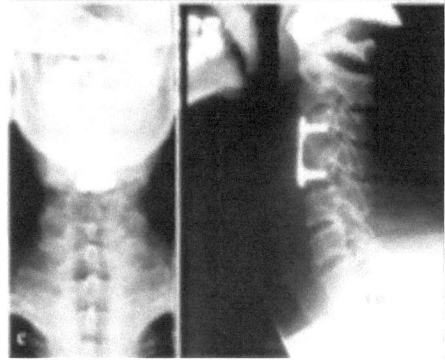

Abb. 3a–c. Spondylodiscitis HWS mit ausgedehntem prävertebralen und epiduralem Abszess. **a** präoperativ radiologisch; **b** präoperativ MRT; **c** Postoperativ nach Abszessausräumung und Spondylodese

siert wurde. Mit einer Fusionsrate von über 90% ist gegenüber den alleinigen dorsalen Verfahren eine zuverlässigere Stabilisierung möglich gewesen, allerdings war hierfür eine mehrmonatige Immobilisation notwendig. Mit der Etablierung dorsaler Instrumentationstechniken ist man dann dazu übergegangen, zusätzlich zu der ven-

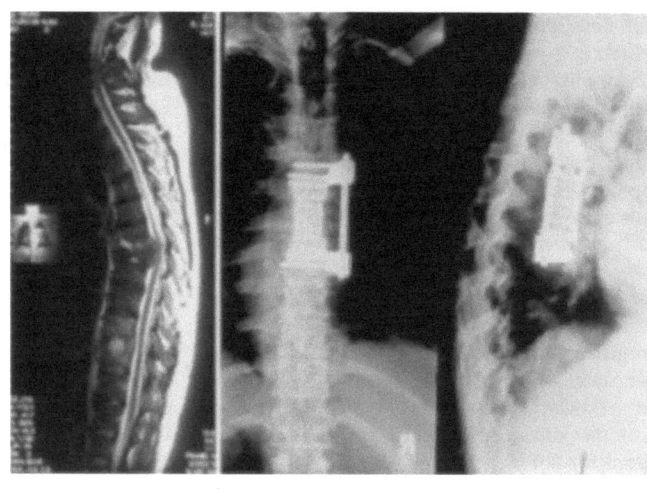

Abb. 4. a Bisegmentale Spondylodiscitis BWK 7 mit Kyphosierung und epiduralem Abszess, BWK 11 ohne Kyphose; **b** Korporektomie BWK 7 mit Spacerinterposition und ventraler Spondylodese, konservative Therapie BWK 11

Tabelle 1. Historische Entwicklung der Therapie der Spondylodiszitis

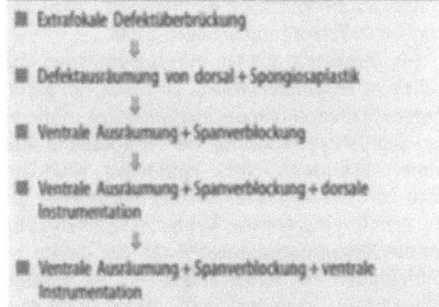

tralen Herdausräumung und Spanverblockung eine dorsale Spondylodese für eine ausreichende Primärstabilität durchzuführen. Aus biomechanischen Gründen ist dabei für die Erzielung einer ausreichenden Stabilität eine längerstreckige dorsale Fusion notwendig. Somit müssen auch gesunde Bewegungssegmente in die Fusion mit einbezogen werden. Ein weiterer Nachteil dieses Verfahrens ist in dem zweiten zusätzlichen Eingriff zu sehen. Die Rate der segmentalen Nachkyphosierung wird bei diesem Vorgehen mit 0–3% angegeben [12, 13].

Mit der Etablierung der primärstabilen ventralen Instrumentarien wurde die Möglichkeit eröffnet die langstreckige dorsale Fusion und den damit verbundenen zweiten operativen Eingriff zu vermeiden. Somit kann die Herdsanierung und gleichzeitige Defektüberbrückung und Stabilisierung in einer Sitzung erfolgen. Entgegen den Erfahrungen aus der Extremitätenchirurgie, bei der ein Fremdkörper im Bereich einer Osteomyelitis infolge der unzureichenden Perfusion der Implantatoberfläche zu einer Chronifizierung des Infektes führt, kann die Spondylodiszitis durch dieses Verfahren regelmäßig zur Ausheilung gebracht werden [2, 12]. Der entscheidende Unterschied ist dabei in dem gut durchbluteten Implantatbett, welches im Bereich der Wirbelkörperspongiosa besteht, zu sehen. Trotz der zwangsläufigen Keimbesiedlung der Implantatoberflächen, ist bei einer radikalen Entfernung des nekrotischen, keimbesiedelten Gewebes, einer intakten körpereigenen Abwehr sowie einer zusätzlichen langfristigen systemischen antibiotischen Therapie die Infektausheilung möglich. Diese Erfahrungen wurden zuvor bereits im Rahmen der transpedikulären Instrumentation bei der Spondylodiszitis, und der damit verbundenen teilweise intraläsionalen Schraubenlage in gleicher Weise beobachtet. Dabei wird die obere BWS über eine Kostotransversektomie, die untere BWS über eine Thorakolumbophrenicotomie und die LWS über einen retropertionealen Zugang erreicht. Sowohl das Débridement als auch die ggf. notwendige Dekompression des Spinalkanals lassen sich sehr effektiv über einen ventralen Zugang zur Wirbelsäule realisieren. Erste Berichte einer derartigen Anwendung ventraler Versorgungen bei 36 Patienten mit einer Spondylodiszitis liegen aus dem Jahre 1997 [4] vor. Bis zu der heutigen Zeit wurde in dem eigenen Kollektiv von zwischenzeitlich 141 Patienten in nur einem

Fall eine Chronifizierung der Entzündung beobachtet. Der entscheidende Vorteil der ventralen Infektsanierung und primärstabilen Instrumentation ist in der Möglichkeit einer raschen, orthesenfreien Mobilisation der Patienten zu sehen. Der Repositionsverlust bei der ventralen Herdsanierung und Spanverblockung in Kombination mit einer dorsalen Instrumentation wird mit 2,7°, bei dem alleinigen ventralen Vorgehen mit 2,9° angegeben [5]. Der Blutverlust ist, infolge der fehlenden Ablösung der paravertebralen Muskulatur bei dem ausschließlichen ventralen Vorgehen, mit durchschnittlich 500 ml gering. Die Stabilisation nahe des knöchernen Defektes im ventralen Abschnitt der Wirbelsäule ermöglicht die kurzstreckige Fusion, sodass im Vergleich zur dorsalen Instrumentation Bewegungssegmente eingespart werden können. In der Literatur werden für das ventrale Vorgehen Fusionsraten von über 90% berichtet. Im Vergleich dazu liegen die Fusionsraten bei einem konservativen, ggf. minimal-invasivem Vorgehen zwischen 50 und 73%. In den Fällen eines mehrsegmentalen Befalls erscheint dagegen die alleinige ventrale Instrumentation nicht ausreichend, so dass eine zusätzliche dorsale Stabilisierung angestrebt werden sollte [15].

Die topographische Nähe der Iliacalgefäße zu der Seitenwand der Wirbelkörper stellt eine anatomische Grenze für die ventrale Instrumentation der Wirbelsäule in Höhe des vierten und fünften Lendenwirbelkörpers dar. Ein dauerhafter Kontakt des Implantates zu den Gefäßen kann zu einer Arrosion und einem daraus resultierenden unkalkulierbaren Blutungsrisiko führen.

In den vergangenen Jahren werden mit steigender Häufigkeit auch endoskopische Zugänge zur Brustwirbelsäule sowie mikrochirurgische, videoassistierte Zugänge [14] zur Lendenwirbelsäule angewendet. Der wesentliche Vorteil des thorakoskopischen Vorgehens besteht darin, dass im Bereich der oberen Brustwirbelsäule (Th 2-4) keine Desinsertion der Scapula und im Bereich der unteren BWS (Th11-L2) nur eine minimale Desinsertion des Zwerchfells notwendig ist. Ein geringerer Blutverlust und eine kürzere Rekonvaleszenzzeit lassen sich objektivieren, zusätzlich erlangt aber immer häufiger auch das günstigere kosmetische Ergebnis eine wesentliche Bedeutung. Grundsätzlich sind auch komplexe Operationen mit Vertebrektomien und Rekonstruktionen von Wirbelsäulendeformitäten über einen endoskopischen Zugang möglich, jedoch ist die Lernkurve für derartige Verfahren lang [11]. Das „minimal-invasive" Vorgehen an der Lendenwirbelsäule beruht auf einer Modifikation der traditionellen langstreckigen operativen Zugangswege. Dies wird ermöglicht durch den Einsatz des Operationsmikroskopes, die Verwendung von speziellen Selbsthalterahmen sowie durch modifizierte, dem kleinen Zugangsweg angepasste, Instrumente. Bei einer fehlenden knöcherne Destruktion ohne Beteiligung des Spinalkanals besteht die Möglichkeit den Infektherd gering traumatisierend von ventral (endospopisch oder minimal-invasiv) auszuräumen, einen knöchernen Span einzusetzen und zusätzlich von dorsal, ggf. navigiert percutan eine transpedikuläre Stabilisierung durchzuführen. Auf diesem Wege kann die Narbenbildung reduziert und die Eröffnung des Spinalkanls verhindert werden.

Die endoskopischen bzw. „minimal-invasiven" Techniken dürfen nicht zu Lasten der notwendigen lokalen Radikalität oder aber einer stabilen Instrumentation angewendet werden, sodass in Zweifelsfällen die bewährte offene chirurgische Versorgung erfolgen sollte.

Die Indikation für ein minimal-invasives Vorgehen ist zusammenfassend zu sehen, bei gering progredienten entzündlichen Verläufen, ohne eine Stabilitätsgefährdung der Wirbelsäule und ohne Ausbildung eines epiduralen Abszesses bzw. von intraspinalem Granulationsgewebe. Eine bereits eingetretene kyphotische Deformation des Bewegungssegmentes, mit den daraus resultierenden statischen Folgen für die gesamte Wirbelsäule, kann auf diese Weise nicht korrigiert werden.

Literatur

1. Dufek P, Salis-Soglio G, Bozdech Z (1987) Die unspezifische bakterielle Spondylitis - eine Analyse von 32 Fällen. Z Orthop 125:255-261
2. Eysel P, Peters K (1997) Spondylodiscitis. In: Peters K, Klosterhalfen B. Bakterielle Infektionen der Knochen und Gelenke. Enke, Stuttgart
3. Hadjipavlou AG, Mader JT, Necessary JT, Muffoletto AJ (2000) Hematogenous pyogenic spinal infections and their surgical management. Spine 25:1668-1679
4. Eysel P, Hopf C, Vogel J, Rompe JD (1997) Primary stable anterior instrumentation or dorsoventral spondylodesis in spondylitis? Results of a comparative study. Europ Spine J 3:152
5. Hopf C, Meurer A, Eysel P, Rompe JD (1998) Operative treatment of spondylodiscitis - what is the most effective approach? Neurosurg Rev 21:217-225

6. Bavinzski G, Schoeggl A, Trattnig S, Standhardt H, Dietrich W, Reddy M, Al-Schameri R, Horaczek A (2003) Microsurgical management of postoperative disc space infection. Neurosurg Rev 26(2):102-107
7. Wirtz DC, Genius I, Wildberger JE, Adam G, Zilkens KW, Niethard FU (2000) Diagnostic and therapeutic management of lumbar and thoracic spondylodiscitis - an evaluation of 59 cases. Arch Orthop Trauma Surg 120(5-6):245-251
8. Hadjipavlou AG, Crow WN, Borowski A, Mader JT, Adesokan A, Jensen RE (1998) Percutaneous transpedikular discectomy and drainage in pyogenic spondylodiscitis. Am J Orthop 27(3):188-197
9. Arya S, Crow WN, Hadjipavlou AG, Nauta HJ, Borowski AM, Vierra LA, Walser E (1996) Percutaneous transpedicular management of discitis. J Vasc Interv Radiol 7(6):921-927
10. Weber M, Heller KD, Wirtz D, Zimmermann-Picht S, Keulers P, Zilkens KW (1998) Percutaneous CT-controlled puncture and drainage of spondylodiscitis - a minimal invasive methode. Z Orthop Ihre Grenzgeb 136(4):375-379
11. Rosenthal D (2000) Endoskopische Zugänge zur Brustwirbelsäule. In: Reichel, Zwipp, Hein (Hrsg) Wirbelsäulenchirurgie. Steinkopff, Darmstadt
12. Oga M, Arizono T, Takasita M, Sugioka Y (1993) Evaluation of the risk of instrumentation as a foreign body in spinal tuberculosis. Spine 18:1890
13. Eysel P, Hopf C, Meurer A (1994) Korrektur und Stabilisierung der infektbedingten Wirbelsäulendeformität. Orthop Praxis 30:969
14. Hovorka I, de Peretti F, Damon F, Arcamone H, Argenson C (2000) Five years' experience of retroperitoneal lumbar and thoracolumbar surgery. Eur Spine J 9(Supp 1):S30-S34
15. Klöckner C, Valencia R, Weber U (2001) Die Einstellung des sagittalen Profils nach operativer Therapie der unspezifischen destruierenden Spondylodiszitis: ventrales oder ventrodorsales Vorgehen - ein Ergebnisvergleich. Orthopäde 30:365-376
16. Gratz S, Dörner J, Fischer U, Behr TM, Béhé M, Altenvoerde G, Meller J, Grabbe E, Becker W (2002) ^{18}F-FDG hybrid PET in patients with suspected spondylitis. Eur J Nucl Med 29:516-524

Die lumbale Bandscheibenprothese

M. Ogon, S. Becker

Einführung

Bandscheibenprothesen sind vor allem in den letzten Jahren sehr populär geworden und werden von vielen Patienten heute als eine Alternative zur Wirbelfusion positiv angenommen. Die Idee eine die Bandscheibe zu ersetzen ist allerdings nicht neu. Bereits in den 50er Jahren hat Nachemson versucht, Silikonpaste in den Zwischenwirbelraum zum Ersatz der Bandscheibe einzuspritzen [17]. Er hat dies an Wirbelsäulenpräparaten durchgeführt. Biomechanische Tests haben aber ein Verschieben der eingebrachten ausgehärteten Paste gezeigt, sodass diese Technik nie zu einer klinischen Anwendung kam.

Die erste künstliche Bandscheibe, die tatsächlich beim Patienten angewendet wurde, ist 1958 von Fernström entwickelt worden [8]. Es handelte sich damals um eine Metallkugel, die in den Intervertebralraum eingebracht wurde, um den so genannten „ball joint" Mechanismus zu ersetzen. Es sind hier mit dieser Methode insgesamt über 200 Patienten operiert worden. Vielfach kam es hierbei zu einer Instabilität oder zu einem Einsintern der Metallkugeln in den Wirbelkörper, sodass die Implantation dieser Kugeln dann in den 60er Jahren wieder eingestellt wurde.

1977 hat Fassio eine Kunststoffprothese implantiert [7]. Der Kern der Prothese bestand dabei aus Silastic, die Peripherie aus unelastischem Kunstharz. Es kam hierbei jedoch zu Osteolysen um den Kunststoff herum, sodass die Implantation dieser Prothese auch rasch wieder eingestellt wurde [19].

Zu einem Durchbruch bei der klinischen Anwendung der Bandscheibenprothesen hat letztlich die Entwicklung der SB-Charité-Bandscheibenprothese durch Schellnac und Büttner-Janz zwischen 1980 und 1984 gebracht [24]. Diese Prothese wurde erstmals 1984 an der Charité in Berlin durch Zippel implantiert. Die Prothese bestand aus einer Grund- und Deckplatte aus Titan und einem beweglichen Polyethylene-Inlay (DePuySpine).

Kurz darauf, 1987, wurde in den USA von Steffee und Fraser die AcroFlex Bandscheibenprothese entwickelt, welche neben einer Grund- und Deckplatte aus Titan ein Silikonelastomer als Kern hatte. Es zeigten sich dann allerdings feine Rissbildungen in diesem Elastomer, sodass die Implantation dieser Prothese dann wieder eingestellt wurde [19].

1998 wurde von Marnay in Frankreich die ProDisc-Bandscheibenprothese (SpineSolutions/Synthes) entwickelt, welche ebenfalls aus einer Grund- und Deckplatte aus Titan und einem Polyethylene-Inlay, ähnlich der Charité-Prothese, besteht. Allerdings ist im Vergleich zur Charité-Prothese das Polyethylene-Inlay bei der Pro-Disc-Prothese an der Grundplatte fixiert und nicht beweglich. Die Bewegungen werden dadurch geführt (so genannte constrained bzw. semi-constrained Prothese).

Im Jahre 2002 wurde dann von Mathews, Le-Huec und anderen die Maverick-(Medtronic) Bandscheibenprothese vorgestellt, bei der das Rotationszentrum, der natürlichen Lokalisation eher entsprechend, mehr nach dorsal verlagert wurde [15]. Zudem sind bei dieser Prothese die Artikulationsflächen aus Metall, sodass hier ganz auf ein Polyethylene-Inlay verzichtet wurde.

Weitere Prothesentypen sind derzeit in der Entwicklung, bzw. zum Teil schon zur klinischen Anwendung gekommen. Die Mobidisc-(LDR medical) Bandscheibenprothese ist mit einer Grund- und Deckplatte aus Metall und einem Polyäthylen-Inlay ausgestattet, die Nuvasive-Bandscheibenprothese (NuVasive Inc.) basiert auf einer Keramik/Keramik-Gleitpaarung, die FlexiCore-(Spinecore Inc.) Bandscheibenprothese hat eine Metall/Metall-Gleitpaarung und ist an den titanbeschichteten Grund- und Deckplatten gewölbt [6].

Weitere Prothesentypen sind sicherlich in den kommenden Jahren zu erwarten.

Indikationen zur Bandscheibenprothese

Indikation zur Bandscheibenprothese ist der chronisch therapieresistente Kreuzschmerz, bedingt durch eine so genannte degenerative disc disease (DDD). Man geht davon aus, dass bei der DDD die Schmerzen direkt durch die Bandscheibe selbst bedingt sind. Typischerweise findet sich bei der DDD im normalen Röntgen eine gewisse Höhenminderung des Intervertebralraumes. Frühzeichen der DDD im MRI ist ein verminderter Flüssigkeitsgehalt, der sich als Signalabschwächung in den T2-gewichteten Sequenzen als so genannter „Black Disc" darstellt. Der verminderte Flüssigkeitsgehalt allein ist allerdings sehr unspezifisch und korreliert nur wenig mit vermehrten Kreuzschmerzen. Eine höhere Korrelation mit Kreuzschmerzen findet sich bei Vorliegen einer so genannten High-Intensitiy-Zone (HIZ) im MRI. Die HIZ ist ein helles Signal in T2 im sonst dunklen dorsalen Bereich der Bandscheibe und wird als Fissur im Anulus Fibrosus gedeutet [1]. Die Prävalenz einer HIZ wurde in einer Population von Kreuzschmerzpatienten mit 59%, in der Kontrollgruppe von symptomlosen Individuen mit 24% angegeben [4]. Ein weiteres Zeichen für Bandscheibendegeneration im MRI, welches eine vermehrte Korrelation mit Kreuzschmerzen aufweist, ist das Modic-Zeichen [16]. Bei Patienten mit Modic-II-Veränderungen wurden in 73% Rückenschmerzen festgestellt [20].

Therapieresistente Schmerzen bedingt durch eine DDD in 1 oder 2 Segmenten stellen eine gute Indikation für eine Bandscheibenprothese dar. Voraussetzung ist allerdings, dass die dorsalen Elemente intakt sind (keine Spondylarthrose, keine Spondylolyse, keine Spondylolisthese).

Eine mögliche Indikation für multiple Bandscheibenprothesen stellt eine DDD in 3 Höhen dar. Eine mögliche Indikation besteht auch bei zusätzlicher leichter Spondylarthrose oder bei einer zusätzlichen geringen posterioren Instabilität (zum Beispiel nach Bandscheibenoperationen).

Eine Kontraindikation stellt eine stärkere Spondylarthrose, eine Instabilität, eine spinale Stenose oder auch eine Osteoporose dar.

Operationstechnik

In Rückenlage wird ein etwa 8 cm langer querverlaufender Hautschnitt am Unterbauch angelegt. Die Faszie des M. rectus abdominis wird dargestellt und in der Mittellinie die Linea alba längs eröffnet. Das Peritoneum wird nun, in der Regel linksseitig, von der Bauchwand abgeschoben. Retroperitoneal können so nun der M. Psoas, der Ureter und die A. iliaca communis identifiziert werden.

Die Bandscheibe L5/S1 kann nun unterhalb der Bifurkation von Aorta und Vena cava erreicht werden. Vor dem 5. Lendenwirbelkörper und über die Bandscheibe L5/S1 zieht der dünne Plexus hypogastricus superior (N. praesacralis). Dieser verbindet den Plexus aorticus abdominalis mit dem Plexus hypogastricus inferior, welcher im kleinen Becken für die vegetative Steuerung von Prostata, Ductus deferens, Blase und Geschlechtsorganen zuständig ist. Das zarte Weichteil- und Fettgewebe mit den darin verlaufenden Fasern des Plexus hypogastricus superior muss daher von rechts her möglichst schonend und unter Vermeidung der Koagulationspinzette nach links mobilisiert werden. Die Vena und Arteria sacralis mediana werden ebenfalls nach links mobilisiert oder alternativ unterbunden und durchtrennt. Nach Retraktion der linken und rechten V. iliaca communis zur jeweiligen Seite stellt sich nun die Bandscheibe L5/S1 dar.

Zur Bandscheibe L4/5 oder L3/4 gelangt man ebenfalls über ein retroperitoneales Mobilisieren über die linke Seite. Ein Einschneiden der Linea arcuata erleichtert eine ausreichende Mobilisierung des Peritoneums nach rechts. Die Vena cava und die Aorta (bzw. die A. und V. iliaca communis, je nach Höhe der Gefäßgabelung) werden nach rechts mobilisiert, oder alternativ zwischen beiden großen Gefäßen eingegangen. Oft ist eine Unterbindung der Vena lumbalis ascendens linksseitig notwendig um die Vene nach rechts mobilisieren zu können.

Die Bandscheibe wird nun von vorne ausgeräumt unter Belassung des Anulus fibrosus lateral. Das hintere Längsband wird ebenfalls belassen. Grund- und Deckplatten werden mit der Kürette entknorpelt. Der Intervertebralraum muss gut mobilisiert werden. Hierzu müssen dorsale Randkanten unter mikroskopischer Sicht mit der High-Speed-Fräse und kleinen Stanzen entfernt werden.

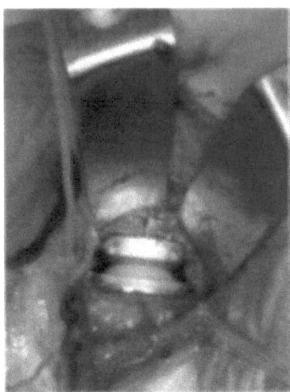

Abb. 1. Implantierte Bandscheibenprothese (ProDisc) nach Einrasten des Inlays

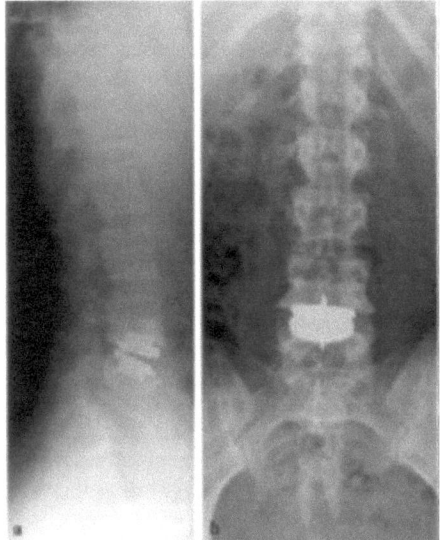

Abb. 2a, b. Postoperatives Röntgenbild

Mit einem speziellen Setzinstrumentarium wird dann die Prothese eingebracht, wobei unter Bildwandlerkontrolle darauf geachtet wird, dass diese im a.p.-Bild zentral zum Liegen kommt und im Seitbild möglichst weit dorsal liegt (Abb. 1). Das postoperative Röntgenbild zeigt die korrekte Lage der Bandscheibenprothese (Abb. 2).

Nachbehandlung

Der Patient kann am 1. postoperativen Tag aufstehen und wird in der Regel nach etwa 6–8 Tagen entlassen. Während des Aufenthaltes führen wir ein statisches Training der tiefen Bauch- und Rückenmuskulatur (M. Transversus, M. Obliquus externus und internus, Mm. Multifidii) durch. Zusätzlich führen wir eine Nervenmobilisation durch (liegendes ausgestrecktes Bein, dorsale Extension am Fuß, langsam steigernd über Hüftflexion und Knieextension). Zusätzlich bekommt der Patient Instruktionen zur richtigen Durchführung von Alltagsaktivitäten.

Nach der Entlassung sollte der Patient zu Hause möglichst viel gehen und zwischendurch immer wieder kurz liegen. Bis zur 6. postoperativen Woche sollte längeres Sitzen (länger als 1 Stunde am Stück) möglichst vermieden werden. Ambulante weitere Physiotherapie führen wir ab der 3. postoperativen Woche durch. Eine stationäre Rehabilitation findet in der Regel ab der 6. postoperativen Woche statt.

Die Belastung sollte schmerzorientiert erfolgen, wobei maximal 5 kg in den ersten 6 postoperativen Wochen gehoben werden sollten. Die Arbeit kann in der Regel zwischen der 6. und 10. postoperativen Woche wieder aufgenommen werden, Büroarbeit eventuell bereits ab der 3. postoperativen Woche. Auto fahren ist meist ab der 6. postoperativen Woche wieder möglich.

An Sport ist ab der 6. postoperativen Woche schwimmen und Rad fahren wieder erlaubt, ab dem 3. Monat kann dies weiter gesteigert werden, wobei stärker belastende Sportarten, wie zum Beispiel Schi fahren oder Tennis erst ab dem 6. postoperativen Monat zu empfehlen sind.

Ergebnisse

Zippel, welcher 1984 die erste der in Berlin entwickelten SB-Charité implantiert hatte, berichtete 1991 über sehr gute Ergebnisse in 54% der Patienten, eine Verbesserung in 29%, gleiche Beschwerden in 15% und ein schlechtes Ergebnis in 2% seiner Patienten [24].

Lemaire fand in 105 Patienten mit der Charité-Prothese, darunter 22 Patienten mit über 10-Jahres-follow-up eine Facettenarthrose bei 3 Patienten und moderate Schmerzen bei 2 Patienten. Insbesondere fand er aber keine Lockerung von Prothesen [11].

Bertagnoli und Kumar berichten gar von guten Ergebnissen in 98,2% von 108 operierten Patienten und keinen nennenswerten Komplikationen [2].

Mayer et al. fanden bei der subjektiven Bewertung des Operationsergebnisses durch die Patienten 16,9% vollkommen zufriedene und 21,7% zufriede Patienten [13].

Ooje beschreibt allerdings in einer neueren Studie doch auch Komplikationen, wie eine Migration einer Bandscheibenprothese nach ventral nach 10 Jahren und auch ein Polyethylene-Abrieb in einem Fall nach 12 Jahren [18]. Auch sind in Einzelfällen Luxationen des Polyethylen Inlays und auch Wirbelfrakturen bekannt.

In den USA wird derzeit gerade eine prospektive randomisierte klinische Multicenterstudie durchgeführt, bei der Patienten mit degenerativer Bandscheibenerkrankung entweder eine Bandscheibenprothese oder eine ventral-dorsale Fusion erhalten. Es zeigt sich hierbei nach den ersten Erfahrungen eine vor allem schnellere Mobilisierung und schnellere Reduktion des Oswestry-Disability-Index bei den Bandscheibenprothesen Patienten gegenüber den Patienten mit Fusion [23]. Die Multizenterstudie wird für die Zulassung der Bandscheibenprothese auf dem US-Markt durch die FDA durchgeführt. Im Gegensatz zu Europa wo mit der Implantation von Bandscheibenprothesen schon vor über 20 Jahren begonnen wurde ist derzeit noch kein Bandscheibenprothesenmodell in den USA (außer im Rahmen von FDA-Multicenterstudien) zugelassen. Mit einer Zulassung der ersten Modelle (ProDisc und SB-Charité III) ist aber vermutlich in Kürze zu rechnen.

Unsere eigenen Erfahrungen zeigen ebenfalls eine deutlich schnellere Rehabilitationszeit nach Implantation von Bandscheibenprothesen im Vergleich zu Fusionsoperationen. Nach Beginn unserer Wirbelsäulenchirurgischen-Abteilung im Orthopädischen Spital Wien-Speising im März 2002 wurden zwischen 4/2002 und 7/2003 bei 18 Patienten (16 weiblich, 2 männlich) mit DDD eine lumbale Bandscheibenprothese (ProDisc) implantiert, so dass von diesen heute ein Follow-up von mindestens 12 Monaten vorliegt. Das Durchschnittsalter betrug 44,2 Jahre (30–58 Jahre). Es wurde in 7 Patienten die Bandscheibe L5/S1 und in 11 Patienten die Bandscheibe L4/5 ersetzt. Praeoperativ, sowie beim Follow-up nach 3 und 12 Monaten wurden SF-36, der Oswestry Disabi-

lity Index und die Schmerzintensität mittels einer VAS evaluiert. Der Oswestry Disability Index verbesserte sich von 51,3 praeoperativ auf 17,2 nach 3 Monaten. Bis nach 12 Monaten trat eine weitere Verbesserung auf 8,0 ein (Abb. 3). Auch beim Physical Component Summary Score und beim Mental Component Summary Score des SF-36-Fragebogens zeigten sich neben einer Verbesserung zwischen dem praeoperativen Wert und dem 3-monats Follow-up Wert eine weitere Steigerung bis nach 12 Monaten (Abb. 4). Im Gegensatz hierzu verbesserte sich der VAS Wert zwar deutlich von praeoperativ zum 3 monats Follow-up, zeigte dann aber keine weitere Verbesserung nach 12 Monaten (Abb. 5). Unserer Erfahrung nach sind die meisten Patienten nach der Operation relativ rasch fast beschwerdefrei. Bei den Patienten bei denen nach den ersten 3 Monaten noch gewisse Restbeschwerden bestanden, blieben diese meist auch weiter bestehen.

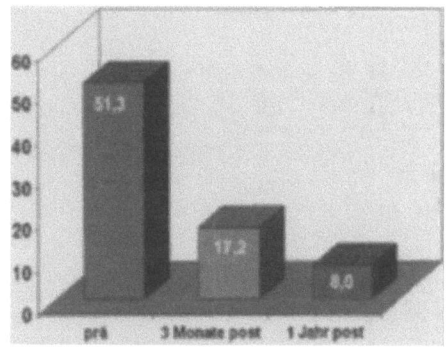

Abb. 3. Oswestry Disability Index präoperativ und im postoperativen Verlauf

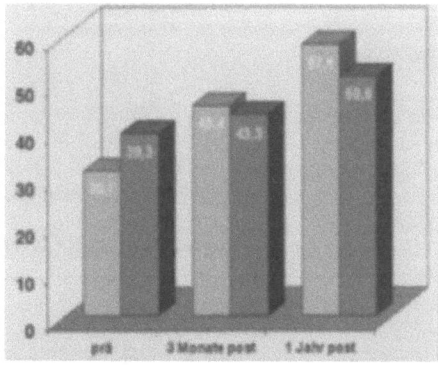

Abb. 4. SF-36 präoperativ und im postoperativen Verlauf. Physical Component Summary Score und Mental Component Summary Score. ■ PCSS, ■ MCSS

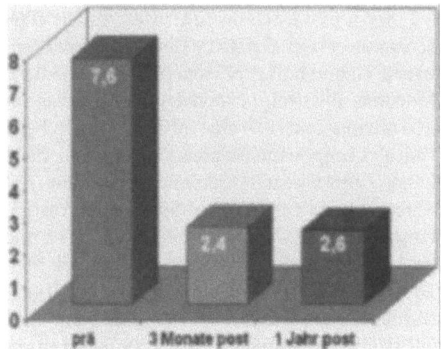

Abb. 5. Schmerzintensität (VAS) präoperativ und im postoperativen Verlauf

An Komplikationen hatten wir in unserm Kollektiv bei zwei Patienten einen nach 6 Monaten vorübergehenden Sympathektomie-Effekt mit Wärmegefühl im linken Bein bzw. subjektiven Gefühl eines kühleren rechten Beins. Bei einer Patientin bestand am 2. und 3. postoperativen Tag ein Subileus welcher auf konservative Therapie abgeklungen ist. In einem Fall kam es nach einem Sturz 4 Monate postoperativ zu einer hartnäckigen, therapieresistenten Ischialgie rechts. Im CT zeigte sich die Prothese relativ weit dorsal sitzend, gerade mit der Hinterkante von S1 abschließend. Wir führten eine dorsale erweiterte Interlaminäre-Fensterung L5/S1 rechts durch. Hierbei war die Prothese unter dem Längsband gerade zu tasten, ohne allerdings die Wurzel S1 wirklich zu bedrängen. Dennoch kam es nach der Dekompression zu einer Rückbildung der Ischialgie.

Komplikationen

Mögliche Komplikationen bei Bandscheibenprothesen können grundsätzlich eingeteilt werden in allgemeine zugangsbedingte Komplikationen und in spezifische prothesenbedingte Komplikationen.

Zugangsbedingte Komplikationen sind Gefäßverletzungen [23], Ureterverletzungen [10], retroperitoneale- und Bauchwandhämatome, Peritonitis [14] oder eine retrograde Ejakulationsstörung [13]. Retrograde Ejakulationstörungen entstehen durch Verletzung des Plexus Hypogastricus superior. Während die übrigen zugangsbedingten Komplikationen meist nur seltene Einzelfallberichte sind, liegt die Häufigkeit einer retrograden Ejakulationsstörung beim ventralen Zugang bei etwa 5%, sodass hierüber bei männlichen Patienten präoperativ unbedingt aufgeklärt werden sollte.

Prothesenbedingte Komplikationen sind Bandscheibenprotrusionen nach dorsal oder dorso/lateral durch ungenügende Ausräumung der Bandscheibe [13], Luxation des Polyethylen-Inlays [13, 23], längerfristige Prothesenmigration [18], längerfristige Sinterung und Polyethylenabrieb [18], Wirbelfrakturen [21], Heterotrope Ossifikationen (McAfee 2003, Marnay 2001, Putzier 2004). Langfristig (nach durchschnittlich 17,3 Jahren) wurden in einer aktuellen Studie mehr als 50% spontaner Fusionen im operierten Segment festgestellt [22]. Allerdings hatten diese Patienten trotzdem eher ein gutes klinisches Ergebnis.

Postoperative Segmentbeweglichkeit

Bei der gesunden Wirbelsäule hängt die segmentale Beweglichkeit an der Lendenwirbelsäule vom Level ab. Durchschnittlich findet sich in Extension/Flexion und beim lateral Bending eine segmentale Angulation von ±5-7° (max. ±10°), die Rotation beträgt 1-3°, die Translation 1-2 mm. Des Weiteren lässt die gesunde Bandscheibe eine axilläre Wegstrecke (Dämpfung) von 1-2 mm unter Belastungen von 250-2000 N zu. Heute auf dem Markt befindliche Prothesentypen werden unterschieden in „unconstrained" und „constrained" bzw. „semi-constrained". Unconstrained-Prothesen erlauben eine Bewegungsfreiheit in Extension/Flexion, Side-Bending, Rotation und Translation (Beispiel: SB-Charité). Constrained Prothesen limitieren die Beweglichkeit in zumindest einem Freiheitsgrad. Bei der ProDisc zum Beispiel ist die Extension/Flexion, das Side-Bending, und die Rotation nicht eingeschränkt, die Translation aber nicht frei möglich. Hierdurch ist das Rotationszentrum bei der ProDisc fixiert. Bei der SB-Charité hingegen kann sich die Lage des Rotationszentrums während der Extensions/Flexionsbewegung verändern. „Unconstrained" ist vermutlich dem natürlichen Bewegungsablauf näher, allerdings werden hierdurch auch die Facettengelenke mehr belastet, da zusätzliche Scherkräfte aufgenommen werden müssen. Bei einer Prothese die „constrained" ist, lasten hingegen mehr

Tabelle 1. Postoperativer Bewegungsumfang lumbaler Bandscheibenprothesen

Typ	ROM Flexion/Extension Postoperativ	n Follow-up	Quelle
ProDisc	L4/5 10° (8-18°) L5/S1 8° (2-12°)	n=53 1,4 years	Tropiano et al. 2003 [21]
Charité III	L5/S1 9° (0-15°)	n=46 3,2 years	Cinotti et al. 1996 [5]
ProDisc	L2/3 12° (9-15°) L3/4 10° (8-15°) L4/5 10° (9-13°) L5/S1 9° (2-13°)	n=108 56 >1 year	Bertagnoli und Kumar 2002 [2]

Kräfte auf die Prothese bzw. auf der Grenzfläche zwischen Prothese und Knochen. Ob „constrained" oder „unconstrained" für das klinische Ergebnis längerfristig besser ist kann heute noch nicht gesagt werden [9].

Postoperativ wurde vor allem der Bewegungsumfang in der Extension/Flexions-Bewegung gemessen. Hierbei wurde der natürliche Bewegungsumfang annähernd erreicht (Tabelle 1). Allerdings zeigen neuere Studien keine sichere Korrelation zwischen dem postoperativen Bewegungsausmaß und dem klinischen Erfolg [3]. Insofern ist auch die klinische Bedeutung einer guten postoperativen segmentalen Beweglichkeit heute noch nicht eindeutig nachgewiesen. Es kann vermutet werden, dass durch eine gute Beweglichkeit das Problem der Degeneration im Anschlusssegment vermindert wird. Bis heute hat dies aber noch keine Studie sicher nachgewiesen.

Zusammenfassung

Die Bandscheibenprothese zeigt gute Frühergebnisse bei niederer Komplikationsrate. Die Rehabilitationszeit ist insgesamt recht kurz und die Mobilität kann schneller erreicht werden als nach Fusionen. Noch nicht gelöst ist allerdings die Frage der Langlebigkeit, wenn auch die 10-Jahresergebnisse durchaus ermutigen.

Bei unter 30-jährigen Patienten sind wir daher zur Zeit mit der Indikationsstellung für eine Bandscheibenprothese eher zurückhaltend. Bei Patienten in mittlerem Lebensalter und bei guter Indikation sind vor allem die kurzfristigen und mittelfristigen Ergebnisse allerdings sehr vielversprechend, sodass für diese Patienten die Implantation einer Bandscheibenprothese sicherlich eine sehr gute Alternative zu einer Fusion darstellt.

Literatur

1. Aprill C, Bogduk N (1992) High-intensity zone: a diagnostic sign of painful lumbar disc on magnetic resonance imaging. Br J Radiol 65(773):361-369
2. Bertagnoli R, Kumar S (2002) Indications for full prosthetic disc arthroplasty: a correlation of clinical outcome against a variety of indications. Eur Spine J 11(Suppl 2):S131-S136
3. Cakir B, Schmidt R, Ulmar B, Richter M (2004) Total disc replacement of the lumbar spine. Relation between range of motion and clinical outcome. Spine Society of Europe Annual Meeting, Porto, Portugal
4. Carragee EJ, Paragioudakis SJ, Khurana S (2000) Lumbar high-intensity zone and discography in subjects without low back pain problems. Spine 25(23):2987-2992
5. Cinotti G, David T, Postacchini F (1996) Results of disc prothesis after a minimum follow-up period of 2 years. Spine 15(21):995-1000
6. Errico T (2004) The Flexicore lumbar disc. Early clinical experience. Spine Arthroplasty Society Annual Metting, Vienna
7. Fassio B, Ginestie JF (1978) Prothese discale en silicone. Nouv Press Med 21:207
8. Fernström U (1966) Arthroplasty with intercorporal endoprosthesis in herniated disc and in painful disc. Acta Orthop Scand Suppl 10:287-289
9. Huang RC, Girardi FP, Cammisa FP, Wright TM (2003) The implications of constrainet in lumbar total disc replacement. J Spinal Disord Techniques 28:412-417
10. Le Huec JC, Friesem T, Brayda-Bruno M, Mathews H, Zdeblick T, Aunoble S (2004) Maverick total lumbar disc replacement. Prospective study – preliminary report of 50 cases at 2 years follow-up. Spine Society of Europe Annual Meeting, Porto, Portugal
11. Lemaire JP (2000) Intervertebral disc prosthesis: 22 cases with a follow-up over 10 years. Eur Spine J 9(4):307
12. McAfee PC, Cunningham BW, Devine J, Williams E, Yu-Yahiro J (2003) Classification of heterotropic ossification (HO) in artificial disc replacement. J Spinal Disord Techniques 28:384-389
13. Mayer HM, Wiechert K, Korge A, Qose I (2002) Minimally invasive total disc replacement: surgical technique and preliminary clinical results. Eur Spine J 11(Suppl 2):S124-S130
14. Marnay T (2001) Lumbar disc arthroplasty – 8-10 years results using Titanium Plates with a Polyethylene inlay component. Spine Arthroplasty Society Meeting, München

15. Mathews MM et al (2002) Design rationale and early multicenter evaluation of Maverick totat disc replacement. Spine Arthroplasty Society Meeting, Montpellier
16. Modic MT, Steinberg PM, Ross JS, Masaryk TJ, Carter JR (1988) Degenerative disk disease: assessment of changes in vertebral body marrow with MR imaging. Radiology 166:193-199
17. Nachemson A (1976) The lumbar spine – an orthopedic challenge. Spine 1:59-71
18. Ooij A, Oner FC, Verbout AJ (2003) Complications of artificial disc replacement: A report of 27 patients with the SB Carite Disc. J Spinal Disord Techniques 28:369-383
19. Szpalski M, Gunzburg R, Mayer M (2002) Spine Arthroplasty: a historical review. Eur Spine J 11(Suppl 2): S65-S84
20. Toyone T, Takahashi K, Kitahara H et al (1994) Vertebral bone marrow changes in degenerative lumbar disc disease: A MRI study of 74 Patients with low back pain. J Bone Joint Surg (Br) 76:757-764
21. Tropiano P, Huang RC, Girardi FP, Marnay T (2003) Lumbar disc replacement. Preliminary results with ProDisc II after a minimum follow-up period of 1 year. J Spinal Disord Techniques 28:362-368
22. Putzier M, Schneider SV, Disch AC, Tauz H, Funk JF (2004) Clinical and radiological results after artificial disc replacement – 17 year long term follow-up. Spine Society of Europe Annual Meeting, Porto, Portugal
23. Zigler JE, Burd TA, Vialle EN et al (2003) Lumbar spine arthroplasty: Early results using the ProDisc II: A prospective randomized trial of Arthroplasty versus fusion. J Spinal Disord Techniques 28:352-361
24. Zippel H (1991) Charite modular: conception, experience and results. In: Weinstein JN, Mayer HM, Weigel K (eds) The artificial disc. Springer, Berlin pp 69-78

KAPITEL 6

Indikation, Technik und Frühergebnisse der Bandscheibentotalendoprothetik

A. Krödel, I. Löer

Einleitung

Der Verschleiß der lumbalen Bandscheiben mit entsprechenden Wirbelsäulenleiden stellt eine der häufigsten orthopädischen und neurochirurgischen Diagnosen dar. Etwa 40% der Patientenklientel führt ein Bandscheibenleiden in orthopädische Arztpraxen. Dieses „Volksleiden" bewirkt in Deutschland Arbeitsunfähigkeitstage in Höhe von zweistelligen Millionenbeträgen pro Jahr. Bei chronischem Rückenschmerzleiden lässt sich eine Wiedereingliederung in das berufliche Umfeld nach einem Jahr trotz intensiver konservativer Therapie jedoch in nur 43% der Fälle erzielen, was auf die sozioökonomische Bedeutung dieser Erkrankung hinweist.

Im Zentrum des lumbalen Bandscheibenleidens steht die Degeneration des Bewegungssegments. Neben Veränderungen im Bereich des Discus und des Anulus fibrosus sind auch Facettengelenksdegeneration und eine sukzessive Instabilität zu nennen. Diese ist ligamentär, aber auch chondral und ossär begründet. Aufgrund der Schmerzgenese im betroffenem Segment kommt es zur Abnahme muskulärer Aktivität, was eine Muskeldegeneration zur Folge hat. Eine solche fettige Degeneration, wie sie sich z. B. im Kernspintomogramm darstellen lässt, setzt der Kompensationsfähigkeit hinsichtlich der muskulären Stabilisierung von degenerativen Instabilitäten eine wirksame Grenze. Wenn auch normale Alterungsvorgänge der Bandscheibe und der anderen Anteile des Bewegungssegments schmerzfrei sind, so kommt es dennoch bei einer hohen Anzahl von Patienten im Rahmen der Degeneration zu schmerzhaften Krankheitsbildern, die mit einer erheblichen Einschränkung der Lebensqualität, der Mobilität und der Funktion einhergehen.

Ursächlich für diese Schmerzen sind zum einen der Anulus fibrosus sowie das hintere Längsband zu nennen [8, 12, 13, 24]. Weiterhin sind das Periost, die Gelenkkapsel, Nervenwurzeln, -Ganglien, die Dura, Muskeln und der restliche Bandapparat mit Schmerzrezeptoren versorgt und in der Lage Schmerzsyndrome zu unterhalten. Letztendlich ist die Schmerzentstehung multifaktoriell, wobei unterschiedliche Faktoren zur Auslösung eines klinisch gleichartigen Krankheitsbildes in der Lage sind. Die Therapie muss dabei unter Berücksichtigung der Pathogenese des Schmerzes auch differenziert erfolgen [1].

Bei lumbalen Beschwerden steht zunächst die konservative Therapie im Vordergrund. Bei progredienten Verläufen über mindestens 6 Monate mit strukturellen Veränderungen des Bandscheibenraumes war bislang die ventro-dorsale Spondylodese die Therapie der Wahl. Dabei konnte der Hauptschmerzgenerator Bandscheibe ausgeschaltet werden, zugleich erfolgte die dauerhafte Ruhigstellung der oftmals ebenfalls sehr schmerzhaften Facettengelenke. Die Ergebnisse mit solchen Verfahren sind als befriedigend zu bezeichnen, eine eindeutige Überlegenheit der operativen gegenüber der konservativen Therapie konnte für die Behandlung chronischer Lumbalgien statistisch gesichert werden [9].

Bei langjährigen Erfahrungen mit kurzstreckigen Wirbelsäulenfusionen müssen jedoch fusionsimmanente Nachteile wie eine verfahrensabhängige Pseudarthroserate von ca. 9–55% [3, 5, 11, 18, 21, 25] ebenso berücksichtigt werden wie Anschlussinstabilitäten und Schmerzen im Bereich des Knochenspanentnahmebereichs. Zum Erhalt des Bewegungssegments wurden seit ca. 50 Jahren Bandscheibenimplantationen beim Menschen durchgeführt, wobei die unterschiedlichsten Materialien zur Anwendung kamen [2, 6, 7, 17, 20]. Es gibt Anhalt dafür, dass Bandscheibenprothesen in Bezug auf den postoperativen Oswestry Low Back Pain Disability Questionnaire (ODQ) gegenüber der Fusion Vorteile aufweisen [26]. In den letzten Jahren werden aus dem Bereich des Tissue-Engineering auch biotechnisch hergestellte Ersatzbandscheibenstrukturen erprobt, wobei die klinische Erfahrung noch begrenzt ist [19].

Prinzipiell müssen der Nucleusersatz z.B. in Form des PDN-Disc [20] von der Bandscheibentotalendoprothese unterschieden werden. Erstere benötigen intakte anuläre Strukturen zur sinnvollen Anwendung, was schwere Bandscheibenschäden ausschließt. Indikationen für eine totale Bandscheibenprothese sind unter anderem schwerere Bandscheibenschäden mit Anulusrupturen, das Postdiscotomiesyndrom, ein Rezidivbandscheibenvorfall sowie eine Anschlussinstabilität nach erfolgter Fusion bei intakten dorsalen Strukturen.

Im Vergleich zur Fusion konnte belegt werden, dass die Wiederherstellung der Höhe des Zwischenwirbelraums mit einer Bandscheibenprothese besser möglich ist [16]. Weiterhin erfüllt die Bandscheibenprothese die verschiedenen Eigenschaften der Bandscheibe und des Gesamtorgans Wirbelsäule sicherlich besser als dieses von einer Fusion erreicht werden kann. Insbesondere für die Balance des Körpers im Raum beim Laufen und Stehen sowie bei Rotation der Wirbelsäule ist die erhaltene Beweglichkeit durch eine Bandscheibenprothese als wichtiger Vorzug gegenüber der Fusion anzusehen. Außerdem hat die Wirbelsäule eine wichtige Aufgabe in der Stoßabsorption, die einmal durch die Kurvenelastizität der bestehenden Lordosen und Kyphosen, andererseits aber auch durch die Bandscheibendämpfung gewährleistet wird. Durch die Wiederherstellung der Bandscheibenhöhen, wodurch eine physiologischere Position der Facettengelenke bei gleichzeitiger Weitung der Foramina und Wiederherstellung der Stabilität resultiert, kann diese Funktion der Wirbelsäule wieder restauriert werden.

Infolge der verbleibenden Beweglichkeit ist im Vergleich zur Fusion zumindest theoretisch eine Überbeanspruchung der angrenzenden Bandscheiben nicht gegeben.

Letztlich steht bei Versagen einer Bandscheibenprothese als Therapieoption noch immer die Durchführung einer Spondylodese zu Verfügung.

Betrachtet man die Anforderungen an eine Bandscheibenprothese in Bezug auf die natürliche Bandscheibenfunktion, so werden die verschiedenen Bewegungen zumindest in Teilen repliziert. Hier sei die Translation, die Rotation, sowie Flexion und Extension genannt. Diese Funktionen werden von den auf dem Markt befindlichen Bandscheibenprothesen in unterschiedlichem Ausmaß erfüllt. Bewegungslimitierungen sind designabhängig vorhanden. Bei den verwandten Materialien und Designs wird die natürliche Stoßdämpfung der Bandscheiben nur bedingt berücksichtigt, wobei es bei den gängig verwandten Gleitpaarungen Metall/Metall und Metall/Polyethylen keine nennenswerten Unterschiede in der Stoßkraftabsorption zu geben scheint [14]. Eine hinsichtlich aller Anforderungen ideale Bandscheibenprothese ist zum jetzigen Zeitpunkt nicht existent. Zur Überprüfung der eigenen Erfahrungen und näheren Beleuchtung obiger Überlegungen wurde im Rahmen einer prospektiven Untersuchung nach Bandscheibenprothesenimplantation eine Nachuntersuchung unserer Patienten durchgeführt.

Material und Methoden

Die Indikation zur Bandscheibenprothesenimplantation wurde anhand der konservativ therapieresistenten Lumbalgie- oder Lumboischialgiesymptomatik gestellt. Im Rahmen der präoperativen Abklärung wurden Standardröntgenaufnahmen der LWS durchgeführt sowie üblicherweise eine Kernspintomographie (Abb. 1a), die in Bezug auf Osteochondrosebildung, Endplattenödem, Anulusfissuren und pathologische Bandscheibeninflammation beurteilt wurde. Zur Diagnosesicherung erfolgten bei entsprechender Indikation Discographien (Abb. 1b), und in fraglichen Fällen Facettengelenksblockaden.

Unter Zusammenschau der Befunde und Zugrundelegung des klinischen Bildes wurde dann in Absprache mit dem Patienten die Entscheidung zur Implantation einer Bandscheibenprothese gefällt (verwandtes Prothesenmodell siehe Abb. 1 c/d).

In der Zeit von Mai 2001 bis Mai 2004 wurden bei 26 Patienten insgesamt 30 Bandscheibenendoprothesen (Prodisc-Prothese) implantiert. Postoperativ wurde ein Krankengymnastikprogramm ohne Bewegungsrestriktionen routinemäßig angewendet.

Neben klinisch-radiologischen Verlaufskontrollen wurde prä- sowie 3, 6, 12 und 24 Monate postoperativ mittels Oswestry-Score, der Visuellen Analogskala für Schmerzen (VAS), sowie dem SF-36-Score evaluiert. Der Oswestry-Score basiert auf einer Skalierung von 0–100, die sich aus 10 Fragen mit multiplen Antwortmöglichkei-

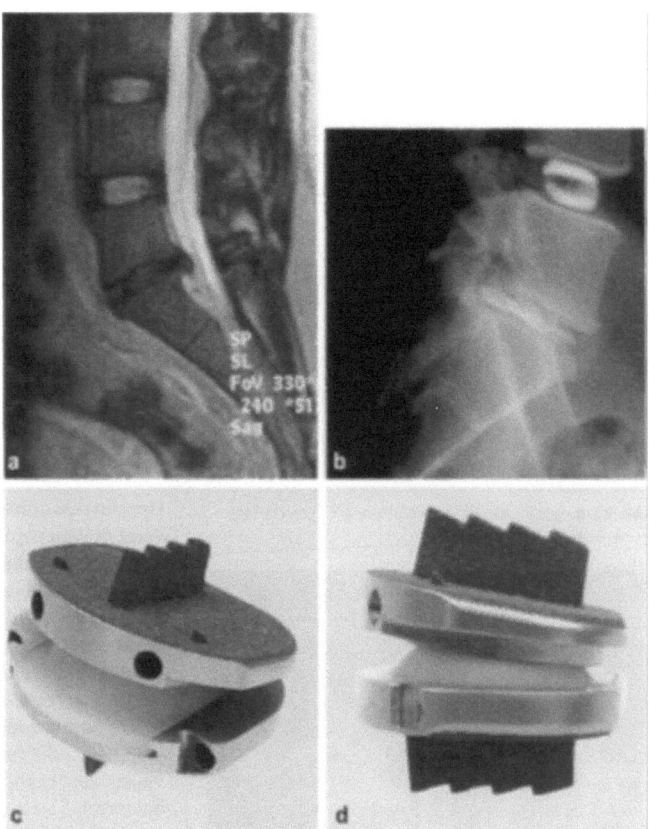

Abb. 1 a–d. Präoperative MRT und Discographie vor Implantation der Bandscheibenprothese

ten berechnet. Dabei dokumentiert ein hoher Wert starke Schmerzen, bzw. eine deutliche Beeinträchtigung des Alltags. Ein niedriger Oswestry-Wert ist dementsprechend Anhalt für geringe Beschwerden. Bei der visuellen Analogskala für Schmerzen stuft der Patient seine Schmerzen auf einer Skala von 0 (gar kein Schmerz) bis 10 (maximal vorstellbarer Schmerz) ein. Der SF-36-Score basiert auf dem in der Medical Outcomes Study (MOS) eingesetzten Fragebogensatz von 149 Items, wobei die 36 Fragen das Mutterinstrument weitestgehend reflektieren. Das Instrument erfasst 8 Dimensionen von Gesundheit:
1. Körperliche (physikalische) Funktionsfähigkeit
2. Rollenverhalten wegen körperlicher Funktionsbeeinträchtigung
3. Schmerzen
4. allgemeiner Gesundheitszustand
5. Vitalität und körperliche Energie
6. Soziale Funktionsfähigkeit
7. Seelische (psychische) Funktionsfähigkeit
8. Rollenverhalten wegen seelischer Funktionsbeeinträchtigung.

In der von uns verwandten MOS Short-Form-36 werden 11 Fragen zum Gesundheitszustand abgefragt. Die in der Auswertung der ersten 8 abgeschlossenen Fälle angeführte erste Frage des MOS Short-Form-36 bezieht sich auf den Allgemeinen Gesundheitszustand der Patienten (general health).

Aus operationstechnischer Sicht waren die Implantationen bei 24 Patienten gut möglich (Abb. 2).

In einem Fall war aufgrund zu kleiner anatomischer Verhältnisse keine Implantation möglich. Bei 2 Patienten kam es zu Verletzungen venöser Gefäße. Wegen eines intramuskulären Rectushämatoms musste einmalig eine Hämatomausräumung erfolgen. Eine Bauchwandhernie fand sich in keinem der Fälle.

Bei Instabilitäten oder fortgeschrittener Degeneration der Bandscheibe mit Beteiligung der

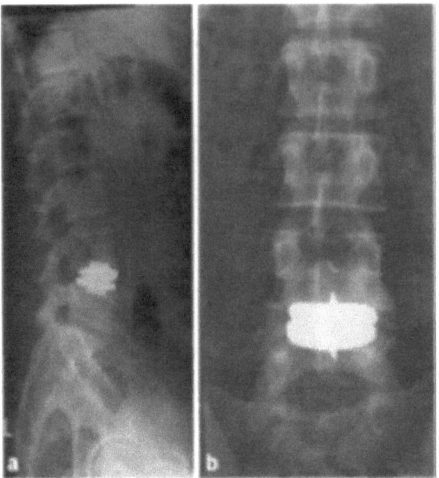

Abb. 2a,b. Solitäre Bandscheibenprothese bei Osteochondrose

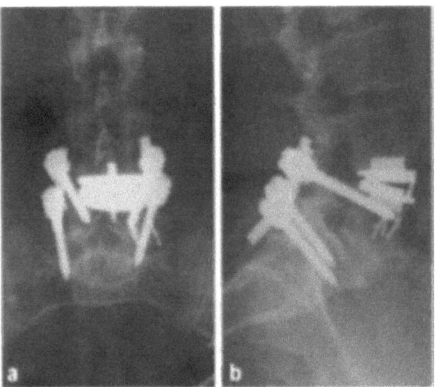

Abb. 3a,b. Kombinierte Fusion ventro-dorsal L5/S1 mit Bandscheibenendoprothese im cranial angrenzendem Segmet

dorsalen Strukturen erfolgte die Implantation der Bandscheibenendoprothese in 9 Fällen auch in Kombination mit Fusionsverfahren wie ventro-dorsaler Spondylodese oder PLIF (Abb. 3).

In 2 Fällen wurden 2 Segmente, in einem Fall 3 Segmente prothetisch versorgt.

Bei 2 Patienten erfolgte die Revision mit ventro-dorsaler Spondylodese wegen PE-Dislokation.

In einem Fall dislozierte die Prothesengrundplatte in den Wirbelkörper (Abb. 4 a–f).

Bei normalem operativem Verlauf mit unauffälliger Durchleuchtungskontrolle (Abb. 4a/b) kam es vor Entlassung zu einer spontanen Schmerzzunahme ohne erinnerliche Fehlbewegung. In den nativradiologischen Kontrollen 10 Tage postoperativ lässt sich bereits ein Einbrechen der Prothesenbodenplatte in die Wirbelkörperdeckplatte erkennen (Abb. 4c/d), welches in der Folge progredient war (Abb. 4e/f).

Wegen der starken Schmerzsymptomatik ist die operative Revision mit Explantation der Prothese und ventro-dorsaler Fusion geplant.

Drei weitere Patienten entzogen sich den Nachuntersuchungen und konnten somit nicht weiter berücksichtigt werden. Das 2-Jahres-follow-up wurde bislang bei 8 Patienten statistisch auswertbar abgeschlossen und ist Grundlage der nachstehenden Ergebnisse.

Ergebnisse

Das durchschnittliche Patientenalter aller 30 versorgten Patienten lag zum Zeitpunkt der Implantation bei 46 Jahren (26–64 Jahre), wobei die Geschlechterverteilung mit 12 Männern und 14 Frauen ausgeglichen war. Neben 14 solitären bandscheibentotalendoprothetischen Versorgungen wurden in 12 Fällen mehrsegmental Prothesen implantiert, bzw. eine zusätzliche Fusion in einem angrenzenden Segment durchgeführt. Bislang liegen die Ergebnisse von 8 abgeschlossenen Fällen vor, präoperativ fand sich ein Oswestry-Score von 51,1 zu 44,2 nach 24 Monaten postoperativ (Abb. 5). Auf der Visuellen Analogskala kam es bei einem präoperativem Schmerzzustand von 7,3 im Zweijahresverlauf postoperativ zu einer Schmerzreduktion auf 4,0 (Abb. 6). Im MOS Short-Form-36 wurde bei der ersten Frage nach dem „allgemeinen Gesundheitszustand" (general Health) von präoperativ 43 eine Verbesserung postoperativ auf 57 erreicht.

Über den zweijährigen Zeitraum wurde von 75% der Patienten das Ergebnis der OP mit „complete satisfied" beurteilt.

Werden die noch nicht abgeschlossenen Fälle deskriptiv mit berücksichtigt, so können 23 Fälle prä- zu 3 Monate postoperativ verglichen werden. Davon wurden 12 monosegmental, und 11 in Kombination mit einer Fusion versorgt. Hier zeigte sich im Oswestry-Score ein Abfall von 50,6 präoperativ auf 36,1 postoperativ. Im VAS-Score fand sich eine vergleichbare Verbesserung von 7,3 auf 5,1. Im SF-36-Score bestand präoperativ ein „Total Physical Health" von 24,5, 3 Monate postoperativ stieg dieser signifikant auf 39,7 an. Eine statistisch haltbare Aussage lässt sich aus den bisherigen Zahlen jedoch noch nicht ableiten.

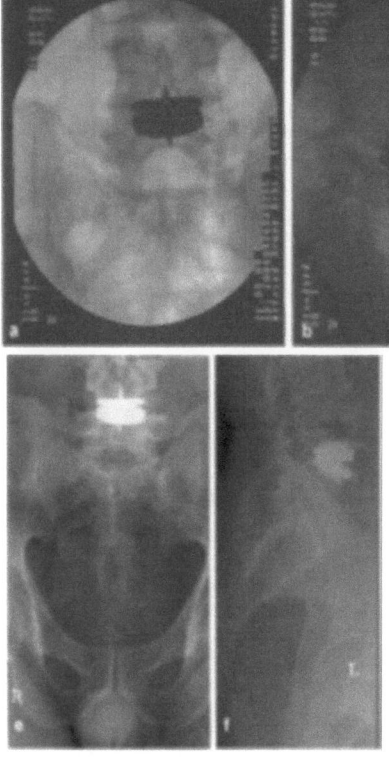

Abb. 4. a, b intraoperative Röntgenkontrolle nach solitärer Bandscheibenprothesenimplantation L4/5; **c, d** initiale Verkippung 10 Tage postoperativ; **e, f** Infraktionierung und Dislokation der Prothesenbodenplatte in die Deckplatte von LWK 5

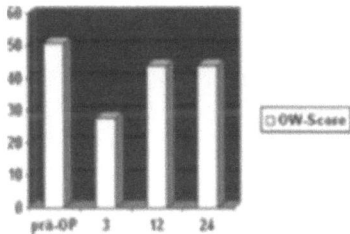

Abb. 5. Oswestry-Score von 8 Patienten im 2-Jahresverlauf

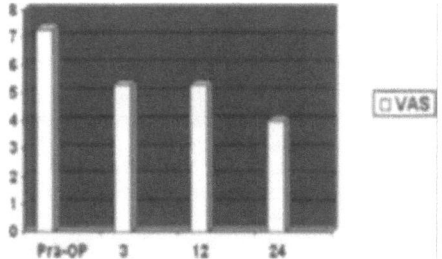

Abb. 6. Visual Analog Scale For Pain von 8 Patienten im 2-Jahresverlauf

Alle Patienten wurden mit Abschluss der Wundheilung (10 post-OP Tag) ohne Wundheilungsstörungen in die ambulante Weiterbehandlung entlassen. Der durchschnittliche Blutverlust lag bei 184 ml, wobei in den Fällen mit gleichzeitiger Fusion entsprechend höhere Durchschnittswerte erreicht wurden. Mehr als 550 ml Blut wurde jedoch in keinem der Fälle verloren. Auch bei der OP-Dauer kommt es zu entsprechenden Schwankungen im Vergleich solitäre Bandscheibentotalendoprothesenversorgung versus Prothese in Kombination mit Fusion (50 min–375 min).

Diskussion

Der vollständige Bandscheibenersatz stellt eine vielversprechende Therapieoption bei der Behandlung lumbaler Bandscheibendegeneration mit chronischer Lumbalgie dar. Bei fortgeschrittener Degeneration, Teilankylose oder Spondylolyse ist die Bandscheibenprothese jedoch keine

Alternative zur Fusion. Daneben muss auch erwähnt werden, dass aufgrund noch ausstehender Langzeitergebnisse Fragen zur Abriebfestigkeit der verwendeten Implantatmaterialien nicht abschließend geklärt werden können [23]. Gleiches gilt für die ossäre Integration, wenn auch Befunde anderer Autoren [4, 10, 22] günstige Ergebnisse erwarten lassen. Klinisch bleibt auch abzuwarten, inwieweit die Inzidenz von symptomatischen Anschlussinstabilitäten, wie sie nach Fusionen auftreten, durch die Verwendung von Bandscheibentotalendoprothesen reduziert wird. Prinzipiell müssen in der Zukunft Revisionsstrategien bei Prothesenversagen entwickelt werden. Hierbei sind Fragen des Prothesenwechsels, wie auch der sekundären Spondylodese zu klären. Die in unserem Krankengut beobachteten Verläufe und Röntgenkontrollen lassen den Schluss zu, dass die verwendete Prothese bei geeigneter Indikation zufriedenstellende Ergebnisse liefert, die auch im Kurzzeitverlauf aufrechterhalten bleiben. Eine Überlegenheit gegenüber der ventro-dorsalen Fusion beim gleichen Patientengut lässt sich aufgrund des klinischen Eindrucks jedoch noch nicht feststellen. Hier könnten die fortgeführten FDA-Studien ersten Anhalt und Aufschluss geben [16, 26]. Die von uns beobachteten peri- und postoperativen Komplikationen, die bei den ersten Fällen auftraten sind sicherlich einer noch nicht abgeschlossenen „learning curve" zuzuordnen. Gleichwohl weisen die beobachteten Polyethylendislokationen auf die noch nicht ausreichend entwickelte Standard-OP-Technik und die noch nicht zufriedenstellende Verankerungsmöglichkeit der Gleitflächen hin. Hier müssen herstellerseitig weitere Optimierungen geleistet werden. Durch die Bandscheibentotalendoprothesenimplantation ließ sich in unserer Untersuchungsgruppe eine gute Reduktion der Schmerzsymptomatik erzielen (VAS-Score), wenn auch die Verbesserung der „Funktionalität" gemessen am Oswestry-Disability-Score weniger ausgeprägt war. Zu bedenken ist hierbei, dass die bei uns operativ versorgten Patienten bereits präoperativ in einem schlechten Funktionszustand waren, und schwerwiegende Krankheitsbilder bestanden. Dies ist am vergleichsweise hohen präoperativen Oswestry-Score von 51.1 zu erkennen, der auf die strenge Indikationsstellung hinweist. Hiermit sind sicherlich auch die publizierten, deutlich günstigeren Ergebnisse mit der gleichen Bandscheibentotalendoprothese zu erklären, die bei einem durchschnittlichen Oswestry-Score von 19.1 eine OP-Indikation sahen [15]. Durch zunehmende Erfahrung im Umgang mit Bandscheibentotalendoprothesen und die gründliche Langzeitbeobachtung von operierten Patienten wird in der Zukunft der Indikationsbereich für die Bandscheibentotalendoprotheseimplantation sicher noch genauer zu bestimmen sein. Gleichfalls werden neue technische Entwicklungen zum Beispiel zum Ersatz der Facettengelenke in der Lage sein, die klinischen Ergebnisse in der operativen Behandlung des chronischen Rückenschmerzes zu optimieren. Insgesamt stellt die dynamische Fixation und die Bandscheibentotalendoprothese eine vielversprechende Entwicklung auf dem Gebiet der Wirbelsäulenchirurgie dar.

Literatur

1. Baron R, Binder A (2004) Wie neuropathisch ist die Lumboischialgie? Das Mixed-pain-Konzept. Orthopäde 33:568–575
2. Büttner-Janz K, Hahn K, Schikora HD (2002) Grundlagen einer erfolgreichen Anwendung der Link-Zwischenwirbel-Endoprothese Modell SB Charite. Orthopädie 31:441–453
3. Carl AL, Tromanhauser SG, Roger DJ (1992) Pedicle screw instrumentation for thoracolumbar burst fractures and fracture-dislocations. Spine 17:317–324
4. Cunningham BW, Gordon JD, Dmitriev AE, Hu N, McAfee P (2003) Biomechanical Evaluation of Total Disc Replacement Arthroplasty: An in vitro human cadaveric model Spine. 28(20s) Supplement: S 110–117
5. Davne SH, Myers DL (1992) Complications of lumbar spinal fusion with transpedicular instrumentation. Spine 17:184–189
6. Fernström U (1965) Intradiscal endoprotes av metall vid lumbala och cervicala diskrupturer. Nord Med 73:272–273
7. Fernström U (1966) Arthroplasty with intercorporal endoprosthesis in herniated disc and in painful disc. Acta Chir Scand 357:154–159
8. Freemont AJ, Peacock TE, Goupille P et al (1997) Nerve ingrowth into diseased intervertebral disc in chronic back. Lancet 350:178–181
9. Fritzell P, Hagg O, Wessberg P, Nordwall A (2001) Lumbar Fusion Versus Nonsurgical Treatment for Chronic Low Back Pain: A Multicentre Randomized Controlled Trial From the Swedish Lumbar Spine Study Group. Spine 26(23):2521–2532
10. Hallab N, Link HD, McAfee PC (2003) Biomaterial Optimization in Total Disc Arthroplasty. Spine 28(20S) Supplement: 139–152
11. Hegeness MH, Esses SI (1991) Classification of pseudarthroses of the lumbar spine. Spine 16:449–454
12. Kang JD, Georgescu HI, Mcintyre-Larkin L et al (1996) Herniated lumbar intervertebral discs spontaneously produce matrix metalloproteinases, nitric oxide, interleukin-6, and prostaglandin E2. Spine 21:271–277

13. Kuslich SD, Ulstrom CL, Michael CJ (1991) The tissue origin of low back pain and sciatic: a report of pain response to tissue stimulation during operation on the lumbar spine using local anaesthesia. Orthop Clin North Am April, 22 (2):181–187
14. LeHuec JC, Kiaer T, Friesem T, Mathews H, Liu M, Eisermann L (2003) Shock Absorption in Lumbar Disc Prothesis: A Preliminary Mechanical Study. Spine 28(0): Special Online-Only Supplement to Spine: 346–351
15. Mayer HM, Wiechert K, Korge A, Qose I (2002) Minimally invasive total disc replacement: surgical technique and preliminary clinical results. Eur. Spine J 11 (Suppl. II):124–130
16. McAfee P (2004) A prospective randomized FDA study of the Charite Disc Replacement-A radiographic-outcome analysis of 276 consecutive patients. Annual Meeting American Academy of Orthopedic Surgeons, March 10–14, S 250
17. McKenzie AH (1995) Fernström intervertebral disc arthroplasty: a long-term evaluation. Ortop Int 3:313–324
18. McNab I, McCulloch JA, Weiner DS, Huyo EP, Galway RD, Dall D (1971) Chemonucleolysis. Con J Surg 14:280–289
19. Mizuno H, Roy AK, Vacanti CA, Kojima K, Ueda M, Bonassar LJ (2004) Tissue-Engineered Composites of Anulus Fibrosus and Nucleus Pulposus for Intervertebral Disc Replacement. Spine 29(12): 1290–1297
20. Ray CD (1992) The artificial disc. Introduction, history, and socioeconomics. Weinstein, JN: Clinical efficacy and outcome in the diagnosis and treatment of low back pain. Raven Press, New York
21. Stauffer RN, Coventry MB (1978) Anterior interbody lumbar spine fusion for incapacitating disc degeneration and spondylolisthesis. Acta Orthop Scand 49:267–272, 16(4):369–383
22. Tropiano P, Huang R, Girardi FP, Marnay T (2003) Lumbar Disc Replacement: Preliminary Results with ProDisc II After a Minimum Follow-UP Period of 1 Year Spine 28(0): Special Online-Only Supplement to Spine: 362–368
23. Van Ooij A, Oner FC, Verbout AJ (2003) Complications of artificial disc replacement: a report of 27 patients with the SB Charite disc. J Spinal Disord Tech
24. Virri J, Sikk S, Gronblad M, Tolonen J et al (1994) Concomitant immunocytochemical study of macrophage cells and blood vessels in disc herniation tissue. Eur Spine 3:336–341
25. Wittenberg RH, Möller J, Krämer J (1990a) Ergebnisse nach dorsaler lumbosakraler Distraktionsspondylodese (LSDS) ohne Implantat beim voroperierten Rückenpatienten. Z Orthop 128:27–31
26. Zigler JE, Burd TA, Vialle EN, Sachs BL, Rashbaum RF, Ohnmeiss DD (2003) Lumbar Spine Arthroplasty: Early Results Using the ProDisc II: A Prospective Randomized Trial of Arthroplasty Versus Fusion Spine 28(0): Special Online-Only supplement to Spine: 352–361

Operative Therapiemöglichkeiten der HWS-Syndrome

H.-P. Kaps

Einleitung

Ziel ist eine übersichtliche Darstellung verschiedener Operationsverfahren und deren Entwicklung bei zervikalen Bandscheibenvorfällen, der Unkarthrose, so genannten segmentalen Instabilitäten, sowie der Spinalkanalstenose. Ergebnisse werden beispielhaft anhand der Literatur gespiegelt. Auf Komplikationsmöglichkeiten wird ebenfalls eingegangen.

Bandscheibenvorfälle

Operative Zugänge

Dorsale Zugänge nach Frykholm sind entsprechend der neurochirurgischen Literatur mit 1% selten geworden (Schröder und Wassmann, 2002). Eine Indikation für diesen Zugang bei isolierten Facettenhypertrophien. Allerdings gibt Aldrich (1990) bei der operativen Behandlung mediolateraler bis lateraler Bandscheibenvorfälle zu 90–95% exzellente Ergebnisse an. Ein minimalinvasiver mikroendoskopischer Zugang zur Behandlung degenerativer Veränderungen wie Foramen- und Spinalkanalstenosen wird aktuell von Yuguchi et al. (2003) beschrieben, bei einer Hautinzisionslänge von lediglich 4 cm. Betont wird insbesondere die Weichteilschonung dieses Verfahrens.

Der ventrale Zugang zum Beispiel in der Technik nach Caspar oder Cloward dominiert jedoch unverändert, wobei auch in diesem Bereich eine Tendenz zu minimalinvasiven Verfahren u. a. unter Anwendung des Operationsmikroskopes zu beobachten ist (Mayer, 2004).

Verfahren bei der zervikalen Diskektomie

Bei der ventralen Diskektomie konkurrieren mehrere Verfahren.

■ **Diskektomie ohne Interponat.** Bei exzellenten und guten Ergebnissen zwischen 66 und 88% (Jomin et al. 1986, Lunsford et al. 1980, Rosenorn et al. 1983, Plötz et al. 1996) zeigt sich postoperativ weder eine gravierende Instabilität des Bewegungssegmentes noch eine statisch und klinisch bedeutsame Kyphose. Nicht selten kommt es zur spontanen Blockwirbelbildung.

■ **Diskotomie mit Interponat/Beckenkammspan (Robinson/Cloward/Fibula).** In den USA hat sich nach einer Studie von Angevine et al. (2003) die Gesamtzahl der chirurgischen Eingriffe an der Halswirbelsäule wegen degenerativer Bandscheibenveränderungen zwischen 1990 und 1999 konstant gehalten. Erheblich zugenommen hat jedoch die Anzahl der dabei durchgeführten Fusionen mit einer Zunahme von 40% bei Männern und 62% bei Frauen. 1999 erfolgte bei 90% aller Diskotomien eine zusätzliche Fusion.

Unabhängig von der Operationstechnik nach Cloward oder Robinson werden zwischen 61% und 66% exzellente und gute Ergebnisse in der Literatur beschrieben. Vergleichende Studien ergaben keinen Unterschied zu Verfahren ohne Interponat (Jomin et al. 1986, Lunsford et al. 1980) oder sogar etwas bessere Ergebnisse ohne Interponat (Rosenorn et al. 1983).

Werden im Rahmen von multisegmentalen Diskotomien bzw. Korporektomien Beckenkammspäne oder Fibulatransplantate ohne zusätzliche Instrumentierung verwendet, so kommt es mit zunehmender Transplantatlänge (zwischen 1 bis 5 Bandscheibenebenen) gehäuft zu Transplantatdislokationen oder -sinterungen (Wang et al. 2003).

Diskotomie mit Interponat/Beckenkammspan (Robinson/Cloward)/ventrale Platte

Garvey et al. (2002) sehen eine Indikation für dieses Operationsprinzip auch bei chronischen Nackenschmerzen ohne radikuläre Symptomatik. Sie beschreiben eine Schmerzreduzierung bei 93% von 83 behandelten Patienten mit einer durchschnittlichen Verbesserung anhand VAS-Ratings von 8,4 auf 3,8.

Wang et al. (1999) verglich die Diskektomie mit Beckenkammspan mit und ohne zusätzlicher Stabilisierung durch eine ventrale Platte. Es zeigte sich mit 91% respektive 88% exzellenten und guten Ergebnissen kein signifikanter Unterschied. Ebenfalls nicht für die Entwicklung einer Kyphose mit durchschnittlich 1,2° respektive 1,9°. Ohne Platte war der postoperative Spankollaps ohne Platte mit durchschnittlich 1,5 mm signifikant stärker als mit Platte mit 0,75 mm. Demgegenüber fand Toyanovich (2002) auch eine erhebliche und signifikant stärkere postoperative Kyphose mit durchschnittlich 5,7° ohne und 2,5° mit Platte.

Eine mit Zunahme der Fusionslänge ausgeprägtere Spansinterung als auch Platten- bzw. Schraubenmigration wird von Gary et al. (2002) beschrieben. Sie empfehlen zur Verminderung dieses Effektes die möglichst transplantatnahe Positionierung der Schrauben sowie bei multisegmentaler Versorgung die entsprechend mehrsegmentale Platzierung der Schrauben.

Zur Vermeidung von sinterungsbedingten Fehlstellungen, Implantatbrüchen und Fusionsverzögerungen stellt Bose (2003) ein dynamisches winkelstabiles Implantat vor, das ein Nachsinter der Wirbelkörper erlaubt.

Anteriore transvertebrale Herniotomie nach Nakai et al. (2000).
Vorteilhaft ist bei diesem interessanten Zugang die Erhaltung des Bewegungssegmentes und damit der Segmentstabilität. Bei 21 operierten Fällen zeigten 12 ein exzellentes, 6 ein gutes und damit 86% ein beachtliches Ergebnis.

Diskektomie mit Interponat/Cages/PMMA/Hydroxylapatit.
Eine Umfrage an 100 neurochirurgischen Kliniken hinsichtlich der Anwendung von Cages (Schröder und Wassmann 2002) ergab bei insgesamt über 8600 Fällen in 40% die Verwendung von Zement-Spacern, zu gleichen Anteilen mit je 27% die Nutzung von Titan-Cages beziehungsweise Beckenkammspänen und in lediglich 5% die Implantation von Carbon-Faser- oder anderer Kunststoff-Cages. Die Rate an Interponatluxationen oder -brüchen lag deutlich unter einem Prozent.

Nach einer Kanadischen Umfrage bevorzugen Orthopäden ausschließlich Autografts, gefolgt von den Wirbelsäulenchirurgen mit 68% und den Neurochirurgen mit 53%. Entsprechend werden von den letztgenannten häufiger Allo- und Xenografts angewandt. Synthetische Grafts und Cages stellen mit 2 bis 6% eher die Ausnahme dar.

Eine vergleichende Studie zur Verwendung von Carbonfaser-Cages bzw. der Technik nach Cloward ergab bei den Cages mit 62% versus 86% eine deutlich geringere Fusionsrate, bei gleichem klinischen Ergebnis aber eine bessere Einstellung der Lordose und der Segmenthöhe durch die Cages (Vavruch et al. 2002).

In einem prospektiv randomisierten Vergleich zwischen Cage (Ostapek) und trikortikalem Beckenkammspan fanden Siddiqui und Jackowski (2003) keinen signifikanten Unterschied hinsichtlich Fusionsrate, Beeinträchtigungsgrad, Intervertebralhöhe und -winkel. Sechs Monate post OP war der Schmerzscore bei den trikortikal fusionierten Patienten jedoch interessanterweise signifikant niedriger.

Payer et al. (2003) beschreiben eine Fusionsrate von 96% sowie segmentale Stabilität bei allen 25 mit einem leeren Carboncage versorgten Patienten.

Bei einem dem „Harms-Körbchen" ähnlichen Titancage und zusätzlicher lokaler Spongiosa zeigte sich im Vergleich zum trikortikalen Span nach Kanayama et al. (2003) eine verzögerte Fusion sowie ein Einsinken der Cages in der frühpostoperativen Phase.

Nach japanischen Publikationen scheint Hydroxylapatit als Interponat problematisch und für die Belastung nicht in allen Fällen geeignet. So berichten Ito et al. (2002) über Materialbrüche und Lysezonen am Interface in 7 Fällen, ohne allerdings die Gesamtzahl operierter Patienten zu nennen. Zu einem ähnlichen Ergebnis kommen McConnell et al. (2003) in einem prospektiv randomisierten Vergleich von Beckenkammspänen und corallinem Hydroxyapatit. Aufgrund mangelnder struktureller Integrität kam es in 89% bei dem HA zur Fragmentation und zu einer signifikanten Implantatsinterung in 50%.

Diskektomie mit Interponat/Bandscheibenprothese.
Ziel der zervikalen Bandscheibenendoprothetik ist die Erhaltung der Segmentbeweglich-

keit und damit die Vermeidung von Anschlussspondylosen.

Erste Ergebnisse bei 97 Patienten die mit dem Bryan^{TM} Cervical Disc-System versorgt wurden zeigten 6 Monate postoperativ zu 79% ein gutes bis sehr gutes Ergebnis, das sich nach 12 Monaten noch auf 92% verbesserte (Goffin et al. 2001). Eine aktuelle Publikation (Goffin et al. 2003) über 146 Fälle, davon 43 Fälle bisegmental ergab bei monosegmentaler Versorgung gegenüber dem 6-Monatsergebnis mit 78% eine nach 24 Monaten mit 69% gegenläufige Tendenz. Bei den bisegmentalen Versorgungen war die Tendenz bzgl. der 6- respektive 12-Monatsergebnisse mit 71 bzw 81% umgekehrt, wobei die excellenten Ergebnisse nach einem Jahr mit 77% dominierten.

Sekhon (2003) berichtet über 7 Fälle mit zervikaler Myelopathie, die er nach Beseitigung der ventralen spinalen Enge mit guten bis exzellenten Ergebnissen mit dem Bryan^{TM} Cervical Disc-System versorgte.

Andere Designs wie die Bristol Disc (Ball-and-trough design) sowie eine viscoelastische Version (Jackowski und Yeh 2000) als auch die Prodisc-C befinden sich noch in der Entwicklung bzw. Erprobung.

In der Zukunft wird sich zeigen müssen in wieweit bei den Bandscheibenprothesen die segmentale Mobilität erhalten bleibt, möglicherweise spontane Fusionen auftreten, das Langzeitverhalten der Prothesen aussieht und nicht zuletzt die Langzeitergebnisse wirklich besser sind als die der Fusionen (Mayer, 2004).

Unkarthrose

Operative Behandlung

Zur Unkektomie wurde in den 60er und 70er Jahren der ventrolaterale Zugang von Jung (1963) und Jung und Kehr (1972) beschrieben. Die Freilegung der A. vertebralis und der Nervenwurzel erfolgte seitlich (Transversektomie, Unkusektomie und Unkoforaminektomie) ohne Diskotomie.

Kehr et al. (1979) berichten von sehr guten und guten Ergebnissen zu 89% bei der alleinigen Transversektomie, zu 83% bei der zusätzlichen Unkusektomie und zu 73% bei der kompletten Unkoforaminektomie. Demnach wurden die Ergebnisse mit zunehmender Ausdehnung des Eingriffes schlechter, evtl. bedingt durch den in der Tiefe unübersichtlichen Op-Situs.

Übersichtlicher ist der Op-Situs zur Unkusresektion bei vorausgehender Diskektomie und Aufspreizung des Segmentes, wobei empfohlen wird, die Resektion der Unkarthrose nicht dorsal im Bereich der größten Enge sondern wegen der besseren Übersicht ventralseitig zu beginnen (Grob 1996).

Manabe und Tateishi (1991) beschreiben nach Diskektomie, Transversektomie, Unkoforaminektomie und anschließender Fusion in allen von 37 operierten Fällen eine komplette Rückbildung der Radikulo-Myelopathie. In einer retrospektiven Studie geben Schneeberger et al. (1998) bei im Prinzip gleichem Procedere, allerdings mit zusätzlicher Abtragung von dorsalen Spondylophyten bei 35 Patienten nur in 51% exzellente und gute Ergebnisse an. Bei diesen deutlich divergierenden Ergebnissen muss eine vergleichende prospektiv randomisierte Studie von Persson et al. (1996) beachtet werden. Bei operierten Patienten zeigte sich bezüglich der radikulären Schmerzen nach 4 Monaten gegenüber konservativ behandelten ein besseres Ergebnis, nach 16 Monaten bestand jedoch kein Unterschied mehr.

Segmentale Instabilität

Instabilitäten C1–C2

Die operative Stabilisierung der Kopfgelenke C1–C2 bei degenerativer oder rheumatischer Instabilität sowie bei Denspseudarthrosen wird von dorsal über viele Jahre in der Technik nach Brooks oder Gallie durchgeführt, zunehmend wird die stabilere aber auch anspruchsvollere Technik nach Magerl in Form der transartikulären Verschraubung C1–C2 eingesetzt. Diese Technik kann auch minimal invasiv semiperkutan entweder konventionell Bildverstärker navigiert oder Computer assistiert navigiert werden. Weidner et al. (2000) als auch Richter et al. (2000) beschreiben die Computer assistierte Techniken bei der Fusion C1–C2 als effektive Verfahren. Nach Richter et al. (2004) zeigen diese Verfahren auch am zervikothorakalen Übergang eine große Exaktheit, besonders unter dem Gesichtspunkt der oft schlechten radiologischen Darstellung dieser Region.

Ein ventrales Verfahren mit Arthrodese der Atlantoaxialgelenke durch ein autogenes Interponat wurde von Rathke und Schlegel (1974) beschrieben, hat sich wahrscheinlich aufgrund des nicht unproblematischen Zuganges jedoch nicht durchsetzen können. Die interkorporelle Arthrodese von dorsal mittels zweier Cages und einer dorsalen Klammerung der Bögen werden von Tokuhashi et al. (2000) beschrieben. Voraussetzung ist die Darstellung des Gelenkes von dorsal unter Anhebung der Wurzel C2. In ähnlicher Weise, allerdings ohne Eröffnung des Gelenkes gehen Harms und Melcher (2001) vor, indem der Atlas gegen den Axis durch einen Fixateur intern stabilisiert wird. Während in den Axis-Pedikelschrauben positioniert werden, werden unterhalb des Bogens des Atlas unter kaudaler Verschiebung der Wurzel-C2-Schrauben in die Massa lateralis eingebracht. Die Einbringung bedarf nach Angaben der Autoren keiner fortwährenden Durchleuchtung, durch die mobilen Schraubenköpfe können Atlas und Axis gut gegeneinander manipuliert werden, gleichfalls ist diese Methode auch zur temporären Fixierung geeignet.

Instabilitäten C2–Th1

Reine Instabilitäten in den mittleren und unteren zervikalen Segmenten werden selten beschrieben. Sie sind denkbar nach Beschleunigungsverletzungen oder im Rahmen degenerativer Prozesse. Grob et al. (1994) haben in Analogie zur diagnostischen Stabilisierung lumbaler Instabilitäten mittels Fixateur extern (Jeanneret et al. 1994) bei vermuteter Instabilität der HWS und chronisch therapieresistentem Zervikalsyndrom eine probatorische Ruhigstellung durchgeführt. In der überwiegenden Zahl der 24 Fälle handelte es sich um Zustände nach Beschleunigungsverletzungen. Bei 21 Patienten wurde aufgrund der Beschwerdebesserung eine definitive interkorporelle Fusion von ventral durchgeführt. Bei zwei Drittel dieser konnte postoperativ eine Schmerzlinderung verzeichnet werden. Eine wesentliche Verbreitung hat dieses diagnostische Verfahren jedoch nicht gefunden.

Die perkutane Facettendenervation an der Halswirbelsäule als alternatives Verfahren bei pseudoradikulären Beschwerden bzw. chronischen Nacken-Kopfschmerzen wird schon 1983 beschrieben (Hildebrand u. Argyrakis, 1983) und findet auch noch heute vereinzelt Anwendung.

Degenerative Spinalkanalstenose/ossifiziertes posteriores longitudinales Ligament (OPLL)

Publikationen zu diesem Thema erfolgen schwerpunktmäßig durch japanische Autoren, da die OPLL eine typische Erkrankung der japanischen Bevölkerung ist. Eine langstreckige mehrsegmentale Laminektomie würde in diesen Fällen zu einer erheblichen Instabilität führen. Entsprechend werden zahlreiche operative Modifikationen zur Erweiterung des Spinalkanales mittels Laminoplastik unter Erhaltung des Wirbelbogens mit Hydroxylapatit Interponaten, so Takayasu et al. (2002), aber auch Gillet et al. (1999) oder autologen Knocheninterponaten (Baba et al. 1995, Tsuzuki et al. 1996) vorgestellt. Nach Baba et al. (1995) wurden in 35 von 47 (75%) Fällen günstige Resultate erzielt. Ungünstig sind die Resultate bei vorbestehender Spinalkanalstenose über 50%.

Problematisch bei diesen Verfahren sind Duraverletzungen im Rahmen der en bloc-Eröffnung des Spinalkanales. Tomita et al. (2002) beschreiben ein schonendes Verfahren mittels T-Säge. Bei 88 Patienten kam es in keinem Fall zu einer Duraverletzung. Es wird von einer bemerkenswerten neurologischen Erholung postoperativ berichtet, in keinem Fall trat eine neurologische Verschlechterung ein.

Eine prospektiv randomisierte Studie konservative versus operative Therapie (ventraler Zugang) bei leichter Myelopathie wird von Benarik et al. (1999) vorgestellt. Die operative Gruppe war bzgl. Schmerz, Motorik und Sensibilität postoperativ besser, der Unterschied aber nach einem Jahr nicht mehr signifikant.

Komplikationen bei ventralen zervikalen Eingriffen

Nach wie vor eine der häufigsten Komplikationen ist die Schädigung des Nervus recurrens im Endolarynx, die nach Apfelbaum et al. (2000) durch eine Kombination von Druck durch den Retraktor und den Cuff des endotrachealen Tubus verursacht und in der Literatur mit einer Inzidenz bis zu 11% angegeben wird. Durch Senkung und Monitoring des Cuff-Druckes konnte die Rate temporärer Paralysen von 6,4% auf 1,7% gesenkt werden.

Verletzungen des Ösophagus sind wesentlich seltener mit z.B. 0,4% nach Orlando et al.

(2003). Überwiegend wird die operative Versorgung des Defektes empfohlen. Die letztgenannten Autoren führten in 4 von 5 Fällen jedoch eine erfolgreiche konservative Behandlung mittels längerfristiger Ernährung über eine Magensonde durch. In einem Fall wurde durch Nähte der Defekt geschlossen und der rechte M. sternocleidomastoideus zum Schutz zwischen Ösophagusdefekt und Wirbelkörper geschlagen.

Küntscher et al. (2003) berichten über einen Fall mit größerem Defekt und Nahtdehiszenz nach Revision. Der 8 cm lange Ösophagusdefekt wurde reseziert und durch einen mikrovaskulär gestielten freien Jejunumlappen überbrückt.

Zusammenfassung

Die ventralen Zugänge zur Halswirbelsäule sind seit langem standardisiert, bei einer Tendenz zu minimal invasiven Verfahren. Nach Einzug der Bandscheibenprothese im lumbalen Bereich, setzt sich diese Entwicklung bei degenerativen Veränderungen an der Halswirbelsäule fort und dürfte in Zukunft einen Teil der Fusionsoperationen mit ihren möglichen Nachteilen für die Nachbarsegmente ersetzen. Bestimmte Platzhalter wie das Hydroxylapatit scheinen aufgrund ihrer biomechanischen Eigenschaften für Fusionen nicht geeignet. Bei der operativen Behandlung der symptomatischen Unkarthrose dürfte sich der klassische ventrale Zugang unter Resektion der Bandscheibe und Unkarthrose sowie anschließender Fusion gegenüber dem ventrolateralen Zugang nach Jung und Kehr durchgesetzt haben. Degenerative Instabilitäten der Halswirbelsäule haben unterschiedliche Therapieoptionen wobei sowohl bzgl. operativer als auch semikonservativer Verfahren keine aktuelle Literatur zu finden ist. Die Recurrensparese als häufigste postoperative Komplikation kann möglicherweise durch modifizierte Intubationsverfahren an Zahl reduziert werden.

Literatur

Angevine PD, Arons RR, McCormick PC (2003) National and regional rates and variation of cervical discectomy with and without anterior fusion. Spine 28:931–940

Aldrich F (1990) Posterolateral microdiscectomy for cervical monoradiculopathy caused by posterolateral soft cervical disc sequestration. J Neurosurg 72:370–377

Apfelbaum RI, Kriskovich MD, Haller JR (2000) On the incidence, cause and prevention of recurrent laryngeal nerve palsies during anterior cervical spine surgery. Spine 25:2906–2912

Awasthi MD, Voorhies RM (1992) Anterior cervical vertebrectomy and interbody fusion. J Neurosurg 76:159–163

Baba H, Imura S, Kawahara N, Nagata S, Tomita K (1995) Osteoplastic laminoplasty for cervical myeloradiculopathy secondary to ossification of the posterior longitudinal ligament. International Orthopaedics (SICOT) 19:40–45

Bednarik J, Kadanka Z, Vohanka S (1999) The value of somatosensory- and motor-evoked potentials in predicting and monitoring the effect of therapy in spondylotic cervical myelopathy – prospective randomised study. Spine 4:1593–1598

Bose B (2003) Anterior cervical arthrodesis using DOC dynamic stabilization implant for improvement in sagittal angulation and controlled settling. J Neurosurg (Spine1) 98:8–13

Drew B, Bhandari M, Orr D, Reddy K, Dunlop RB (2002) Surgical preference in anterior cervical discectomy: A national survey of canadian spine surgeons. J Spinal Disord & Techniques 15:454–457

Espersen JO, Buhl M, Eriksen EF, Fode K, Klaerke A, Kroyer L, Lindeberg H, Madsen CB, Strange P, Wohlert L (1984) Treatment of cervical disc disease using Cloward's technique – I. General Results – Effect of Different Operative Methods and Complications in 1,106 Patients. Acta Neurochirurgica 70:97–114

Gary WT, Graham RS, Broaddus WC, Young HF (2002) Graft subsidence after instrument-assisted anterior cervical fusion. J Neurosurg (Spine 2) 97:186–192

Garvey TA, Transfeldt EE, Malcom JR, Kos P (2002) Outcome of Anterior Cervical Discectomy and Fusion as Perceived by Patients Treated for Dominant Axial-Mechanical Cervical Spine Pain. Spine 27:1887–1895

Gillett GR, Erasmus AM, Lind CRP (1999) CG-clip expansive open-door laminoplasty – a technical note. British Journal of Neurosugery 13:405–408

Goffin J, Casey A, Keh P, Liebig K, Lind B, Logroscino C, Pointillart V (2001) Bryan Cervical Disc Prosthesis – Initial experience and results from an ongoing prospective clinical study. Sofamor Danek, 11

Goffin J, Calenbergh FV, van Loon J, Casey A, Kehr P, Liebig K, Lind B, Logroscino C, Sgrambiglia R, Pointillart V (2003) Intermediate follow-up after treatment of degenerative disc disease with the Bryan cervical disc prosthesis: single-level and bi-level. Spine 28:2673–2678

Grob D, Panjabi M, Dvorak J, Humke T, Lydon C, Vasavada A, Crisco III J (1994) Die instabile Wirbelsäule – eine „In-vitro-" und „In-vivo-Studie" zum besseren Verständnis der klinischen Instabilität. Orthopäde 23:291–298

Grob D (1996) Operative Therapie bei radikulären Beschwerden der degenerativen Halswirbelsäule. Orthopäde 25:554–557

Hackenbroch M, Witt AN (1974) Orthopädisch-chirurgischer Operationsatlas, Band III: Wirbelsäule und

Becken. Bearbeitet von FW Rathke und KF Schlegel. Thieme, Stuttgart
Harms J, Melcher RP (2001) Posterior C1–C2 Fusion with polyaxial screw and rod fixation. Spine 26:2467–2471
Hildebrandt J, Argyrakis A (1983) Die perkutane zervikale Facettendenervation – ein neues Verfahren zur Behandlung chronischer Nacken-Kopfschmerzen. Manuelle Medizin 21:45–49
Ito M, Abumi K, Shono A, Kotani Y, Minami A, Kaneda K (2002) Complications related to hydroxyapatite vertebral spacer in anterior cervical spine surgery. Spine 27:428–431
Jackowski A, Yeh J (2000) An anatomical and viscoelastic total cervical disc prosthesis – Its design and biomechanical assessment. J Bone Joint Surg 82-B:SUPP I 42
Jeanneret B, Jovanovic M, Magerl FP (1994) Percutaneous diagnostic stabilization for low back pain. Cin Orthop 304:130–138
Jomin M, Lesoin F, Lozes G, Thomas III C E, Rousseaux M, Clarisse J (1986) Herniated cervical discs – Analysis of a series of 230 cases. Acta Neurochirurgica 79:107–113
Jung A (1963) Foraminotomie. In: Hackenbroch M, Witt AN (Hrsg) Orthopädisch-Chirurgischer Operationsatlas Band III: Wirbelsäulen und Becken überarbeitet von Rathke FW und Schlegel KF (1974). Thieme, Stuttgart
Jung A, Kehr P (1972) Die cervical bedingten Brachialgien. Orthopäde 1:105–120
Kanayama M, Hashimoto T, Shigenobu K, Oha F, Ishida T, Yamane S (2003) Pitfalls of anterior cervical fusion using titanium mash and local autograft. J Spinal Disord Tech 16:513–518
Kehr P, Lang G, Paternotte H, Issa J B, Mandelbaum A (1979) L'uncoforaminectomie de Jung dans le traitement de l'arthrose cervical et dans le syndrome cervical post-traumatique. International Orthopaedics (SICOT) 3:111–120
Küntscher MV, Erdmann D, Boltze W-H, Germann G (2003) Use of a free jejunal graft for oesophageal reconstruction following perforation after cervical spine surgery: case report and review of the literature. Spinal Cord 41:543–548
Lunsford LD, Bissonette DJ, Jannetta PA, Sheptak PE, Zorub DS (1980) Anterior surgery for cervical disc disease-Part 1: Treatment of lateral cervical disc herniation in 253 cases. J Neurosurg 53:1–11
Manabe S, Tateishi A (1991) Antero-laterale Unkoforaminektomie zur Behandlung zervikaler spondylotischer Monoradikulopathie. Z Orthop 129:400–404
Mayer HM (2004) Cervical disc replacement. Spine Art. Springer 1
Mayer HM (2004) Microsurgical anterior approach to the cervical spine. Spine Art. Springer 1, pp 3–4
McConnell JR, Freeman BJC, Debnath UK, Grevitt MP, Prince HG, Webb JK (2003) A prospective randomized comparison of coralline hydroxyapatite with autograft in cervical interbody fusion. Spine 28:317–323
Müller H, Staimer G, Grumme T (1998) Zervikaler Bandscheibenprolaps – Ergebnisse der ventralen zervikalen Diskektomie ohne Interponat. In: Matzen KA (Hrsg) Therapie des Bandscheibenvorfalls, Zuckschwerdt München, S 60–65
Nakai S, Yoshizawa H, Kobayashi S, Hayakawa K (2000) Anterior transvertebral herniotomy for cervical disk herniation. Journal of Spinal Disorders 13:16–21
Orlando ER, Caroli E, Ferrante L (2003) Managent of the cervical esophagus and hypofarinx perforations complicating anterior cervical spine surgery. Spine 28:E290–E295
Payer M, May D, Reverdin A, Tessitore E (2003) Implantation of an empty carbon fiber composite frame cage after single-level anterior cervical discectomy in the treatment of cervical disc herniation: preliminary results. J Neurosurg (Spine 2) 98:143–148
Persson L, Karlberg M, Magnusson M (1996) Effects of different treatments on postural performance in patient with cervical root compression – a randomised prospective study assessing the importance of the neck in postural control. J Vestib Res, pp 439–453
Plötz GMJ, Benini A, Kramer M (1996) Die mikrotechnische vordere Diskektomie ohne Fusion beim zervikalen Bandscheibenvorfall mit radikulären Beschwerden. Orthopäde 25:546–553
Radtke FW, Schlegel KF (1974) Wirbelsäule und Becken. In: Hackenbroch M, Witt AN (Hrsg) Orthopädisch-Chirurgischer Operationsatlas Band III:54–55, Thieme, Stuttgart
Richter M, Amiot L-Ph, Neller S, Kluger P, Puhl W (2000) Computer-assisted surgery in posterior instrumentation of the cervical spine – An in-vitro feasibility study. Eur Spine J 9:S65–S70
Richter M, Mattes Th, Cakir B (2004) Computer-assisted posterior instrumentation of the cervical and cervico-thoracic spine. Eur Spine J 13:50–59
Rosenorn J, Hansen EB, Rosenorn MA (1983) Anterior cervical discectomy with and without fusion – A prospective study. J Neurosurg 59:252–255
Schneeberger AG, Boos N, Schwarenbach O, Aebi M (1999) Anterior cervical interbody fusion with plate fixation for chronic spondylotic radiculopathy – A 2- to 8-year follow-up. Journal of Spinal Disorders 12:215–220
Schröder J, Wassmann H (2002) Polymethylmethacrylat (PMMA) in der Halsbandscheibenchirurgie – gegenwärtige Situation in Deutschland. Zentralblatt für Neurochirugie 63:33–36
Sekhon LHS (2003) Cervical arthroplasty in the management of spondylotic myelopathy. J Spinal Disord & Techniques 16:307–313
Siddiquid AA, Jackowski A (2003) Cage versus tricortical graft for cervical interbody fusion – a prospective randomised study. J Bone Joint Surg 85-B:1019–1025
Takayasu M, Takagi T, Nishizawa T, Osuka K, Nakajima T, Yoshida J (2002) Bilateral open-door cervical expansive laminoplasty with hydroxyapatite spacers and titanium screws. J Neurosurg (Spine 1) 96:22–28
Tokuhashi Y, Matsuzaki H, Shirasaki Y, Tateishi T (2000) C1–C2 intra-articular screw fixation for atlantoaxial posterior stabilization. Spine 25:337–341

Tomita K, Murakami H, Kawahara N, Fujita T (2002) Die T-Säge für die erweiternde mediane Laminoplastie bei zervikaler Myelopathie. Operat Orthop Traumatol 14:183–192

Troyanovich SJ, Stroink AR, Kattner KA, Dornan WA, Gubina I (2002) Does anterior plating maintain cervical lordosis versus conventional fusion techniques? A retrospective analysis of patients receiving single-level fusions. J Spinal Disord & Techniques 15:69–74

Tsuzuki N, Abe R, Saiki K, Iizuka T (1996) Tensionband laminoplasty of the cervical spine. International Orthopaedics (SICOT) 20:275–284

Vavruch L, Hedlund R, Javid D, Leszniewski W, Shalabi A (2002) A prospective randomised comparison between the Cloward procedure and a carbon fiber cage in the cervical spine – A clinical and radiologic study. Spine 27:1694–1701

Wang JC, McDonough PW, Endow K, Kanim LEA, Delamarter RB (1999) The effect of cervical plating on single-level anterior cervical discectomy and fusion. J Spinal Disord 12:467–471

Wang JC, Hart RA, Emery SE, Bohlmann HH (2003) Graftmigration or displacement after multilevel cervical corpectomy and strut grafting. Spine 28:1016–1022

Weidner A, Wähler M, Chiu ST, Ullrich ChG (2000) Modification of C1–C2 transarticular screw fixation by image-guided surgery. Spine 25:268–274

Yuguchi T, Nishio M, Akiyama C, Ito M, Yoshimine T (2003) Posterior microendoscopic surgical approach for the degenerative cervical spine. Neurological Research 25:17–21

Kapitel 8

Leitlinien der Nachbehandlung bei Wirbelfrakturen und nach Bandscheibenoperationen

H.-P. Kaps

Einleitung

Zielsetzung der Arbeit ist nicht die Darstellung eines fertigen Konzeptes. Dazu sind bestehende Konzepte, auf die im Weiteren eingegangen wird, unter anderem mit Fachgesellschaften benachbarter Gebiete abzustimmen. Bestehende Konzepte werden dargestellt, anhand der Literatur gespiegelt und hinterfragt. Grundlagen sind Publikationen zu Bandscheibenoperationen und Eingriffen bei Wirbelfrakturen aus Zeitschriften, Monographien aber auch Lehrbüchern, sowie Richtlinien der Fachgesellschaften (AWMF) bzw. deren Sektionen.

Leitlinien der AWMF

91% der hier publizierten Leitlinien befinden sich auf der Stufe S1 (Expertengruppe). Hierzu zählen auch alle Leitlinien zur Nachbehandlung bei Bandscheibenoperationen und operativen Therapie nach Wirbelfrakturen. In keinem Fall sind die Nachbehandlungsschemata wissenschaftlich untermauert.

Nachbehandlung nach Bandscheibenoperationen

Leitlinien zur Nachbehandlung von Bandscheibenoperationen.

DGOOC/BVO 04/2002

- Postoperative Röntgenkontrolle
- Thromboseprophylaxe
- Individuelle postoperative Physiotherapie
- Individueller Belastungsaufbau

Deutsche Ges. f. Physikal. Medizin und Rehabilitation 11/1997

Therapeutische Zielsetzung:
- Wiederherstellung der Rumpf- und Rückenstatik und -Dynamik
- Überwindung motorischer Defizite
- Beeinflussung von Schmerz auslösenden Begleitbefunden
- Prävention von Chronifizierung

Notwendige therapeutische Maßnahme:
- Krankengymnastik inkl. Haltungs- und Gangschulung
- Vermittlung von Hausübungsprogrammen
- Medizinisches Aufbautraining
- Rückenschule
- Stabilisierende Bandagen
- Manuelle Therapie von Begleitbefunden
- Evtl. Verhaltenstraining

Deutsche Gesellschaft für Neurochirurgie 4/1999

Nachbehandlung ambulant oder stationär
- Nichtsteroidale Entzündungshemmer
- Steroide unter Antazida
- Analgetika (ggf. mit Muskelrelaxans)
- Physiotherapie
- Balneotherapie
- Massage.

Sektion Physikalische Medizin und Rehabilitation der DGOOC 5/2002 Greitemann, Stein, Krämer

Postoperativ unmittelbare Rehabilitation
Reha-Ziele stationär oder teilstationär:
- Schmerzlinderung und Ödemreduktion
- Muskuläre Stabilisierung des op. Bewegungssegmentes

- Aufbau und Kräftigung der Rückenhaltemuskulatur
- Information und Schulung der Patienten über die Erkrankung, den Verlauf, die Prognose und deren Beeinflussung
- Rückenschule, bandscheibengerechtes ADL-Training

Postoperative Anschlussheilbehandlung:
- Langsamer und kontinuierlicher Belastungsaufbau
- Zu frühe und funktionsorientierte Mobilisation oder Belastung ist kontraproduktiv
- Postoperativ 3 Monate Stabilisierung/Isometrie/Medizinische Trainingstherapie
- Lokale Wärme oder Elektrotherapie frühestens 4-6 Wochen postoperativ
- Medizinische Schmerztherapie, therapeutische Lokalanästhesie, Chirotherapie, Diätberatung, Arbeitsplatzergonomie, Verhaltenstraining.

Bis auf die letztzitierte sind die Leitlinien der einzelnen Fachgesellschaften äußerst allgemein gehalten, betonen aber schon die jeweils fachspezifischen postoperativen therapeutischen Schwerpunkte. Sowohl Angaben zur Notwendigkeit von speziellen Maßnahmen, als auch wie und ab welchem Zeitpunkt sie angewandt werden sollten, sind, bei stark divergierenden Angaben in der Literatur problematisch.

Postoperative Therapiemaßnahmen in der Literatur (35 Literaturstellen)

Bewusst wird von 2 Autoren kein spezielles Übungsprogramm angegeben.
Der Beginn mit therapeutischen Maßnahmen zeigt teilweise extreme Unterschiede:
- Stabilisierende KG zwischen
  1. Tag und 12. Woche
- Mobilisierung der Wirbelsäule
  1. und 6. Woche
- Tragen und Heben
  6. Woche und 6. Monat
- Sitzen
  10. Tag und 6. Woche
- Bewegungsbäder
  1. Tag und 3. Woche
- Medizinische Trainingstherapie
  5. und 12. Woche
- Lokale Wärme etc.
  2. und 12. Woche
- Sport
  4. und 13. Monat
- Arbeitsfähigkeit
  leichte Arbeit   1.-4. Woche
  mäßig schwer   4.-5. Woche
  schwer   12.-16. Woche
- Notwendigkeit der Physiotherapie
  keine und bis zu 1 Jahr

Angesichts dieser erheblichen Differenzen erscheint es problematisch feste zeitliche Vorgaben in den Leitlinien zu formulieren. Zu dem muss die Notwendigkeit einzelner Maßnahmen diskutiert werden.

Im Rahmen einer retrospektiven Studie von 126 mikrochirurgisch operierten Patienten waren die Ergebnisse bei Frühmobilisierung mit Mieder über 12 Wochen ohne aktive Kräftigung bei Gehen mit zunehmender Intensität subjektiv und funktionell besser, als bei Patienten die ab der 3. Woche postoperativ aktive Physiotherapie erhielten. Subjektiv fühlten sich jedoch die Patienten besser die stationär länger behandelt wurden (durchschnittlich 16 versus 6 Tage). 87% wurden arbeitsfähig, 85% am alten Arbeitsplatz (Hommel und Büttner-Janz 1996).

Publikationen aus Reha-/AHB-Kliniken geben eine durchschnittliche postoperative stationäre Behandlungsdauer von 44 Tagen sowie eine Score geprüfte signifikante Verbesserung der Beschwerden und der Schmerzen an (Scheiderer et al. 1995). Findeklee und Büttner (1988) zitieren Zwick (Diss. 1984) bezüglich der Dauer der Arbeitsunfähigkeit nach Bandscheibenoperationen unter AHB von durchschnittlich 99 Tagen, ohne AHB von 166 Tagen; die eigenen Daten zeigen eine AU von durchschnittlich 5 Monaten (152 Tage). Heisel und Schwertfeger (1995) beschreiben günstigere subjektive Beschwerdentwicklung und funktionelle Parameter wenn die AHB-Maßnahme frühzeitig einsetze, haben aber keinen Patienten arbeitsfähig entlassen. Die gleichen Autoren (Schwertfeger und Heisel, 1997) finden ein Jahr nach AHB-Behandlung 64% der Patienten arbeitsfähig und 8% noch arbeitsunfähig.

In einer prospektiv und randomisierten Studie von 212 Patienten nach konventioneller Diskotomie (Alaranta et al. 1986) werden alle Patienten am 1. Tag mobilisiert, erhalten Rückenschule in Kurzform 2 × 1 Std. und dürfen 3 Wochen postoperativ auf normalem Stuhl sitzen. Eine Hälfte erhielt anschließend gewöhnliche ambulante Therapie, die andere so genannte Rehabilitationsgruppe ein umfassendes multifaktorielles Programm (intensive Rückenschule, Training durch praktische Übungen) einen Monat postoperativ für zwei Wochen. Bezüglich subjektiver Einschätzung, Grad der Behinderung (Grad 0-5 nach WHO), Dauer der Krankschreibung, Arbeitsunfähigkeit nach einem Jahr zeigte sich kein signifikanter Unterschied. Die Autoren schlussfolgern, dass ein normales Behandlungsprogramm ausreichend, routinemäßige Rehabilitationsprogramme wie auch schon von Hansen (1964) und Naylor (1974) postuliert, nicht indiziert seien. Da mehr als 50% der Patienten zwei Monate postoperativ arbeitsfähig seien, genüge eine Kontrolle 6 Wochen nach Diskotomie, wenn absehbar, dass die Arbeitsunfähigkeit über zwei Monate dauere, seien Reha-Maßnahmen (beruflich und psychosozial) anzusetzen.

Davidsen et al. (2000) unterzogen (randomisiert zugeordnet und geblindet nachuntersucht) einer Gruppe von 39 Patienten 4 Wochen postoperativ einem speziellen Rehabilitationsprogramm mit aktiven Übungen ohne Physiotherapeut an Pulleys und Gewichten für Rumpf und untere Extremitäten. 24 Patienten erhielten ab der 2. Woche eine Standardtherapie mit leichten häuslichen Übungsprogrammen, vermittelt auf einem Formular. ADL und Schmerz-Score zeigten bei der Rehabilitationsgruppe 6 Monate postoperativ signifikant bessere Ergebnisse, die sich aber ein Jahr postoperativ nicht mehr nachweisen ließen. Bezüglich des postoperativen Krankenstandes ergaben sich keine Gruppenunterschiede.

Mannnicke u. Skall (1993) berichtet über eine frühere Arbeitsfähigkeit und einen geringeren Behinderungs-Index, aber keine Differenz bezüglich postoperativen Schmerzen und klinisch objektivem Befund bei Patienten die dynamische Rückenübungen durchführten gegenüber solchen mit normaler Therapie.

Carragee et al. (1999) unterwarfen 152 Patienten mit mikrochirurgischer Operation in einer prospektiven Studie keinerlei postoperativen Restriktionen. Die Mobilisierung erfolgte sobald subjektiv möglich, es erfolgten keine physiotherapeutischen Anweisungen, die Entlassung fand durchschnittlich nach 1,5 (0-6) Tagen statt, Wiederaufnahme der Arbeit sobald subjektiv in der Lage, Krankschreibung nur auf Wunsch, Hinweis, dass die meisten Patienten nach 1-2 Wochen wieder arbeitsfähig sind, keine funktionellen postoperativen Einschränkungen bis auf Wundkontrolle, Baden ab dem 2. Tag postoperativ, berufliche, häusliche und Freizeitaktivitäten sobald man sich „fit" fühlt, etwas Rücken und Beinschmerz postoperativ sei normal und soll die Aktivitäten nicht beschränken.

98% arbeiteten wieder am alten Arbeitsplatz, die Arbeitsunfähigkeit dauerte durchschnittlich 1,2 Wochen, 99% waren nach 8 Wochen vollzeitbeschäftigt. Bei Worker's Compensation zeigte sich eine signifikant längere Arbeitsunfähigkeitszeit, 6% wechselten den Arbeitsplatz wegen chronischer Lumbago.

In einer Cochrane-Studie (Ostelo et al. 2004) konnten 13 Publikationen ausgewertet werden, davon 6 mit hoher Qualität. Aufgrund fehlender Qualität der Studien zur unmittelbar postoperativ beginnenden Therapie im Vergleich zu einem späteren Beginn kann keine Aussage zur Effektivität eines frühen postoperativen Behandlungsprogrammes gemacht werden. Starke Evidenz (Level 1) besteht für die Effektivität eines 4-6 Wochen post OP beginnenden intensiven Übungsprogrammes hinsichtlich des funktionellen Status und schnellen Erreichens einer Arbeitsfähigkeit in einer Kurzzeitstudie, jedoch zeigen Langzeitstudien (Level 1) hinsichtlich des Gesamtergebnisses keinen Unterschied zwischen intensiven und milden postoperativen Übungsprogrammen. Keine strenge Evidenz (Level 3) besteht für die Effektivität eines krankengymnastisch kontrollierten Übungsprogrammes gegenüber selbsttätigen häuslichen Übungen, einer multidisziplinären Rehabilitation gegenüber üblicher Nachbehandlung, Beginn mit einfachen oder komplexen Übungen 12 Monate post OP im Vergleich zu physikalischer Therapie, Manipulationen oder keiner Behandlung. Keine der in den Publikationen beschriebenen Behandlungen zeigten einen negativen Effekt hinsichtlich Prolapsrezidiven oder Rezidivoperationen.

In Anbetracht der zitierten Literatur müssen lieb gewonnene oben dargestellte Therapiemaßnahmen in Frage gestellt oder zumindest sehr kritisch überprüft werden. Die im Folgenden aufgelisteten und von der AWMF zur Erarbeitung von Leitlinien empfohlenen Fragen lassen sich kaum wissenschaftlich begründet beantworten.
- Was ist notwendig?
- Was ist in Einzelfällen nützlich?
- Was ist überflüssig?
- Was ist obsolet?
- Was muss stationär behandelt werden?
- Was kann ambulant behandelt werden?

Erwähnenswert erscheinen zwei Arbeiten zur grundsätzlichen Infektprophylaxe und Prophylaxe von periduralen Fibrosen bei Rezidivoperationen aufgrund von Narbenbildung im Rahmen eines Postdiskotomie-Syndromes.

Schnöring und Brock (2003) konnten im Rahmen einer retrospektiven Studie an 936 Patienten mit 1030 Eingriffen die postoperative Infektionsrate durch präoperative „Single-shot"-Applikation eines Antibiotikums von 2,8% in der Kontrollgruppe signifikant auf 0,2% in der Verum-Gruppe senken.

Anhand einer randomisierten Studie von 10 Patienten mit postoperativer symptomatischer periduraler Fibrose zeigten Gerszten et al. (2003) eine Tendenz zu besseren 1-Jahres-Ergebnissen nach Rezidivoperation, wenn 24 Stunden präoperativ eine Low-dose-Bestrahlung des Operationsgebietes mit 700 cGy erfolgte. Bei allen Patienten wurde zusätzlich ein lokales Antiadhäsivum appliziert.

Schlussfolgerungen zu den Nachbehandlungsleitlinien bei Bandscheibenoperationen

- Die Leitlinien der verschiedenen Fachgesellschaften befinden sich auf dem Experten-Niveau. Da viele Experten aber auch viele verschiedene Meinungen vertreten sind nur äußerst allgemeine, im Prinzip nichtssagende Formulierungen möglich.
- Grund ist die große Variabilität der Literaturangaben zum postoperativen Management des Patienten.
- Durch die knappe Formulierung der bestehenden Leitlinien bleibt die therapeutische Bandbreite erhalten, was zumindest zum jetzigen Zeitpunkt des Entwicklungsstandes der Leitlinien auch sinnvoll erscheint.
- Unter Hinweis auf unterschiedliche Nachbehandlungsschemata in Abhängigkeit von der Art des operativen Eingriffes, des Operationsverlaufes und der Compliance des Patienten empfehlen sich zurzeit beispielhafte mehr ins Detail gehende aber letztlich unverbindliche Schemata.
- Die wissenschaftlich verwertbare Literatur vermittelt den Eindruck, dass postoperative therapeutische Maßnahmen eher zurückhaltend anzusetzen sind.
- Hinterfragt werden muss ebenfalls, inwieweit *routinemäßige* postoperative Reha-Maßnahmen indiziert sind und wenn, ob diese ambulant oder stationär zu erfolgen haben. Im Rahmen der Globalisierung können wir uns Entwicklungen im Ausland nicht verschließen, zudem diese Behandlungsschemata besser belegt sind als zum Beispiel die in der deutschsprachigen Literatur.
- Nicht zuletzt sollten auch Nachbehandlungsschemata einer steten Kontrolle und Anpassung unterliegen.

Nachbehandlung nach operativ versorgten Wirbelfrakturen

Die Angaben in der Literatur sind hierzu eher dürftig, meist erfolgen nur ganz allgemeine Hinweise, die jedoch insbesondere auch für den Hilfesuchenden in der überwiegenden Zahl absolut unergiebig sind.

Leitlinien der AWMF zur Behandlung nach operativ versorgten Wirbelfrakturen

Deutsche Gesellschaft für Unfallchirurgie 3/1999

Verletzung der Halswirbelsäule
7.7. postoperative Behandlung:
- Thromboseprophylaxe solange Patient bettlägerig
- Physiotherapie
- Regelmäßige Wundkontrolle
- Mobilisation so früh wie möglich
- Postoperative Röntgenkontrollen
- Postoperative CT-Kontrollen nach Dekompression
- Verfahrenswechsel falls erforderlich.

Sektion Physikalische Medizin und Rehabilitation der DGOOC 5/2002
Finkbeiner, Hesselschwerdt, Mutschler

Leitlinien orthopädischer Rehabilitation / Frakturen der Wirbelsäule
Beispielhafte postoperative Weiterbehandlung:
- 1. Tag
Atem und Kreislaufgymnastik, dosierte Isometrie (PNF), Thromboseprophylaxe, Analgetika, Antiphlogistika
- 2.–3. Tag
KG aus stabiler Ausgangslage, Erlernen der Mobilisation aus dem Bett, kurzzeitiges Stehen, Mobilisation im Zimmer, Selbsthilfetraining

■ 4.-7.Tag
KG aus stabiler Ausgangslage (Isometrie oder PNF), Mobilisation auf Stationsebene
■ 8.-14. Tag
individuell forcierte stabilisierende KG, Hausebene, Treppen, Selbsthilfeschulung, zeitgerechte Fädenentfernung.
Reha-Durchführung postoperativ (Beginn 15. Tag postoperativ)

Reha-Ziele:
■ Schmerzreduktion
■ Muskelgleichgewicht
■ physiologische Körperhaltung
■ Kraft- und Ausdauertraining
■ Haltungsschulung und rückengerechtes Verhaltenstraining
■ Umsetzung in eine verbesserte ADL
■ ggf. Behandlung restierender neurologischer Begleitschäden

Reha-Behandlung, differenzierte Darstellung von:
■ Medikamenten
■ Physiotherapie
■ Bewegungsbad
■ Physikalischer Therapie
■ Elektrotherapie
■ Schwimmen
■ Medizinischer Trainingstherapie
■ Fahrradergometer
■ Sitztraining

■ Korsettentwöhnung
■ Trainingsstabilität
■ Sportfähigkeit
■ Entfernung von Osteosynthesematerial.

Ein differenziertes aktuelles Schema wurde zuvor von Kaps et al. (2000) publiziert (Tabelle 1 und 2), ein älteres Schema von Bläsius und Kaps (1992). Elemente dieser Schemata sind in die Leitlinien eingegangen. Äußerst sinnvoll ist die Darstellung des obigen Behandlungsschemas als Beispiel, womit eine gewisse Unverbindlichkeit gegeben ist.

Postoperative Therapiemaßnahmen in der Literatur (35 Literaturstellen)

Therapiemaßnahmen:
■ stabilisierende KG
   6-12 Wochen
■ Patientenmobilisierung
   1. Tag-3. Woche
■ WS-Mobilisierung
   1.-12. Woche
■ Arbeitsunfähigkeit
   HWS   3-5 Monate
   BWS/LWS   3-8 Monate
■ Schanzkrawatte o. ä.
   3-6 Wochen

Tabelle 1. Nachbehandlung von Wirbelfrakturen der Hals- und oberen Brustwirbelsäule

Zeitpunkt	Behandlung
1. postoperative Woche	Bewegungsübergang Rückenlage – Seitenlage Bewegungsübergang Seitenlage – Sitz Mobilisation mit Krawatte, keine Bauchlage (Rotation!)
2. postoperative Woche	Wirbelsäulengruppe „Rücktraining" Duschen ohne Krawatte nach Fädenextraktion Heben und Tragen bis 5 kg Eigentraining am Pullingtrainer, symmetrisch bis 2,5 kg beidseits Entlassung Ambulante Physiotherapie zur Kräftigung der Halsmuskulatur und zur Kontrolle 1- bis 2-mal pro Woche
7. postoperative Woche	Röntgenkontrolle Abtrainieren der Krawatte Verstärkt Physiotherapie Evtl. MAT für Schultergürtel und Rumpf Fakultativ EAP
12. postoperative Woche	Schwimmen, Radfahren, Joggen, Kontaktsportarten (Kunstturnen, Hochsprung, usw.) erst bei sicherer knöcherner Konsolidierung

MAT medizinisches Aufbautraining, *EAP* erweiterte ambulante Physiotherapie

Tabelle 2. Nachbehandlung von Wirbelfrakturen der unteren und mittleren BWS und LWS

Zeitpunkt	Behandlung
1. postoperative Woche	Ausgangsstellung Rückenlage, stabil Andrehen 90°-Seitenlage Bewegungsübergang Rückenlage – Seitenlage Üben in Seitenlage Bewegungsübergang Rückenlage – Bauchlage Üben in Bauchlage Mobilisation über Bauchlage mit Mieder Gehen mit Stützen bzw. Gehwagen Bettruhe bei Beckenkammspanentnahme: 3 Tage *Lumbotomie:* 5 Tage postoperativ Bettruhe *Thorakotomie:* bei Zugang oberhalb des 9. ICR dürfen die Arme 14 Tage nur bis 90° bewegt werden!
2. postoperative Woche	Hoher Sitz über Seitenlage Wirbelsäulengruppe „Bücktraining" Abbau von Gehhilfen Treppe gehen Wirbelbad Kurzfristig tiefer Sitz (Auto, WC) Heben und Tragen bis 5 kg Eigentraining am Pullingtrainer, symmetrisch bis 2,5 kg beidseits Nach Entlassung ambulante Physiotherapie zur Kräftigung der Rumpfmuskulatur
7. postoperative Woche	Rotation und Lateralflexion zugelassen Unbegrenzt tiefer Sitz Evtl. MAT für Rumpfmuskulatur
13. postoperative Woche	Röntgenkontrolle Abtrainieren des Mieders Heben und Tragen > 5 kg Rückengerätetraining nach individueller Anpassung Radfahren, Joggen, Schulsport Kontaktsportarten (Kunstturnen, Hochsprung, usw.) bei sicherer knöcherner Konsolidierung

MAT medizinisches Aufbautraining

■ Mieder/Orthese
3–24 Wochen
3 Autoren fakultativ oder keines.

Auch bei der postoperativen Behandlung von Wirbelfrakturen zeigt sich eine große Bandbreite, ohne dass hierzu auch nur eine Arbeit diese Maßnahmen wissenschaftlich begründet. Es handelt sich ausschließlich um Expertenmeinungen.
Eine offizielle Leitlinie der AWMF besteht lediglich für die Frakturen der Halswirbelsäule. Im Vergleich zu Behandlungsschemata der postoperativen Bandscheibe sind die Angaben zu den verschiedenen Therapiemaßnahmen in der Literatur jedoch etwas konkordanter. Es besteht eine Tendenz zur frühen Mobilisierung und eher engen Patientenführung.

Schlussfolgerungen zu den Nachbehandlungsleitlinien bei operativ versorgten Wirbelfrakturen

■ Die S1-Stufen der Leitlinien sind noch überwiegend in Entwicklung
■ Die Variabilität der postoperativen Behandlung ist etwas geringer als bei den Bandscheibenoperationen
■ Auch hier empfiehlt sich wegen der unterschiedlichen Schemata zur Zeit die knappe Formulierung der Leitlinien, evtl. ergänzt durch unverbindlichere Behandlungsbeispiele
■ Es existieren keine wissenschaftlich begründete Nachbehandlungsschemata
■ AHB-Maßnahmen erscheinen aufgrund des Diagnose bedingten längeren Krankenstandes gerechtfertigt. In der Literatur wird eine Arbeitsfähigkeit frühestens nach 3 Monaten postoperativ übereinstimmend formuliert.

Diskussion

Anhand der vorliegenden Literatur erscheint es schwierig Leitlinien, sowohl für die Nachbehandlung nach Bandscheibenoperationen als auch die nach operativer Versorgung von Wirbelfrakturen, von der Qualität einer Stufe 2 (formale Konsensfindung unter Einbeziehung benachbarter Fachgruppen) geschweige denn einer Stufe 3 zu erarbeiten (Evidence basiert auf der Grundlage von prospektiv randomisierten Studien). Die vorliegenden randomisierten und/oder prospektiven Studien stammen überwiegend aus dem angloamerikanischen Sprachraum und dürften in ihrer Konsequenz nur schwerlich auf das deutsche Nachbehandlungs- und AHB- beziehungsweise Reha-Wesen übertragbar sein. Ein kritisches Hinterfragen der Schemata sollte im Entwicklungsprozess der Leitlinien jedoch einen festen Platz haben. Diskussionswürdig erscheint eine perioperative Infekprophylaxe, die präoperative Bestrahlung zur Vermeidung von periduralen Fibrosen nach Rezidivoperationen bedarf der Verifizierung durch ein größeres Patientengut.

Verhindert werden muss ein negatives Verarbeitungsverhalten der Patienten, die Angst vor Restbeschwerden bzw. deren Überbewertung, die Angst vor Bewegung, die Angst vor der postoperativen Katastrophe (Picavet et al. 2002).

Literatur

Alaranta H, Hurme M, Einola S, Kallio V, Knuts L-R, Törmä T (1986) Rehabilitation after surgery for lumbar disc herniation. Results of a randomized clinical trial. Int J Rehab Research 9:247–257

Bläsius K, Kaps HP (1992) Nachbehandlungsfibel Orthopädie. Thieme, Stuttgart New York

Carragee EJ, Han MJ, Yang B, Kim DH, Kraemer H, Billys I (1999) Activity restrictions after posterior lumbar discectomy: A prospective study of outcomes in 152 cases with not postoperative restrictions. Spine 24:2346–2351

Davidsen JM, Johnsen R, Kibsgaard SK, Hellvik E (2000) Early aggressive exercise for postoperative rehabilitation after discectomy. Spine 25:1015–1020

DGOOC und BVO (2002) Leitlinien der Orthopädie. Dt Ärzte-Verlag, 2. Aufl, Köln

Findeklee R, Büttner K (1988) Die Wirksamkeit stationärer Rehabilitationsmaßnahmen in der Nachsorge bandscheibenoperierter Patienten: Orthop. Praxis, 24:6–10

Gerszten PC, Moossy JJ, Flickinger JC, Welch WC (2003) Low-dose radiotherapy for the inhibition of peridural fibrosis after reexploratory nerve root decompression for postlaminectomy syndrome. J Neurosurg (Spine 3) 99:271–277

Hansen JW (1964) Postoperative management in lumbar disc protrusions. Acta Orthop Scand Suppl 71: 1–47

Heisel J, Schwerdtfeger A (1995) Effizienz einer Anschlussheilbehandlung bei Patienten mit primärer lumbaler Bandscheibenoperation. Orthop Praxis 31: 809–812

Hommel H, Büttner-Janz K (1996) Ist eine krankengymnastische Beübung lumbal nukleotomierter Patienten erforderlich? Orthop Praxis 32:84–85

Kaps H-P, Schreiner M, Badke A (2000) Spezielle Probleme der Begleit- und Nachbehandlung bei Wirbelsäulenverletzungen und Verletzungsfolgezuständen nach operativer Versorgung instabiler Wirbelfrakturen. Trauma und Berufskrankh (Suppl), S493–S499

Mannicke C, Skall HF (1993) Clinical trial of postoperative dynamic back exercises after first lumbar discectomy. Spine 18:92–97

Naylor A (1974) The late results of laminectomy for lumbar disc prolaps: A review after ten to twenty-five years. J Bone Joint Surg [Br] 56B:17–29

Ostelo RWJG, de Vet HCW, Waddell G, Kerckhoffs M R, Leffers P, van Tulder MW (2004) Rehabilitation after lumbar disc surgery. Cochrane Database of Systematic Reviews 1

Picavet HSJ (2002) Catastrophizing, kinesiophobia, and low-back pain in the general population. Presented at International Forum V for Primary Care Research on Low Back Pain, Montreal, im Druck

Schneiderer W, Gröller W, Egle H (1995) Rehabilitationskonzepte des lumbal wirbelsäulenoperierten Patienten und deren Effektivitätskontrolle anhand eines Scores. Orthop Praxis 31:807–808

Schnöring M, Brock M (2003) Antibiotikaprophylaxe bei lumbalen Bandscheibenoperationen: Eine Analyse von 1030 Operationen. Zentralbl Neurochir 64:24–29

Schwertfeger A, Heisel J (1997) Langzeiteffizienz einer AHB nach Bandscheibenoperation. Orthop Praxis 33:441–444

Lumbale Spinalkanalstenose
Klinische Symptomatik – konservative Behandlungsstrategien

J. Heisel

Definition und Ätiologie

Unter anatomischen Gesichtspunkten wird die lumbale Spinalkanalstenose *definiert* als eine lokal begrenzte knöcherne (z. B. bei Hypertrophie der Facettengelenke) oder Weichteil-bedingte (z. B. durch Hypertrophie der Ligg. flava) lichte Einengung des Wirbelkanales der Lendenwirbelsäule. *Hauptlokalisation* sind die Etagen L4/L5 und L3/L4.

Ätiologisch werden kongenitale Störungen (idiopathische, vor allem laterale Enge, Spondylolisthese, Hyperlordose) von erworbenen degenerativen Störungen (v. a. Bandscheibenverschleiß mit reaktiven hyperostotischen Störungen und/oder Instabilitäten) bzw. postoperativ aufgetretenen Narbenstrikturen unterschieden. Betroffen sind meist ältere und alte Menschen, Männer häufiger als Frauen.

Klinische Symptomatik und bildgebende Diagnostik

In den meisten Fällen besteht klinisch eine kompensierte (stumme) Situation, die anfänglichen Beschwerdebilder sind oft völlig uncharakteristisch mit lokalen, schlecht lokalisierbaren dumpfen Rückenschmerzen vom pseudoradikulären Typ. Das klassische klinische Vollbild einer *Claudicatio spinalis intermittens* als Ausdruck einer Dekompensation entwickelt sich bei schleichender Progredienz oft erst spät. Typische Zeichen sind hier segmentale oder diffuse periphere Parästhesien, segmentale Schmerzen sowie evtl. auch segmentale muskuläre Krämpfe, die bevorzugt beim Zurücklegen einer bestimmten Wegstrecke, aber auch nach langem Stehen mit hyperlordotisch eingestellter Lendenwirbelsäule auftreten. In sitzender Köperhaltung wird eine längere Rumpfreklination oft schlecht toleriert; im Zuge einer Rumpfanteklination wird häufig eine Beschwerdeerleichterung berichtet.

Zur eindeutigen Objektivierung und auch Quantifizierung des Ausmaßes einer spinalen Enge ist eine *bildgebende Diagnostik* unerlässlich: Hierzu zählen zunächst Röntgen-Nativaufnahmen der Lendenwirbelsäule in 2 Ebenen im Stehen; die höchste Aussagekraft besitzen das Post-Myelo-CT, das Computer- sowie das Kernspintomogramm (Abb. 1 a, b).

Behandlungsstrategien bei lumbaler Spinalkanalstenose

Die *Primärbehandlung* einer lumbalen Spinalkanalstenose ist meist konservativ Symptomorientiert unter ambulanten oder aber auch kurzfristig stationären Bedingungen, wobei die gesamte medikamentöse, physikalische, balneologische und bewegungstherapeutische Behandlungspalette ausgeschöpft werden sollte, bis eine subjektiv gut tolerierte klinische Situation gegeben ist. Nur bei drohender neurologischer Dekompensation bzw. bei konservativ nicht zu beherrschendem Schmerzbild ist eine operative Intervention im Sinne einer dorsalen lumbalen Dekompression (evt. mit zusätzlicher transpedikulärer Stabilisierung) zu erwägen. In diesem Zusammenhang ist zur Verlaufskontrolle und zur Überprüfung der Effizienz der Behandlung das konsequente Führen eines Schmerztagebuches (Schmerzgradation von 0–10 im Rahmen einer visuellen Analogskala; 2- bis 3-mal am Tag vorzunehmen) empfehlenswert.

■ **Medikamentöse Behandlung.** Klinisch unspezifische (oft auch nur muskulär bedingte) Schmerzbilder sollten durch eine konsequente adäquate *systemische* Abdeckung mit der bekannten Palette der *Analgetika* (Paracetamol, ASS, Metalgin; auch Opioide/Opiate) und/oder

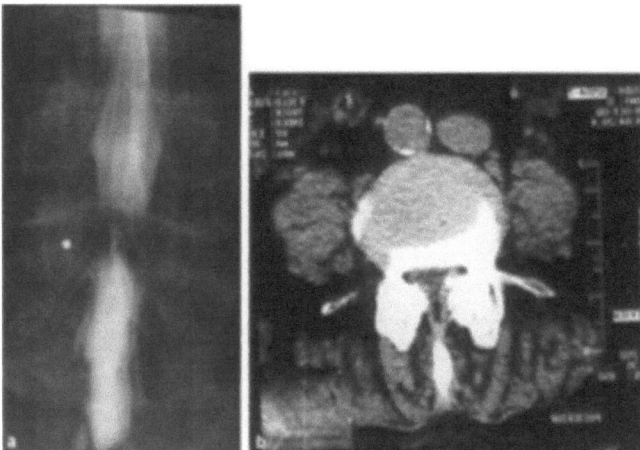

Abb. 1a,b. Bildgebende Diagnostik bei lumbaler Spinalkanalstenose: **a** Myelographie mit typischer Sanduhrartiger Enge im a.p.-Bild in Höhe L4L5. **b** Computertomogramm mit horizontaler Schichtung; ausgeprägte knöcherne Facettenhypertrophie

Antiphlogistika (NSAR; Tabelle 1) erfolgen, wobei hier das bekannte 3-Stufen-Schema der WHO empfohlen wird. Bei begleitendem Wurzelödem mit hartnäckiger radikulärer Irritation kann auch ein „oraler Kortisonstoß" über 5–7 Tage (Prednisolon in absteigender Dosis, beginnend mit etwa 60 mg) erwogen werden. Zusätzlich kommt eine begleitende neurotrope Medikation mit Vitamin-B-Präparaten bzw. analogen Wirkstoffen sowie eine Verabreichung von Muskelrelaxantien in Frage.

An *lokalen* medikamentösen Behandlungsmaßnahmen besteht im Falle eines mehr radikulär-neuralgischen Schmerzbildes die Möglichkeit einer *epineural-dorsalen* (lumbal paravertebral; Tabelle 2) bzw. *epineural-sakralen Injektion* von isotoner Kochsalzlösung (10–20 ml), evtl. mit Triamcinolon-Zusatz; empfohlen werden hier 6 bis 10-malige Anwendungen in etwa ein- bis zweitägigen Abständen. Im Falle eines gleichzeitig bestehenden schmerzhaften lumbalen Facettensyndromes ist eine zusätzliche *Facetteninfiltration* (evt. unter Bildwandlerkontrolle; Abb. 2) mit Lokalanästhetika (Tabelle 3; evt. ebenfalls mit Triamcinolon-Zusatz) sinnvoll.

■ **Lagerung.** Aufgrund der mechanischen Ursache des Krankheitsbildes kommt im Falle akuter Beschwerdebilder einer LWS-entlastenden Lagerung große Bedeutung zu. Als effiziente Einzelmaßnahme steht hier die Entlordosierung der unteren Rumpfwirbelsäule im Stufenbett oder im Schlingentisch im Vordergrund. Diese führt zu einer Entlastung der lumbalen Facettengelenke, außerdem zu einer leichten Aufweitung des Spinalkanales, was den lokalen Druck auf die nervös leitenden Strukturen zumindest vorübergehend mindern hilft. Weiterhin kommt es hierbei in dieser Körperhaltung zu einer Entstauung der venösen lumbalen Spinalkanalplexus. Gleichzeitige milde Traktionen bis maximal 25% des Körpergewichtes wirken ebenfalls schmerzlindernd.

Tabelle 1. Medikamentöse Differentialtherapie mit unterschiedlichen NSAR

- **Ibuprofen:** schneller Wirkungseintritt, kurze Halbwertzeit (d.h. gute Steuerbarkeit); Tageshöchstdosis: 2400 mg
- **Diclofenac:** mittlerer Wirkungseintritt, mittlere Halbwertzeit, gute Antiphlogese; Tageshöchstdosis: 200 mg
- **Oxikame:** lange Halbwertzeit (d.h. schlechte Steuerbarkeit); Tageshöchstdosis: 20 mg
- **COX2-Hemmer (Coxibe):** eher mäßige Analgesie, daher höhere Dosierung; gute Verträglichkeit

Tabelle 2. Technik der lumbalen paravertebralen Injektion

Höhe	Zugang
L4	oberhalb des Querfortsatzes L5 im Winkel von 60° nach medial geneigt; Nadel leicht aszendierend
L5	oberhalb des Querfortsatzes L5 1–2 cm, weiter geschoben im Winkel von 60° nach medial geneigt; Nadel leicht deszendierend
S1	oberhalb des Querfortsatzes L5 im Winkel von 60° nach medial geneigt; Nadel um 45° angehoben

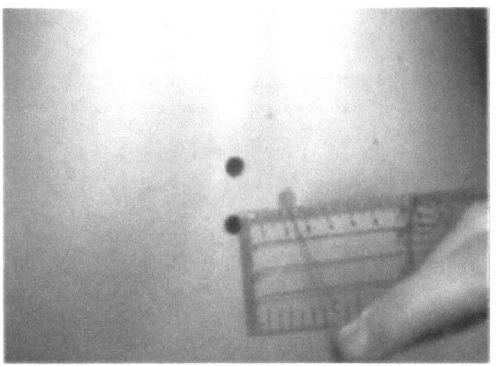

Abb. 2. Klinisches Vorgehen bei rechtsseitiger lumbaler Facetteninfiltration am sitzenden Patienten (s. auch Tabelle 2)

Tabelle 3. Therapeutische Lokalanästhetika zur lokalen Infiltrationsbehandlung (z. B. zur lumbalen Facetteninfiltration)

Wirkstoff	Handelsnamen	Konzentration
Bupivacain	Bucain, Carbostesin	0,25%, 0,5%
Mepivacain	Meaverin, Scandicain	0,5%
Lidocain	Lidoject since	0,5%
Prilocain	Xylonest	0,5%, 1,0%
Ropivacain	Naropin	2 mg/ml

■ **Bewegungstherapeutische Behandlung.** Auch die mobilisierende *krankengymnastische Behandlung* sollte vor allem unter dem Aspekt einer mechanischen Entlastung der Rumpfwirbelsäule indiziert werden. Hier stehen entlordosierende Flexionsübungen nach Brunkow bzw. Brügger (als *Einzel-* oder als *Gruppenmaßnahme*) mit dem Ziel der Rumpfstabilisierung im Vordergrund, außerdem Übungen aus dem Rückenprogramm von McKenzie. Ergänzt werden können diese aktiven Bewegungsmaßnahmen durch milde Extensionen oder Traktionen in leichter Rumpfanteklination.

Im beschwerdefreien (-armen) Intervall sollte sich ein gezieltes Auftrainieren der stabilisierenden Bauch- und Rückenmuskulatur im Rahmen der *gerätegestützten Krankengymnastik* (MTT = Medizinische Trainingstherapie) anschließen zur Steigerung der Belastungstoleranz verschiedener Muskelgruppen: Hierbei sollten Komplexbewegungen möglichst vermieden und ganz überwiegend in nur einer Bewegungsebene trainiert werden Als wesentlicher Baustein steht hier einerseits das dosierte Arbeiten mit Gewichten an Rollenzügen, das Laufband- oder Steppertraining und das Ergometertraining auf dem Standfahrrad (25–50 Watt) im Vordergrund.

Ein gezieltes, vor allem dosiertes *Gangtraining* in einem speziellen Parcours (evtl. mit einer Begleitperson) dient der Koordinationsschulung und auch zur Überprüfung des Behandlungserfolges, vor allem aber zur Beurteilung der Restbelastbarkeit (maximale schmerzfreie Wegstrecke).

An *therapeutischem Sport* kommen nur gleichmäßige Bewegungsabläufe ohne belastende kinetische Kraftspitzen in Frage (Wandern, Walken, Gymnastik, Schwimmen u. a. m.).

Letztendlich sollte der Patient im Rahmen einer theoretischen Schulung (sog. *Rückenschule* nach Krämer) erfahren, welche Bewegungsmuster und -abläufe erlaubt sind und welche möglichst vermieden werden sollten.

■ **Balneotherapie.** Die Balneotherapie gilt im Falle einer lumbalen Spinalkanalstenose allenfalls als ergänzende Maßnahme. Hier sind das einfache *Wannenbad*, *Sprudelbäder* und auch das *Moorbad* mögliche Anwendungsformen. Beim *Thermalbad* (Einzel- oder Gruppenbehandlung) ist eine gleichzeitige funktionelle Behandlung unter Aufhebung der Körperschwerkraft möglich.

Hauptziel der balneologischen Maßnahmen ist im Wesentlichen eine Detonisierung der oft irritierten und reaktiv verspannten paravertebralen Rückenstreckmuskulatur (sog. myofasziale Funktionsstörungen).

■ **Physikalische Therapie.** Im Rahmen der *Elektrotherapie* zielt der Einsatz von *Interferenzströmen* ebenfalls vor allem auf eine muskuläre Detonisierung ab. Das *2-Zellen-Bad* sowie das *Stangerbad* (jeweils galvanische Ströme) sind als wirksame analgetische Maßnahmen im Falle neuralgischer Schmerzbilder zu werten. Auch die Anwendung der *TENS* (transkutane elektrische Nervenstimulation) wird unter dem Gesichtspunkt der lokalen Analgesie indiziert.

An weiteren ergänzenden (passiven) Behandlungsstrategien sind die *manuelle Massage*, lokale *Fango-* bzw. *Heißluftanwendungen*, der Einsatz *einer heißen Rolle* bzw. *lokale Wickel* sowie die *Unterwassermassage* anzuführen. Auch diese Therapieverfahren dienen vor allem der Hyperämisierung und Detonisierung einer irritierten hypertonen und damit schmerzhaften Rückenstreckmuskulatur.

■ **Ergotherapie.** Im akuten Beschwerdestadium mit Beeinträchtigung der Wirbelsäulenfunktion und der globalen Mobilität ist nicht selten eine adäquate *Hilfsmittelversorgung* (Gehhilfen wie Rollatoren, Schuh- bzw. Strumpfanziehhilfen, Greifzangen; u. a.) erforderlich. Die Verordnung spezieller entlordosierender Stuhlauflagen, evt. sogar von Spezialstühlen mit individueller Einstellung der Rückenführung und der Sitzhöhe sind weitere wichtige Aufgaben der Ergotherapie, letztendlich auch die ergonomische Ausrüstung des Arbeitsplatzes, z. B. mit einem Stehpult.

Bei deutlichen, temporär oder auf Dauer bestehenden motorischen Defiziten mit Beeinträchtigung der Geh- und Stehfähigkeit ist ein individuell abgestimmtes *Verhaltens-* und *Selbsthilfetraining* zur Wiederherstellung oder Erhaltung der Eigenständigkeit unverzichtbar.

■ **Ärztliche und psychologische Begleitmaßnahmen.** Im Rahmen der ärztlichen Aufklärung über das Krankheitsbild und einer möglicherweise anstehenden operativen Intervention, vor allem bei Besprechung der bildgebenden Diagnostik sollte auf eine „chaotische Wortwahl" (z. B. „drohende Querschnittslähmung", „auf Dauer im Rollstuhl" u. ä.) verzichtet werden.

Im Zuge einer *Diätberatung* sollte auf die Bedeutung einer Normalisierung des Körpergewichtes im Hinblick auf eine wirksame mechanische Entlastung des Achsenorganes hingewiesen werden.

Die *Akupunktur* sowie evt. eine *psychologische Mitbetreuung* des Patienten stellen ebenfalls wichtige begleitende Maßnahmen dar.

■ **Orthetische Versorgung.** Zur Aufrechterhaltung einer konsequenten Entlordosierung der lumbalen Wirbelsäule mit hieraus resultierender Erweiterung des lumbalen Wirbelkanales sowie zur Entlastung der lumbalen Facettengelenke dient das (vorübergehende) Tragen eines *Flexionskorsettes* nach Krämer. Einen weniger effizienten Wirbelsäulen-stützenden Effekt besitzen *textile Lumbalorthesen* (evt. mit dorsaler Druckpelotte) sowie ein *Lindemann-Mieder*.

Schlussfolgerungen

Konservative Behandlungsmaßnahmen sind beim klinisch oft sehr variablem Symptomenkomplex einer lumbalen Spinalkanalstenose oft über einen langen Zeitraum durchaus erfolgreich; das Therapieziel ist dann erreicht, wenn der betroffene Patient ein subjektiv toleriertes, weitgehend kompensiertes Beschwerdebild angibt. Engmaschige ärztliche Kontrollen sind unbedingt anzuraten; in jedem Falle muss der Betroffene darauf hinge-

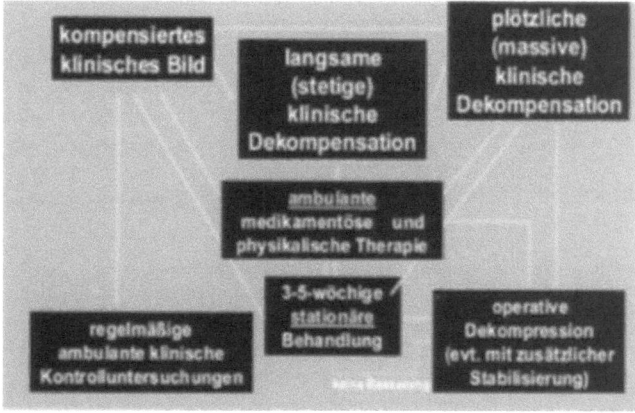

Abb. 3. Therapeutischer Algorhythmus bei lumbaler Spinalkanalstenose

wiesen werden, dass es sich bei der mechanischen Enge in den allermeisten Fällen um eine progrediente Störung handelt, bei der neurologische Begleiterscheinungen anfänglich oft nur geringfügig ausgeprägt sind und durchaus plötzlich bedrohlich zunehmen können.

Von einer *relativen Operationsindikation* ist dann auszugehen, wenn über einen Zeitraum von (3-)6 Monaten eine hartnäckige subjektive Therapieresistenz angegeben wird. Eine *absolute Operationsindikation* liegt dann vor, wenn bildgebend eine Verlegung des lichten Querschnittes des lumbalen Spinalkanales um mehr als 50% vorliegt bzw. der Sagittaldurchmesser des lumbalen Wirbelkanales weniger als 10 mm beträgt; eine deutliche Progredienz neurologischer Defizite bei relativer Spinalkanalstenose ist ebenfalls als Operationsindikation zu werten (Algorhythmus der Therapie: Abb. 3).

Literatur

1. Baumgärtner H (1993) Klinik der Spinalstenose. Orthopäde 22:211
2. Bennini A (1993) Die lumbale Wirbelkanalstenose. Ein Überblick 50 Jahre nach den ersten Beschreibungen. Orthopäde 22:257
3. Castro WHM, Jerosch J (1996) Orthopädisch-traumatologische Wirbelsäulen- und Beckendiagnostik. Enke, Stuttgart
4. Heisel J (2003) Wirbelsäulen-Manual. Ecomed, Landsberg/Lech
5. Heisel J (2004) Konservative Therapieoptionen beim engen lumbalen Spinalkanal. In: Pfeil J, Rompe JD (Hrsg) Der enge Spinalkanal. Steinkopff, Darmstadt, S 69
6. Heisel J (2004) Physikalische Medizin. Thieme, Stuttgart
7. Jeanneret B, Forster T (1993) Anamnese und Myelographie in der präoperativen Abklärung der lumbalen Spinalkanalstenose. Orthopäde 22:227
8. Krämer J (1997) Bandscheibenbedingte Erkrankungen. 4. Aufl. Thieme, Stuttgart New York
9. Krämer J (2002) Behandlung lumbaler Wurzelkompressions-Syndrome. Dt Ärzteblatt 99:B1269
10. Matzen KA, Siebert W, Gondolph-Zink B, Blümlein H, Noack W (2002) Lumbale Spinalkanalstenose. In: Leitlinien der Orthopädie. Herausgegeben von der Deutschen Gesellschaft für Orthopädie und Orthopädischen Chirurgie und dem Berufsverband der Ärzte für Orthopädie. 2. Aufl. Deutscher Ärzte-Verlag, S 127
11. Wünschmann BW, Sigl T, Ewert T, Schwarzkopf SR, Stucki G (2003) Physikalisch-medizinisches Behandlungskonzept beim Syndrom des engen Spinalkanals. Orthopäde 32:865
12. Zeifang F, Abel R, Schiltenwolf M (2003) Möglichkeiten konservativer Behandlungsmethoden bei Patienten mit Claudicatio spinalis. Orthopäde 32:906

Die Mikrotechnik der dorsalen Dekompression

R. Haaker, A. Ottersbach, J. Krämer

Pathogenese

Bei der degenerativen Spinalkanalstenose kommt es in einem primär normal weiten Wirbelkanal zu einer sekundären Einengung durch degenerative Veränderungen. Die Einengung ist meist auf 1 oder 2 Segmente beschränkt und innerhalb des Segments auf einen bestimmten Abschnitt. Die Einengung findet immer interlaminär (zwischen den Bogenebenen) mit Taillierung des Duraschlauches und Kompression der traversierenden, z. T. noch intrathekal verlaufenden Nervenwurzeln statt. Der Wirbelbogen ist nicht betroffen. In Höhe des Wirbelbogens ist der Spinalkanal normal weit. Die Einengung erfolgt von dorsal her durch Vorwölbung der Ligamenta flava und von dorsolateral durch degenerativ veränderte Wirbelgelenke. Das Ligamantum flavum wölbt sich interlaminär in den Wirbelkanal vor. Es handelt sich dabei nicht um eine Verdickung, sondern um den Folgezustand der Bandscheibensinterung mit Hyperlordosierung und Verkürzung des interlaminären Abstandes. Die Wirbelgelenke sind ebenfalls durch Bandscheibensinterung und Hyperlordose sowie aufgrund der Segmentlockerung degenerativ verändert. Osteophytäre Reaktionen von den Gelenkrändern, Kapselverdickungen und mehr oder weniger ausgeprägte zystische Erweiterungen der Gelenkinnenhaut komprimieren Durasack und Nervenwurzeln von dorsolateral her unmittelbar unter dem Lig. flavum. Die Wucherungen der Gelenkinnenhaut mit Ansammlung von Gelenkflüssigkeit stellen sich bei größerer Ausdehnung als Synovialzysten dar (sog. Wirbelgelenksganglien) und verursachen ein eigenständiges Krankheitsbild.

Die degenerative Bandscheibenlockerung kann zu einer Verschiebung der Wirbel gegeneinander führen. Am häufigsten ist das degenerative Wirbelgleiten in dorsoventraler Richtung bei L4/5. Die Wirbelbögen mit ihren Facettengelenken sind im Gegensatz zur echten Spondylolisthese intakt, können aber den Gleitvorgang bis zu einem gewissen Ausmaß nicht aufhalten. Beim Gleitvorgang eines Wirbels nach vorn kommt es zur Bedrängung von Dura und Nervenwurzeln durch den Wirbelbogen und den unteren Gelenkfortsatz des Gleitwirbels. Kommt beim sogenannten Drehgleiten eine Rotationsbewegung hinzu, übt der untere Gelenkfortsatz der Seite, zu der sich der Dornfortsatz hinbewegt, einen zusätzlichen Druck nach ventral auf den lateralen Durarand mit der traversierenden, meist intrathekal verlaufenden Wurzel aus.

Topografische Gründe für die Betonung der Segmente L3/4 und L4/5

Die Spinalkanalstenose ist meist auf die Segmente L3/4 und L4/5 beschränkt. So wird unmittelbar infradiskal die Wurzel L5 durch Osteophyten am medialen Rand der jeweils aszendierenden Facette (oberer Gelenkfortsatz des nächst tieferen Wirbels) bedrängt.

Die Wurzel S1 wird im lateralen Anteil des Durasacks intrathekal bei L3/4 und L4/5 komprimiert. Weiter infradiskal, d. h. neben dem Pedikel unter dem Bogen ist der Wirbelkanal wieder normal weit.

Durch zunehmendes Überlappen der Laminae von kaudal nach kranial schiebt sich bei L2/3 und in höheren Segmenten der Gelenkkomplex relativ weiter nach kaudal. In den Segmenten L1/2 und L2/3 liegen die Facettengelenke also nicht mehr in der diskalen Ebene, so dass hier der typische Zangenmechanismus (Bandscheibenprotrusion und laterale Spinalkanalstenose für die austretende Wurzel nicht entstehen kann. In der Etage L5/S1 wiederum liegt die S1-Wurzel wegen ihres vertikalen Verlaufs mit dem Austritt aus dem Foramen sakrale zu weit medial als dass sie noch durch die Facettengelenksdegeneration erreicht werden könnte.

Durch die interlaminäre Einengung des Wirbelkanals kommt es zum venösen Rückstau (Venous pooling nach Porter). Der Venenstau findet sich besonders zwischen zwei stenotischen Segmenten oder darüber. Der Venenstau führt über einen Circulus vitiosus zur weiteren Wirbelkanaleinengung.

Klinik

Ähnlich wie bei der Spondylose, Osteochondrose und den bandscheibenbedingten Erkrankungen unterscheidet man zwischen Spinalkanalstenose und Spinalkanalstenosenerkrankung bzw. Spinalkanalstenosensyndrom. Das heißt es gibt die Deformierung Spinalkanalstenose mit und ohne Beschwerden. Röntgen- bzw. MRT-Befunde sind nicht gleichbedeutend mit Beschwerden. Die meisten Wirbelkanalstenosen sind asymptomatisch, können aber unter bestimmten Bedingungen Beschwerden hervorrufen. Dementsprechend spricht man von einer kompensierten und dekompensierten Spinalkanalstenose. Zur Dekompensation können beitragen: Bandscheibenprotrusion, Trauma, venöser Rückstau, abnorme Wirbelsäulenbelastung, postoperative Narben.

Operationsindikation

Eine Indikation zur operativen Dekompression ergibt sich bei stärksten Schmerzen und Gehbeeinträchtigungen, die auf konservative Maßnahmen nicht ansprechen. Insbesondere die Gehbeeinträchtigung mindert die Lebensqualität der Patienten so stark, dass eingegriffen werden muss. MRT und Myelo-CT zeigen bei einer derartigen klinischen Symptomatik in der Regel eine hochgradige Einengung des Spinalkanals („Flachwasserphänomen" in der Myelografie).

Operationstechnik

Die Technik der Mikrodekompression macht sich den Umstand zunutze, dass sich die Einengung immer interlaminär entwickelt und dies nur in den Segmenten L3/4 und L4/5.

Gemäß der oben beschriebenen Topographie wird also nach Identifizierung der Etage mittels Nadelaufnahme ein ca. 2,5 bis 3 cm langer Hautzugang median durchgeführt. Bei einseitiger Stenose wird wie zur Bandscheibenoperation nach mediolateraler Faszieninzision mittels Raspatoriums entlang der benachbarten Dornfortsätze bis auf die Bogenebene eingegangen. Der Operationstrichter wird eingebracht.

Dargestellt wird die sogenannte „upper laminar corner". Zunächst unter Schonung des Ligamentum flavum erfolgt nun eine sparsame Laminotomie und Hemifacettektomie (meist weniger als 1/3 der Facettengelenkssubstanz). Dabei kann in den dickeren Bogenanteilen die Verwendung einer Hochgeschwindigkeitsfräse zur Ausdünnung der Bogen- und Facettengelenksanteile unter fortlaufender Spülung verwendet werden, um die Resektion mittels Carringtonzange zu erleichtern (z.B.: Hilanfräse; Aesculap). Erst nach ausreichender knöcherner Mikrodekompression kommt es in einem letzten Schritt zu einer sparsamen Flavektomie in der diskalen Ebene. Der ventrale Epiduralraum wird nach Möglichkeit gemieden (bis auf einen Resektionsbedarf der Bandscheibe infolge eines Vorfalls). Die Dekompression kann in den Bereich der Bogenebene durch Flavumresektion bis unter den Bogen in Form der sogenannten „undercutting decompression" fortgeführt werden.

Eine komplette Laminektomie ist in der Regel nicht erforderlich, da wie oben ausgeführt, in Höhe des Bogens normal weite Spinalkanalverhältnisse vorliegen. Insofern entfällt auch ein Stabilisierungsbedarf, da 2/3 der Facettengelenkssubstanz erhalten bleiben, eine Fusion begleitend also nicht immer erforderlich ist. Ein Bedarf für eine zusätzliche Fusion besteht in

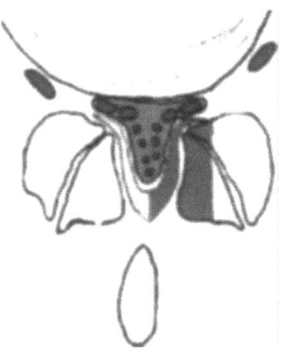

Abb. 1. Schematische Darstellung des Ausmaßes der Dekompression bei mikrochirurgischem Vorgehen

Fällen mit weitgehender Wirbelgelenksresektion ein- oder beidseitig bzw. als relative Indikation bei der degenerativen Listhese.

In der Regel wird die Mikrodekompression beidseitig d. h. über einen Hautzugang jedoch zwei separate Faszienzugänge jeweils 0,5 cm lateral der Dornfortsatzreihe durchgeführt.

Nachbehandlung

Aufgrund der Flavektomie wird eine entlordosierende Orthese für 6-8 Wochen empfohlen. Hierdurch wird auch eine Distraktion der Restwirbelgelenke erreicht.

Literatur

Akkerveeken P (2000) Classification of canal and lateral stenosis of the lumbar spine. In: Guenzburg RH, Szpalski H: Lumbar spinal stenosis. Lippincott, Philadelphia

Benini A (1993) Die lumbale Wirbelkanalstenose - ein Überblick 50 Jahre nach der ersten Beschreibung. Orthopäde 22:257-266

Benini A (2000) Selektive lumbale, mediolaterale und laterale Wurzeldekompression bei lateraler Spinalkanalstenose. Operat Orthop Traumatol 12:287-296

Caspar W, Papavero L, Sayler MK, Harkey HL (1994) Precise and limited decompression for lumbar spinal stenosis. Acta Neurochir 131:126-130

Bradley et al (1999) Microdecompression for lumbar spinal canal stenosis. Spin 24(21):2268-2272

Charafeddine H, Gangloff S, Onimus M (1994) Postoperative instability after laminoarthrectomy for degnerative lumbar stenosis. Rev Chir Orthop Reparatrice Appar Mot 80:379-387

Cornefjord J, Rydevik B (2000) A long term follow up study of surgical treatment of lumbar spinal stenosis. Eur Spine 9:563-570

Fischgrund JS, Mackay M, Herkowitz HN, Brower RS, Montgomery CM, Kurz LT (1997) Degenerative lumbar spondylolisthesis with spinal stenosis. A prospective, randomized study comparing decompressive laminectomy and arthrodesis with and without spinal instrumental. Spine 22:2807-2812

Gondolph-Zink B, Dangel M (2002) Ergebnisse nach knöcherner Decompression der Lendenwirbelsäule bei Spinalkanalstenose. Orthop Praxis 38(5):327-330

Grob D, Humke T, Dvorak J (1993) Die Bedeutung der simultanen Fusion bei operativer Dekompression der lumbalen Spinalkanalstenose. Orthopädie 22:243-249

Katz JN, Lispon SJ, Larson MG et al (1997) Lumbar laminectomy alone or with instrumental or noninstrumented arthrodesis in degernerative lumbar spinal stenosis. Spine 22:1123-1131

Krämer J, Köster O (2001) MRT-Atlas der Lendenwirbelsäule. Thieme, Stuttgart

Ludwig J, Krämer J (2004) Spinalkanalstenose. In: Wirth CJ, Zichner L (Hrsg) Orthopädie und Orthopädische Chirurgie, Band Wirbelsäule, Thorax. Krämer J (Hrsg) Thieme, Stuttgart, S 405 ff

Mayer M (2000) Minimally invasive spine surgery. Springer, Berlin

Niggemeyer O, Strauss JM, Schulitz KP (1997) Comparison of surgical procedures for degenerative lumbar spinal stenosis: A meta-analysis of the literature from 1975 to 1995. Eur Spine J 6:423-429

Postaccini F, Cinori G, Perugina D, Gumina S (1993) The surgical treatment of central lumbar stenosis. Multiple laminectomy compared with total laminectomy. J Bone Joint Surg 75:386-392

Weiner et al (1999) Microdecompression for lumbar spinal canal stenosis. Spin 1, 24(21):2268-2272

Mikrochirurgische Dekompressionsoperation bei lumbaler Spinalkanalstenose: Technik und Langzeitergebnisse

V. Rohde, M. F. Oertel, J. M. Gilsbach

Einleitung

Die Erstbeschreibung der lumbalen Spinalkanalstenose erfolgte 1949 durch Verbiest [1]. Bei der lumbalen Spinalkanalstenose kommt es durch knöcherne Anbauten im Bereich der Facettengelenke und durch eine Hypertrophie der Ligamenta flava zu einer Kompression der lumbosakralen Nervenwurzeln. Dies führt klassischerweise zu den Symptomen der Claudicatio spinalis, zu oft bilateralen Lumboischialgien hauptsächlich bei Gehbelastung [2]. Die Laminektomie ist das Standardverfahren zur ligamentoossären Dekompression; zahlreiche Serien, die über die operativen Ergebnisse berichten, sind bislang publiziert worden [3–7]. Ein alternatives, eventuell weniger invasives operatives Verfahren ist die beidseitige Laminotomie [8, 9]. Mit dem Ziel, das operative Trauma weiter zu reduzieren, haben wir seit 1993 die unilaterale Laminotomie für die bilaterale ligamentoossäre Dekompression eingeführt. Ziel unserer Publikation ist die Darstellung der operativen Technik und die Mitteilung der mittlerweile vorliegenden Langzeit-Resultate.

Methode

■ **Operative Technik.** Nach Induktion der Narkose wird der Patient in der klassischen Knie-Brust-Position gelagert. Unter Röntgen-Kontrolle wird zunächst das zu operierende Segment markiert, ehe das sterile Abdecken des Operationsfeldes erfolgt. Vor Hautschnitt wird ein Cephalosporin der zweiten oder dritten Generation intravenös appliziert. Der circa 4 cm lange Hautschnitt wird in der Mittellinie angelegt, auf der Seite des interlaminären Zugangs (welche der symptomatisch führenden Seite entspricht) wird die Muskelfaszie dargestellt und auf Hautschnittlänge inzidiert. Die paraspinale Muskulatur wird subperiostal abgeschoben und die obere und untere Hemilamina des zu operierenden Segments werden dargestellt. Die folgenden operativen Schritte werden unter dem Mikroskop durchgeführt. Zunächst erfolgt mit der Kugelfräse die partielle Hemilaminektomie des superioren Bogens oberhalb des Facettengelenks, dann das Unterminieren des Ansatzes des Processus spinosus und schließlich die Entfernung des inferoanterioren Anteils des kontralateralen Halbbogens. Während dieser operativen Schritte dient das belassene Ligamentum flavum als Frässchutz für die Dura. Dann wird das Flavum, welches regelhaft hypertrophiert ist, reseziert, Duralschlauch und die ipsilaterale Nervenwurzel werden identifiziert. Hauptsächlich mit der Stanze werden dann die wurzelkomprimierenden Anteile des medialen Facettengelenks entfernt, wobei die Gelenkintegrität erhalten bleibt, ehe das Dach des Neuroforamens eröffnet wird. Durch Schwenken des Operationsmikroskops und gegebenenfalls durch Kippen des Tisches wird die kontralaterale Nervenwurzel dargestellt, aufgrund der Stanzrichtung lassen sich kontralaterale mediale Facettengelenksanteile einfach resezieren, während die Neuroforamenentdachung etwas schwieriger ist. Gerade bei der kontralateralen Manipulation muss besonderes Augenmerk auf die schonende Behandlung der Dura gelegt werden, da die kontralaterale Nahtversorgung einer verletzten Dura kaum gelingt. Der Operateur muss auf stärkere venöse Blutungen aus gestauten epiduralen Venen eingestellt sein, wobei die Blutstillung mittels bipolarer Koagulation und eventuell Kollagenauflage problemlos gelingt. Eine Redondrainage wird ebenso wenig benötigt wie die Bereitstellung einer Blutkonserve. Die Operation wird durch eine Faszien- und Intrakutannaht beendet. Der Patient wird ermutigt, am nächsten Tag aufzustehen.

■ **Patienten.** Von 1993 bis 1998 sind insgesamt 86 Patienten (51 Männer, 35 Frauen, mittleres Alter 64 Jahre), an einer monosegmentalen (66 Patienten), bisegmentalen (18 Patienten) und trisegmentalen (2 Patienten) lumbalen Spinalkanalstenose unter Verwendung der unilateralen Laminotomie operiert worden. Alle Patienten boten die Zeichen einer Claudicatio spinalis.

■ **Bewertung der operativen Ergebnisse.** Als Mindest-Beobachtungszeitraum legten wir 5 Jahre fest, die mittlere Nachbeobachtungszeit betrug 7 Jahre. Die Auswertung der klinischen Ergebnisse erfolgte per Telefon-Interview, das Beurteilungsschema von Finneson und Cooper [10] wurde verwendet, in dem „exzellent" definiert ist als Symptomfreiheit, „gut" als diskreter Restschmerz bei normaler körperlicher Belastbarkeit, „zufriedenstellend" als Symptombesserung bei aktivitätseinschränkenden Restsymptomen und „schlecht" als fehlende Symptombesserung oder -verschlechterung. Von insgesamt 65 der 86 Patienten (76%) war das Behandlungsergebnis nach mindestens 5 Jahren zu erhalten.

Resultate

■ **Komplikationen.** Insgesamt 9 Komplikationen (10,5%) traten in unserer Serie von 86 Patienten mit 108 operierten Segmenten auf. Die häufigste Komplikation waren Verletzungen der Dura (n=6, 7%), bei einem Patienten bestand der Verdacht auf eine aseptische Spondylodiszitis, je ein Patient hatte ein oberflächliches Hämatom und eine Wundheilungsstörung. Eine persistierende Liquorleckage machte eine neuerliche Operation in einem Fall erforderlich.

■ **Operatives Ergebnis.** Insgesamt 65 der 86 Patienten (76%) standen für die Erhebung des operativen Spätergebnisses nach mindestens 5 Jahren zur Verfügung. Von diesen 65 Patienten waren insgesamt 30 (46%) symptomfrei und konnten alle Aktivitäten des täglichen Lebens wieder aufnehmen (exzellentes Ergebnis). Zwanzig Patienten (31%) gaben lediglich geringen Restschmerz an, bei normaler körperlicher Belastbarkeit (gutes Ergebnis). Bei 10 Patienten (15%) konnte durch die Operation eine Verbesserung der Symptome erreicht werden, ohne Normalisierung der körperlichen Belastbarkeit (zufriedenstellendes Ergebnis). Bei 4 Patienten blieben die Symptome trotz Eingriff unverändert, und 1 Patient gab eine Zunahme der Beschwerden an (8% schlechtes Ergebnis). Zusammenfassend konnte durch die Operation eine andauernde Verbesserung der Symptome bei 92% der langzeit-untersuchten Patienten erzielt werden.

Diskussion

Das operative Standardverfahren bei dem Vorliegen einer symptomatischen lumbalen Spinalkanalstenose ist die Laminektomie [3-7]. In der Studie von Tuite und Mitarbeitern fanden sich nach einer mittleren Nachbeobachtungszeit von knapp 5 Jahren exzellente bis mäßige Ergebnisse bei 66% der 119 Patienten [4]. Silvers et al. führten bei 244 Patienten mit lumbaler Spinalkanalstenose eine Laminektomie durch und erzielten langfristig bei 64% der Patienten Schmerzfreiheit, und bei 75% „Zufriedenheit" [6]. Ähnliche Ergebnisse wurden auch von Jönsson et al. berichtet, die eine prospektive Studie mit 105 Patienten durchführten [11].

Die bilaterale Laminotomie ist in den letzten Jahren vermehrt bei Patienten mit lumbaler Spinalkanalstenose eingesetzt worden. Ein Grund hierfür ist die Annahme, dass die geringere Invasivität der bilateralen Laminotomie die operative Morbidität senken und das operative Resultat verbessern könnte [9]. Dies gilt insbesondere, da die symptomatische Lumbalkanalstenose eine Erkrankung des höheren bis hohen Lebensalters ist, wodurch das operative Risiko in Relation zur Invasivität und Dauer des Eingriffs steigt [12]. Außerdem ist bekannt, dass durch das in höherem Alter häufigere Vorliegen von Ko-Morbiditäten das operative Ergebnis negativ beeinflusst wird [13]. Eine Laminektomie bei Lumbalkanalstenose führt in bis zu 8% zu einer segmentalen Makroinstabilität [3, 11, 14] und in einem nicht sicher zu beziffernden Prozentsatz zu einer Mikroinstabilität, welche unter anderem verantwortlich gemacht werden für die Quote von bis zu 33% unzufriedener Patienten mit deutlichen Rest- oder Rezidivbeschwerden. Der zweite Grund für die Implementierung der bilateralen Laminotomie ist daher die Hypothese, dass die Minimierung des dekompressiven Eingriffs auf die bilaterale Laminotomie unter Belassung des Prozessus spinosus und der interspinösen Ligamente die Gefahr einer operationsassoziierten Instabilität senken [9, 15], und die

Quote der positiven Operationsergebnisse steigern könnte. Die Daten der Studie von Postacchini et al., die die bilaterale Laminotomie mit der Laminektomie verglichen und behandlungsbedürftige Instabilitäten nur in der Laminektomiegruppe fanden [16], scheinen diese Annahme ebenso zu bestätigen wie die Resultate von Aryanpur und Ducker [8] und von Eule et al. [9] mit Symptombesserung in 80 bis 91% der Patienten. Etwas überraschend sind die schlechten Ergebnisse von Razak und Mitarbeitern mit substantieller Symptombesserung in nur 50% der Fälle [17].

Ein weiterer Schritt zur Minimierung der Invasivität des Eingriffs ist der Verzicht auf ein beidseitiges Vorgehen und die Realisierung der bilateralen Dekompression über eine unilaterale Laminotomie. Unter der Vorstellung, dass hierdurch gegebenenfalls noch günstigere operative Ergebnisse erreichbar sein könnten, haben wir im Anschluss an eine anatomischen Studie [18], die nachwies, dass die Minimierung des Zugangs nicht negativ korreliert ist mit der realisierbaren Dekompression, 1993 diese operative Technik in der Neurochirurgischen Klinik der Universität Aachen eingeführt. Wir konnten 5 bis 10 Jahre nach dem Eingriff in 92% der Patienten eine Symptomverbesserung feststellen, 77% der Patienten konnten bei vollständiger oder annähernd vollständiger Schmerzfreiheit alle Tätigkeiten des täglichen Lebens wieder aufnehmen. Damit sind unsere Ergebnisse besser als die der Laminektomie und vergleichbar mit den Ergebnissen der bilateralen Laminotomie, wobei berücksichtigt werden muss, dass bei den Studien zur bilateralen Laminotomie die Nachbeobachtungszeit mit 1 bis 2 Jahren [8] respektive mit 3.5 Jahren [9] substantiell kürzer war. Dies ist von Bedeutung, da nachgewiesen wurde, dass der Prozentsatz guter Ergebnisse mit zunehmender Nachbeobachtungszeit deutlich sinkt [14]. Die Bedeutung der Dauer der Nachbeobachtungszeit lässt sich auch im eigenen Datenmaterial erkennen: Bei einer Nachbeobachtung von 1.5 Jahren betrug der Prozentsatz vollständiger oder annähernd vollständiger Schmerzfreiheit 88% [19], nach 5-9 Jahren die bereits erwähnten 73%. Erste weitere Berichte über die bilaterale Dekompression nach unilateraler Laminotomie bestätigen unseren Eindruck, dass die unilaterale Laminotomie mit bilateraler Dekompression das erfolgreichste Verfahren in der Behandlung lumbaler Spinalkanalstenosen sein könnte [20, 21].

Zur Erzielung guter operativer Resultate sind bei der unilateralen Laminotomie zur bilateralen Dekompression einige operative Aspekte zu betonen. Die Knochenresektion sollte initial oberhalb des ipsilateralen Facettengelenks, dann medial im Bereich der Dornfortsatz-Basis und schließlich im inferoventralen Anteil des kontralateralen Halbbogens erfolgen. Dies geschieht mit der Fräse, das Ligamentum flavum muss als Frässchutz belassen werden. Nach dann durchgeführter bilateraler Flavektomie wird die ipsilaterale Nervenwurzel dargestellt. Lediglich die medialen, wurzelkomprimierenden Gelenkanteile werden mit der Stanze entfernt, wodurch die Integrität des Gelenks erhalten bleibt. Der nächste Schritt ist die Abtragung der kontralateralen medialen Gelenkanteile, was wegen der Stanzrichtung stets problemlos möglich ist. Eine protrudierende, aber intakte Bandscheibe wird belassen. Unserer Meinung nach erfordert dieser Eingriff die Verwendung des Mikroskops.

Es könnte argumentiert werden, dass die limitierte Darstellung nach unilateraler Laminotomie eine adäqute Dekompression von Duralschlauch und Nervenwurzeln zumindest erschwert und damit die operative Morbidität, zumindest aber die Operationszeit, im Vergleich zu anderen operativen Verfahren steigt. In unserer Klinik kam die die unilaterale Laminotomie zur bilateralen Dekompression nach umfangreichen anatomischen Übungen klinisch zum Einsatz, weshalb die Lernkurve flach, bereits die initialen klinischen Ergebnisse gut und die operative Morbidität minimal waren [19]. Falls realisierbar, sollte daher vor Adaptation der unilateralen Laminotomie die Möglichkeit zur anatomischen Übung gesucht werden.

Zusammenfassung

In geübten Händen stellt die unilaterale Laminotomie zur bilateralen Dekompression ein sicheres operatives Verfahren zur Behandlung der lumbalen Spinalkanalstenose dar, welches hinsichtlich der operativen Ergebnisse der Laminektomie und, im Langzeitverlauf, auch der bilateralen Laminotomie überlegen erscheint. Möglicherweise liegen diese guten Ergebnisse in der geringen Invasivität des Verfahrens mit Vermeidung operationsassoziierter Segmentdestabilisierung und geringerer Belastung der oft alten, mehrfach morbiden Patienten begründet.

Literatur

1. Verbiest H (1949) Sur certaines formes rares de compression de la queue de cheval. In: Hommage à Clovis Vincent. Maloine, Paris, pp 161–174
2. Joffe R, Appleby A, Arjona V (1963) „Intermittent ischemia" of the cauda equina due to stenosis of the lumbar canal. J Neurol Neurosurg Psychiatry 29:315–318
3. Fox MW, Onofrio BM, Hanssen AD (1996) Clinical outcomes and radiological instability following decompressive lumbar laminectomy for degenerative spinal stenosis: a comparison of patients undergoing concomitant arthrodesis versus decompression alone. J Neurosurg 85:793–802
4. Tuite GF, Stern JD, Doran SE, Papadopoulos SM, McGillicuddy JE, Oyedijo DI, Grube SV, Lundquist C, Gilmer HS, Schork MA, Swanson SE, Hoff JT (1994) Outcome after laminectomy for lumbar stenosis. Part I: Clinical correlations. J Neurosurg 81:699–706
5. Tuite GF, Doran SE, Stern JD, McGillicuddy JE, Papadopoulos SM, Lundquist C, Oyedijo DI, Grube SV, Gilmer HS, Schork MA, Swanson SE, Hoff JT (1994) Outcome after laminectomy for lumbar stenosis. Part II: Radiographic changes and clinical considerations. J Neurosurg 81:707–715
6. Silvers HR, Lewis PJ, Asch HL (1993) Decompressive lumbar laminectomy for spinal stenosis. J Neurosurg 78:695–701
7. Iguchi T, Kurihara A, Nakayama J, Sato K, Kurosaka M, Yamasaki K (2000) Minimum 10-year-outcome of decompressive laminectomy for degenerative lumbar spinal stenosis. Spine 25:1754–1759
8. Aryanpur J, Ducker T (1990) Multilevel lumbar laminotomies: An alternative to laminectomy in the treatment of lumbar stenosis. Neurosurgery 26:429–433
9. Eule JM, Breeze R, Kindt GW (1999) Bilateral partial laminectomy: A treatment for lumbar spinal stenosis and midline disc herniation. Surg Neurol 52:329–338
10. Finneson BE, Cooper VR (1979) A lumbar disc surgery predictive score card. A retrospective evaluation. Spine 4:141–144
11. Jönsson B, Annertz M, Sjöberg C, Strömqvist B (1997) A prospective and consecutive study of surgically treated lumbar spinal stenosis. Part II: Five-year follow-up by an independent observer. Spine 22:2938–2944
12. Caputy AJ, Luessenhp AJ (1992) Long-term evaluation of decompressive surgery for degenerative lumbar stenosis. J Neurosurg 77:669–676
13. Katz JN, Lipson SJ, Larson MG, McInnes JM, Fossel AH, Liang MH (1991) The outcome of decompressive laminectomy for degenerative lumbar spinal stenosis. J Bone Joint Surg [Am] 73-A:809–816
14. Katz JN, Lipson SJ, Chang LC, Levine SA, Fossel AH, Liang MH (1996) Seven- to 10-year outcome of decompressive surgery for degenerative lumbar spinal stenosis. Spine 21:92–98
15. Kristof RA, Aliashkevich AF, Schuster M, Meyer B, Urbach H, Schramm J (2002) Degenerative lumbar spondylolisthesis-induced radicular compression: nonfusion-related decompression in selected pateints without hypermobility on flexion-extension radiographs. J Neurosurg (Spine 3) 97:281–286
16. Postacchini F, Cinotti G, Perugia D, Gumina S (1993) The surgical treatment of central lumbar spinal stenosis. Multiple laminotomy compared with total laminectomy. J Bone Joint Surg [Br] 75-B:386–392
17. Razak MA, Ong KP, Hyzan Y (1998) The surgical outcome of degenerative lumbar spinal stenosis. Med J Malaysia 53 (Suppl A):12–21
18. Spetzger U, Bertalanffy H, Naujokat C, von Keyserlingk DG, Gilsbach JM (1997) Unilateral laminotomy for bilateral decompression of lumbar stenosis. Part I: Anatomical and surgical considerations. Acta Neurochir 139:296–392
19. Spetzger U, Bertalanffy H, Reinges MHT, Gilsbach JM (1997) Unilateral laminotomy for bilateral decompression of lumbar stenosis. Part II: Clinical experiences. Acta Neurochir 139:397–403
20. Kleeman TJ, Hiscoe AC, Berg EE (2000) Patient outcome after minimally destabilizing lumbar stenosis decompression. The „port-hole" technique. Spine 25:865–870
21. Poletti CE (1995) Central lumbar stenosis caused by ligamentum flavum: Unilateral laminotomy for bilateral ligamentoectomy: Preliminary report of two cases. Neurosurgery 37:343–347

Indikation und Technik der operativen Stabilisierung bei der lumbalen Spinalkanalstenose (LSS)

K.-St. Delank, P. Eysel

Einleitung

Die lumbale Spinalkanalstenose (LSS) ist charakterisiert durch ein räumliches Missverhältnis zwischen den nervalen Strukturen und der Weite des Wirbelkanals. Die Spinalkanalweite wird wesentlich durch produktive degenerative Veränderungen (Abb. 1), die segmentale Stabilität, die Körperhaltung und durch kongenitale Faktoren (Pedikellänge/Form und Stellung der Intervertebralgelenke) beeinflusst.

Das pathophysiologische Verständnis der Schmerzentstehung ist für diese Erkrankung bis heute unzureichend. Die mechanische Kompression von Nervenstrukturen stellt dabei nur eine mögliche Ursache für die typische Beschwerdesymptomatik dar. Verschiedene weitere Hypothesen werden diskutiert. So wurde bei der LSS ein intraneurales Ödem mit einer resultierenden Fibrosierung der Nerven und sekundären ektopen neuronalen Entladungen beschrieben. Auch werden vaskuläre Störungen insbesondere bei den bisegmentalen Stenosen diskutiert. Als weiterer Faktor scheint auch ein erhöhter epiduraler Druck ursächlich für die Beschwerdesymptomatik mit verantwortlich zu sein. Nach Takahashi et al. [1] kommt es zu haltungsbedingten Variationen des epiduralen Druckes, der beim aufrechten Gang höher ist als beim Gehen mit flektierter Lendenwirbelsäule.

Neben der absoluten Spinalkanalweite und den daraus resultierenden Beschwerden kommt auch der segmentalen Stabilität in der Beurteilung der vertebragenen Beschwerden eine zentrale Bedeutung zu. Diese Stabilität wird u. a. von den paarig angelegten Facettengelenken gewährleistet. Aus biomechanischer Sicht erscheint daher die sagittale Stellung der Gelenkflächen im kaudalen Lendenwirbelsäulenabschnitt (Ausnahme L5/S1) bedeutsam. Berücksichtigt man die Aussage von Benini [2], dass die Aufgabe der Wirbelgelenke nicht nur darin besteht, die Beweglichkeit zweier Wirbel zu gewährleisten, sondern vielmehr der Bewegung Grenzen zu setzen, so ist festzustellen, dass eine vermehrte sagittale Ausrichtung eine denkbar ungünstige Voraussetzung zur Aufnahme ventrodorsalwärts gerichteter Schub- und Zugkräfte ist.

In vitro Bewegungsmessungen [3] konnten bestätigen, dass bei Flexion die Größe des Neuroforamens ansteigt und sich diese bei Extension der LWS reduziert, so dass auch Haltungsvariationen dazu führen, dass es z. B. im Stehen und Gehen zu einer Vertiefung der LWS-Lordose und damit Verkleinerung des perineuralen

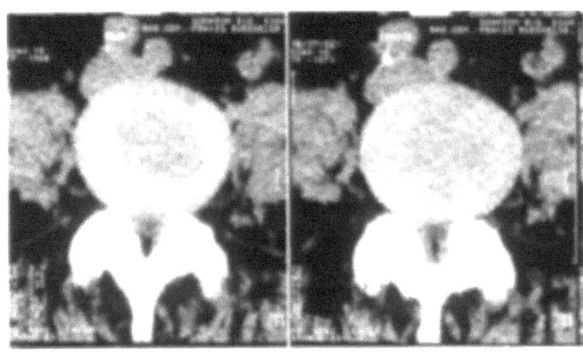

Abb. 1. Computertomographie einer geringen zentralen und starken lateralen Spinalkanalstenose (Kleeblattstenose) bei ausgeprägter beidseitiger Facettengelenkshypertrophie

Raumes kommt. In diesem Zusammenhang kommt auch dem häufig verbreiteten Übergewicht und einer insuffizienten Bauchmuskulatur eine wesentliche Bedeutung zu. Die dadurch verursachte Ventralverlagerung des Körperschwerpunktes führt zu einer Hyperlordose der LWS.

Durch die genannten Faktoren werden die auf die Wirbelgelenke einwirkenden Kräfte verstärkt, so dass langfristig entsprechende degenerative Veränderungen in Form einer osteophytäre Facettengelenkshypertrophie provoziert werden. Darüber hinaus kommt es im Rahmen der Degeneration zu einer Verdickung und Verkalkung des Ligamentum flavum, zu einer Verdickung der Laminae und zu spondylotischen Randleisten. Auch der degenerativ bedingte Flüssigkeitsverlust der Bandscheibe und die damit verbundene Höhe des Intervertebralraumes hat einen maßgeblichen Einfluss auf die Weite des Spinalkanals bzw. für die Dimensionen der Recessus laterales (Abb. 2).

Die Frage der segmentalen Stabilität hat insbesondere mit Sicht auf mögliche operative Konsequenzen eine zentrale Bedeutung, auch wenn wiederholt keine Korrelation zwischen der Art der Instabilität und spezifischen Symptomen nachgewiesen werden konnte. Die nativradiologische Darstellung der Lendenwirbelsäule in zwei Ebenen inkl. so genannter Funktionsaufnahmen in maximaler Extension und Flexion (Abb. 3) erlauben die Beurteilung von Fehlhaltungen und Wirbelverschiebungen (Spondylolisthesis/Drehgleiten) und geben indirekte Hinweise für das Vorliegen eines engen lumbalen Spinalkanals. Fraglich ist allerdings, inwieweit die statische Untersuchung der Wirbelsäule in ihren Extremstellungen überhaupt einen realistischen Eindruck über den dynamischen Prozess der Instabilität ermöglicht. Wünschenswert sind dynamische Untersuchungsmethoden für die Darstellung der segmentalen Beweglichkeit, die jedoch bislang, zumindest in Form von nichtinvasiven Oberflächenmessverfahren, nicht mit ausreichender Präzision zur Verfügung stehen (Tabelle 1). Ultraschallgestützte Bewegungsmessungen (Abb. 4) mit einer direkten Markierung der Processus spinosi ergeben sehr genaue Bewegungsanalysen, sind aber invasiv und daher bislang nicht im klinischen Alltag anwendbar. Unter Studienbedingungen erfolgen z.Zt. in der Orthopädischen Universitätsklinik Köln intraoperative Bewegungsmessungen mit dem Ziel die Indikation zur Spondylodese bei Dekompressionsoperationen zu objektivieren.

Neben den messtechnischen Schwierigkeiten besteht darüber hinaus das Problem, dass bislang das Ausmaß einer „normalen Wirbelsäulenbeweglichkeit" nicht sicher definiert werden kann, da viele äußere Faktoren (Alter/Rasse/Ta-

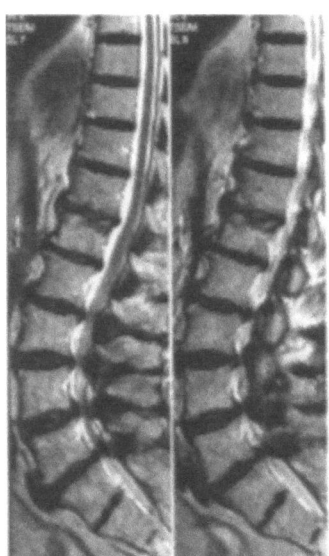

Abb. 2. Kernspintomographie bei einer multisegmentalen lumbalen Spinalkanalstenose

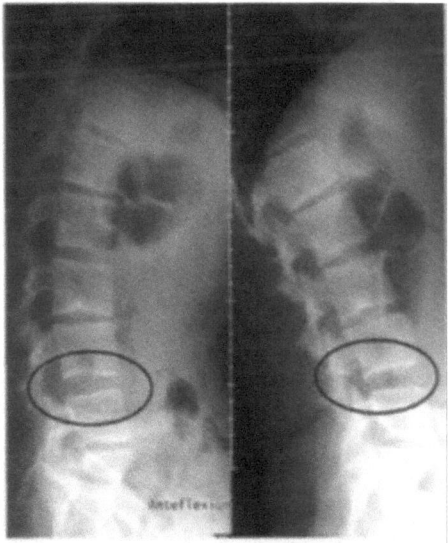

Abb. 3. Nativradiologische Darstellung einer massiven Hypermobilität im Segment L4/5

Tabelle 1. Spezifische Probleme der verschiedenen Messmethoden für die Beurteilung der Beweglichkeit der Lendenwirbelsäule

	Problem
■ Klinisch (Schober/Ott/ manuelle Untersuchung)	Messgenauigkeit (Weichteilmantel/Landmarken)
■ Goniometer/Kyphometer/ Inklinometer	Reproduzierbarkeit Segmentale Analyse
■ Röntgen	Strahlenbelastung Statisch (End-ROM) Projektion (Identifizierung Landmarken)
■ Proc. spinosus Markierung (Ultraschall/Optoelektronisch/Elektromagnetisch)	Invasiv

geszeit/Geschlecht/Trainingszustand/Körperposition u.v.a.) diese beeinflussen.

Als direkter Hinweis für eine segmentale Instabilität kann am Röntgenbild das Vorliegen einer degenerativen Spondylolisthesis bzw. eines Drehgleitens gewertet werden. Indirekte Hinweise für eine vermehrte Translationsbewegung, als Folge einer Schädigung des stabilisierend wirkenden Annulus fibrosus [4], ergeben sich aus horizontalen knöchernen Ausziehungen 2-3 mm von der Deck-/Bodenplatte entfernt. Diese entsprechen Verkalkungen in den äußeren Fasern des Annulus fibrosus und wurden von Macnab [5] als „Traction spurs" beschrieben. Im Gegensatz dazu kommt es bei einer Sinterung des Intervertebralraums zu knöchernen Abstützungsreaktionen unmittelbar am Rand der Deck-/Bodenplatte, welche MacNab [5] als so genannte „claw spurs" beschreibt.

Neben den bildgebenden Verfahren für die Beurteilung der segmentalen Stabilität müssen die klinischen Zeichen einer Instabilitätsproblematik berücksichtigt werden. Hierbei steht der lokalisierte, nicht radikulär ausstrahlende, typische Bewegungs- und Belastungsschmerz der LWS im Vordergrund. Durch eine (probatorische) externe Immobilisation z.B. durch ein Baycastkorsett kann der Schmerz positiv beeinflusst werden. Der Patient klagt darüber hinaus, dass ein häufiger Wechsel der Körperposition für eine Schmerzlinderung notwendig ist.

Therapie

Bei einer symptomatischen lumbalen Spinalkanalstenose müssen insbesondere vor dem Hintergrund des oft fortgeschrittenen Lebensalters der Patienten zunächst die bereits ausführlich dargestellten konservativen Behandlungsmaßnahmen ausgeschöpft werden.

Den Möglichkeiten der konservativen physiotherapeutischen Behandlung sind jedoch bei einer ausgeprägten spinalen Enge und bei einer zusätzlichen segmentalen Instabilität natürliche Grenzen gesetzt [6], so dass mit steigender

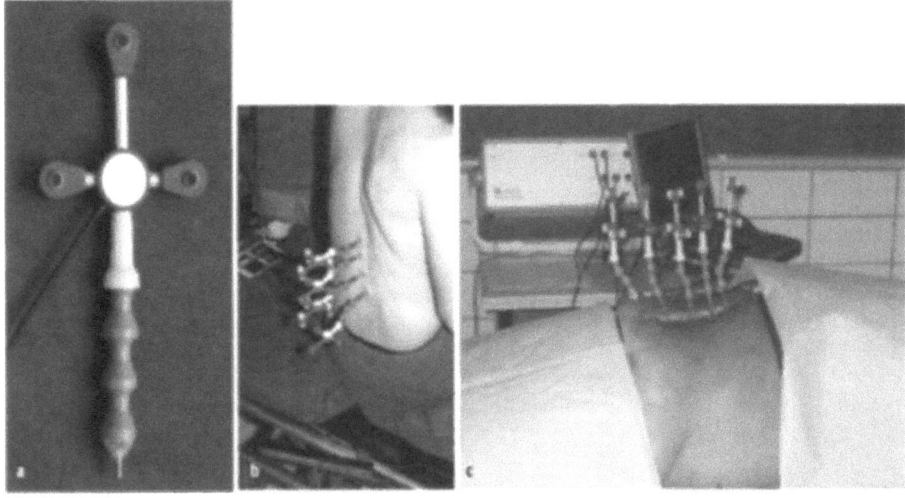

Abb. 4. Invasive ultraschallgestützte Bewegungsanalyse (Zebris®) durch direkte Markierung der Processus spinosi. **a** Messaufnehmer; **b** Messung in vivo; **c** Messungen an humanen Leichen

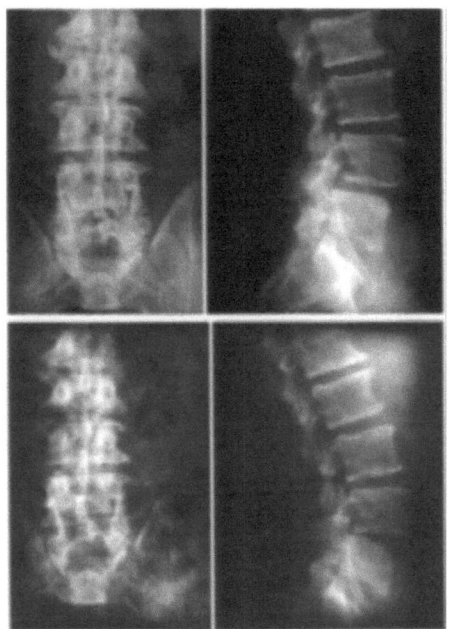

Abb. 5. Postoperative progrediente Instabilität nach Dekompression L4/5 ohne simultane Stabilisation, bei präoperativ bereits bestehender Instabilität: **a** präoperativ; **b** postoperativ

Häufigkeit auch bei älteren Patienten die Indikation zur lumbalen Dekompression gestellt werden muss.

Ziel der operativen Therapie ist die suffiziente Druckentlastung komprimierter nervaler Strukturen unter bestmöglicher Schonung der stabilisierenden Gewebsstrukturen im Bewegungssegment.

Die segmentale Stabilität muss, soweit dies methodisch möglich ist, präoperativ beurteilt und in das Behandlungskonzept einbezogen werden, da die Entscheidung getroffen werden muss, ob eine gleichzeitige Fusion angestrebt wird. Befürworter einer simultanen Fusion gehen in ihren pathophysiologischen Überlegungen davon aus, dass die Stenose grundsätzlich Folge einer degenerativen segmentalen Instabilität ist und daher nur mit der suffizienten Spondylodese die Ursache der Erkrankung behandelt werden kann. Benini [2] vertritt sogar die Auffassung, dass bei Patienten, die erst im Stehen und Gehen radikuläre Beschwerden verspüren, im Liegen aber beschwerdefrei sind, die Instabilität im Vordergrund steht und eine alleinige Fusion ausreichend ist. Zudem wird von einigen Autoren betont, dass die Ruhigstellung der arthrotisch veränderten Bewegungseinheit eine Linderung der lumbalgiformen Schmerzen begünstigt [7]. Gegen die regelmäßige Durchführung einer simultanen Spondylodese sprechen ein erhöhter Kostenaufwand, eine verlängerte Operationszeit, ein höherer Blutverlust, und die größere Gefahr neurologischer Komplikationen durch Pedikelschraubenfehllagen (10–30%). Von Katz et al. [8] wird eine Komplikationsrate von 14,9% bei zusätzlicher Fusion im Gegensatz zu 9,7% bei alleiniger Dekompression angegeben. In der Literatur wird die neurologische Komplikationsrate bei der Verwendung pedikulärer Fixationssysteme mit 2,3–22% angegeben. Auch die Problematik der Anschlussinstabilität (Abb. 6) muss insbesondere bei mehrsegmentalen Fusionen berücksichtigt werden. Nach Chou [9] ist bei kurzstreckigen Fusionen in einer Größenordnung von 16,7%, bei langstreckigen Fusionen bereits mit 21,4% zu rechnen.

Im Rahmen einer eigenen prospektiven Studie [10] wurden die Ergebnisse von Patienten mit einer LSS, welche ausschließlich dekomprimiert und nicht stabilisiert wurden, untersucht. Dabei zeigten sich insgesamt sehr gute und gute Resultate in 49,9% der Fälle mit einer Senkung der VAS von 8,4 auf 2,8. Die Differenzierung der Ergebnisse zwischen einem wirbelbogenerhaltenden „Undercutting" und der erfolgten Laminektomie erbrachte keinen signifikanten Unterschied, wenn präoperativ keine relevanten Instabilitätszeichen bestanden haben. Daher darf, auch wenn primär die Unterschneidung der Stenose angestrebt wird, die Laminektomie nicht gescheut werden, wenn nur hierdurch eine ausreichende Dekompression der nervalen Strukturen möglich ist.

Nach Arbeiten von Bridewell [11] und Herkowitz [7] Anfang der 90er Jahre muss man davon ausgehen, dass die radiologische Progredienz einer präoperativ bereits vorhandenen degenerativen Spondylolisthesis (Instabilitätszeichen) sowie der lumbalgieforme Schmerz durch eine zusätzliche knöcherne Fusion deutlich positiver beeinflusst werden.

Welche Fixationsmethoden am erfolgreichsten zu einer knöchernen Fusion führen, wird bislang weiterhin kontrovers diskutiert [12]. Eine Metaanalyse aus dem Jahr 2000 [13] zeigt, dass grundsätzlich durch eine instrumentierte Fusion gegenüber einer uninstrumentierten Fusion zwar eine zuverlässigere knöcherne Durchbauung zu erzielen ist (80,3%/67,9%), die klinischen Resultate jedoch keine signifikanten Un-

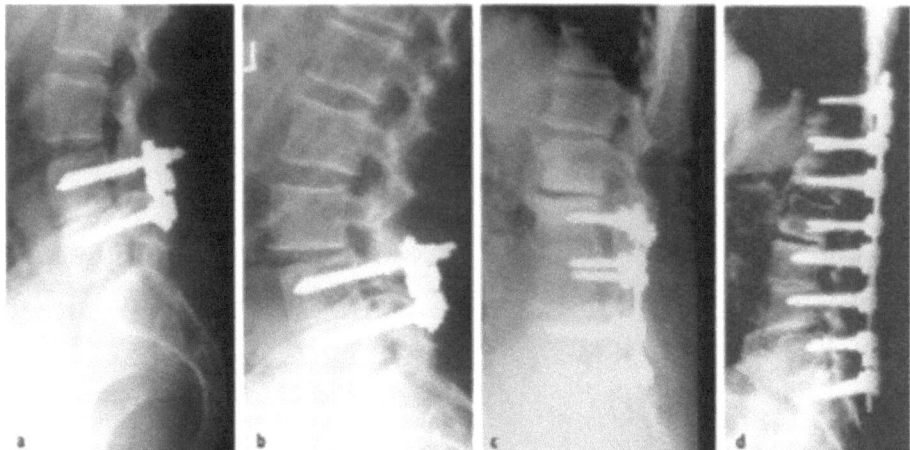

Abb. 6. Progrediente Anschlussinstabilität nach monosegmentaler dorsaler Spondylodese. **a** Primärversorgung Spondylodese L4/5; **b** 4 Jahre postoperativ Anschlussinstabilität L3/4; **c** 6 Jahre postoperativ nach Verlängerung der Spondylodese jetzt von L3/S1 mit erneuter Anschlussinstabilität L2/3; **d** Langstreckige Spondylodese Th11/S1

terschiede (67,6%/60,0%) aufweisen. Ob und in welchem Umfang die erfolgreiche Spondylodese überhaupt zu einem positiven Behandlungserfolg beiträgt ist ebenfalls umstritten und konnte in vielen Arbeiten bislang nicht nachgewiesen werden [14].

Zdeblick [15] verglich Spondylodesen mit rigiden, semi-rigiden und ohne Instrumentationen bei 124 Patienten und beschreibt die besten Fusionsraten bei Verwendung der rigiden Systeme. Für die nicht-instrumentierten Spondylodesemethoden werden hohe Pseudarthroseraten beschrieben, so dass hierdurch das Ziel einer Stabilisierung nicht sicher erreicht werden kann [16].

Durch eine zusätzliche intercorporelle Spondylodese (PLIF) kann gegenüber der posterolateralen Spongiosaanlagerung bei der dorsalen Instrumentation eine bessere Stabilität erzielt werden (16/17). Dies spiegelt sich in einer signifikanten Reduktion des postoperativen Wirbelgleitens und einer besseren Reduktion des lumbalgieformen Schmerzes (45%/75%) wieder.

Zusammenfassend kann festgehalten werden, dass bei einer simultanen Spondylodese nach der Dekompression des lumbalen Spinalkanals
- die „Pseudarthroserate" geringer ist bei einer instrumentierten Fusion (+ PLIF)
- die „Spondylolistheseprogredienz" geringer ist bei einer erfolgreichen Fusion
- größtenteils bessere Ergebnisse für lumbalgieforme Schmerzen zu erwarten sind
- keine besseren Ergebnisse für die Symptome „Ischialgie + Claudicatio" zu erwarten sind.

In den vergangenen Jahren finden nicht fusionierende Techniken im Sinne einer dynamischen Stabilisierung zunehmendes Interesse (Abb. 7). Dabei erhofft man sich einerseits die segmentale Hypermobilität zu begrenzen und andererseits die negativen Effekte auf die angrenzenden Segmente im Sinne einer Anschlussinstabilität vermeiden zu können. Biomechanische Arbeiten an isolierten Leichenwirbelsäulen [18] haben gezeigt, dass durch ein derartiges System die Lendenwirbelsäule stabilisiert werden kann. Die angrenzenden Bewegungssegmente werden in ihrer Bewegung jedoch nicht wesentlich beeinflusst. Eigene ultraschallgestützte Bewegungsanalysen an nicht isolierten humanen Leichenwirbelsäulen sind noch nicht abgeschlossen und werden mehr Aufschluss über Stabilisationsmechanismen dieser Systeme erbringen. Langfristige klinische Resultate stehen bislang ebenfalls noch nicht zur Verfügung, so dass derartige „non-fusion"-Techniken mit Zurückhaltung verwendet werden sollten. Die lumbale Spinalkanalstenose erscheint allerdings von allen Indikationen am ehesten für diese Systeme geeignet, da die mögliche Distraktion der dorsalen Strukturen sich positiv auf die Weite des Spinalkanals und auf die Belastung der Facettengelenke auswirkt.

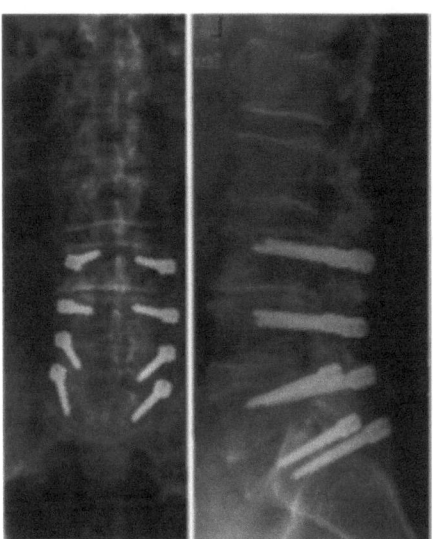

Abb. 7. Dynamische Stabilisierung (Dynesys®) nach multisegmentaler spinaler Dekompression

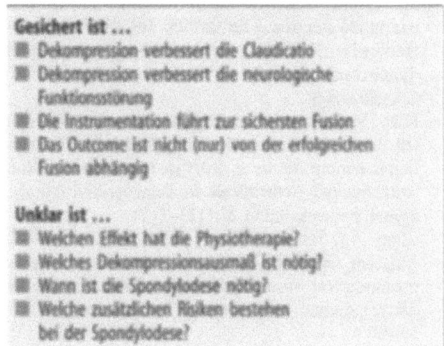

Tabelle 2. Durch evidenz-basierte Medizin (EBM) gesicherte/ungesicherte Erkenntnisse zur lumbalen Spinalkanalstenose

Gesichert ist ...
- Dekompression verbessert die Claudicatio
- Dekompression verbessert die neurologische Funktionsstörung
- Die Instrumentation führt zur sichersten Fusion
- Das Outcome ist nicht (nur) von der erfolgreichen Fusion abhängig

Unklar ist ...
- Welchen Effekt hat die Physiotherapie?
- Welches Dekompressionsausmaß ist nötig?
- Wann ist die Spondylodese nötig?
- Welche zusätzlichen Risiken bestehen bei der Spondylodese?

Bei fehlenden klinischen oder radiologischen Hinweisen für eine segmentale Instabilität sollte angesichts der o.g. Problematik die stabilitätserhaltende Dekompression des Spinalkanals ohne eine zusätzliche Fusion durchgeführt werden. Kontrovers wird in diesem Zusammenhang allerdings nicht nur, wie bereits erwähnt, der Begriff der Instabilität diskutiert, sondern auch die Frage, ab welchem Dekompressionsausmaß mit einer Destabilisierung zu rechnen ist.

Lange Jahre wurde, ohne Berücksichtigung der biomechanischen Folgen, die Laminektomie als Therapie der Wahl propagiert. Zwischenzeitlich ist jedoch bekannt, dass einerseits die Laminektomie gegenüber der limitierten interlaminären Dekompression zu keiner relevanten Vermehrung des intrathekalen Volumens führt [19]. Andererseits konnte an Leichenwirbelsäulen nachgewiesen werden, dass die Laminektomie zu einer vermehrten Instabilität des Bewegungssegmentes führt [19], so dass sich, mit Ausnahmen, das Prinzip der „undercutting decompression" durchgesetzt hat, welches in dem vorangehenden Kapitel ausführlich beschrieben worden ist.

Ein apodiktisches Vorgehen sollte bei der Wahl des operativen Vorgehens vermieden werden. Betrachtet man die zur Verfügung stehende Literatur unter den viel zitierten Kriterien der evidenz-basierten Medizin (EBM), so wird deutlich, dass nur wenige Maßnahmen tatsächlich als gesichert gelten können (Tabelle 2). Für den klinischen Alltag erscheint vielmehr eine stadienadaptierte, individuell angepasste Behandlung sinnvoll zu sein. Bei einer bereits präoperativ manifesten segmentalen Instabilität oder, wenn die ausreichende Dekompression des Spinalkanals nur durch die Resektion stabilisierender dorsaler Strukturen möglich ist, muss die gleichzeitige Fusion einzelner Bewegungssegmente erfolgen [10].

Die erfolgreiche Dekompression nervaler Strukturen ist an der rasch postoperativ einsetzenden Linderung der belastungsabhängigen ischialgieformen Schmerzsymptomatik zu erkennen. Die lumbalgiforme Schmerzkomponente wird durch die Dekompression kaum beeinflusst, so dass hierdurch die Gesamtzufriedenheit des Patienten postoperativ beeinträchtigt werden kann.

Literatur

1. Takahashi K, Miyazakit T, Takino T, Matsui T, Tomita K (1995) Epidural Pressure Measurement. Releationship between Epidural Pressure and Posture in Patients with Lumbar Spinal Stenosis. Spine 20:650–653
2. Benini A (1993) Die lumbale Wirbelkanalstenose – Ein Überblick 50 Jahre nach den ersten Beschreibungen. Orthopäde 22:257–266
3. Pope MH, Frymoyer JW, Krag MH (1992) Diagnosing Instability. Clin Orthop 279:60–67
4. Lee CK (1983) Lumbar Spinal Instability (Olisthesis) after Extensive Posterior Spinal Decompression. Spine 8:429–433

5. MacNab I (1971) The Traction Spur. J Bone J Surg 53-A:663–670
6. Simotas AC (2001) Nonoperative treatment for lumbar spinal stenosis. Clin Orthop 384:153–161
7. Herkowitz HN (1991) Degenerative Lumbar Spondylolisthesis with Spinal Stenosis. J Bone J Surg 73-A:802–808
8. Katz JN, Lipson SJ, Lew RA, Grobler LJ, Weinstein JN, Brick GW, Fossel AH, Liang MH (1997) Lumbar Laminectomy Alone or with Instrumented or Noninstrumented Arthrodesis in Degenerative Lumbar Spinal Stenosis. Spine 22:1123–1131
9. Chou WY, Hsu CJ, Chang WN, Wong CY (2002) Adjacent segment degeneration after lumbar spinal posterolateral fusion with instrumentation in elderly patients. Arch Orthop Trauma Surg 122(1): 39–43
10. Delank KS, Eysel P, Zöllner J, Drees P, Nafe B, Rompe JD (2002) Undercutting Dekompression versus Laminektomie. Klinische und radiologische Ergebnisse einer prospektiv-kontrollierten Studie. Orthopäde 31(11):1048–1056
11. Bridwell KH, Sedgewick TA, O'Brien MF, Lenke LG, Baldus C (1993) The role of fusion and instrumentation in the treatment of degenerative spondylolisthesis with spinal stenosis. J Spinal Disord 6: 461–472
12. Turner JA, Ersek M, Herron L, Deyo R (1992) Surgery for Lumbar Spinal Stenosis. Attempted Meta-Analysis of the Literature. Spine 17:1–8
13. Gibson JN, Waddell G, Grant IC (2000) Surgery for degenerative lumbar spondylosis. Cochrane Database Syst Rev 3:CD001352
14. Grob D, Humke T, Dvorak J (1993) Die Bedeutung der simultanen Fusion bei operativer Dekompression der lumbalen Spinalstenose. Orthopäde 22:243–249
15. Zdeblick T (1993) A prospective randomized study of lumbar fusion. Spine 18:983–991
16. Fischgrund JS, Mackay M, Herkowitz HN, Brower R, Montgomery DM, Kurz LT (1997) Degenerative lumbar Spondylolisthesis with spinal stenosis: A prospective, randomized study comparing decompressive laminectomy and arthrodesis with and without spinal instrumentation. Spine 22(24):2807–2812
17. Suk SI, Lee CK, Kim WJ, Lee JH, Cho KJ, Kim HG (1997) Adding posterior lumbar interbody fusion to pedicle screw fixation and posterolateral fusion after decompression in spondylolytic spondylolisthesis. Spine 22(2):210–219; discussion 219–220
18. Schmoelz W, Huber JF, Nydegger T, Claes L, Wilke HJ (2003) Dynamic stabilisation of the lumbar spine and its effects on adjacent segments. An in vitro experiment. Journal of spinal disorders & techniques 16:418–423
19. Quint U, Wilke HJ, Loer F, Claes LE (1998) Functional sequelae of surgical decompression of the lumbar spine – a biomechanical study in vitro. Z Orthop 136:350–357

Osteoporose

Diagnostik der Osteoporose

S. Götte

Epidemiologie

Die Osteoporose ist eine der 10 bedeutendsten und kostenträchtigsten Erkrankungen unserer Zeit und der kommenden Jahrzehnte. Die Anzahl osteoporosekranker Patienten wird für Deutschland auf 4-6 Mio. berechnet, 85% der betroffenen Patienten sind Frauen. Statistisch erkrankt jede 3. Frau, aber auch jeder 5. Mann an Osteoporose. Pro Jahr rechnet man in Deutschland mit ca. 400 000 Frakturen. Mit einer Verdoppelung bis zum Jahr 2030 wird aufgrund der demographischen Entwicklung gerechnet.

Definition der Osteoporose

Die Osteoporose ist definiert als eine systemische Skeletterkrankung, charakterisiert durch eine verminderte Knochenmasse und eine Verschlechterung der Mikroarchitektur des Knochengewebes mit entsprechend reduzierter Festigkeit und erhöhter Frakturneigung.

Der Verlust an Knochenmasse und die Verschlechterung der Mikroarchitektur werden nichtinvasiv durch die Knochendichtemessung (Osteodensitometrie) erfasst. Der densitometrische Cut-off-Wert für eine Osteoporose liegt lt. WHO-Definition bei -2,5 Standardabweichungen unterhalb des Mittelwertes des Referenzbereichs von gesunden Erwachsenen. Die Definition entspricht dem Ergebnis der Konsensuskonferenz in Hongkong von 1993.

Nicht zuletzt aufgrund der Bedeutung der Fraktur als Endpunkt der Osteoporose wurde diese Definition im Jahr 2002 alternativ ergänzt durch einen Cut-off-Wert von -2,0 Standardabweichungen unterhalb des Mittelwertes des Referenzbereichs von jungen Erwachsenen bei bereits eingetretener inadäquater, d. h. atraumatischer Fraktur.

Hauptlokalisationen der osteoporotischen Frakturen sind Lendenwirbelsäule mit 40%, der Schenkelhals mit 35% und der distale Radius mit 25%.

Knochenphysiologie

Entscheidend für das Verständnis der Osteoporose ist die Kenntnis der Knochenphysiologie, des alters-korrelierten Knochenmasseverhaltens, der Knochenstruktur und sekundärer, den Knochen beeinflussende Erkrankungen.

Der Knochen ist ein dynamisches Gebilde und unterliegt regelhaften Auf- und Abbauvorgängen. Physiologischer Knochenstoffwechsel ist ausgezeichnet durch eine ausgewogene Osteoklasten- und Osteoblastentätigkeit, bezeichnet als Resorption und Remodelling. Diese Ab- und Aufbauprozesse spielen sich ab in sog. Knocheneinheiten. Der menschliche Körper zählt ca. 6 Mio. derartiger Knochenunits. Ein Auf- und Abbauzyklus beträgt ca. 4 Monate. Gesteuert werden diese Vorgänge durch humorale Faktoren und mechanische Reize.

Knochenmasseverhalten

Die Betrachtung des Knochenmasseverhaltens lässt einen Knochenaufbau, d. h. eine Zunahme der Knochenmasse bis zum 40. Lebensjahr feststellen. In diesem Alter wird die größte Knochenmasse, die sog. Peak-Bone-Mass, erreicht, um danach wieder abzunehmen. Die durchschnittlichen Kurven zur Abnahme des Knochenmasseverhaltens bei Frauen und Männern verlaufen unterschiedlich. Das weibliche Skelett verliert schneller an Knochenmasse. Ursache ist der mit der Menopause eintretende Östrogenmangel und der damit verbundene Verlust einer Schutzfunktion für den Erhalt der Knochenmasse. Der unterschiedliche jährliche Abbau der

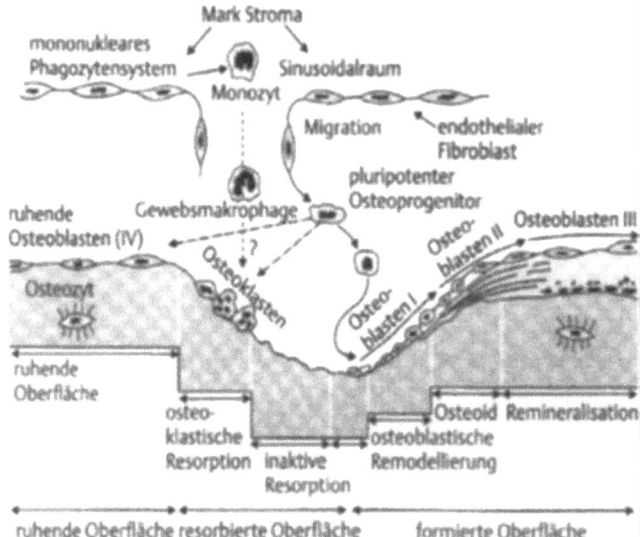

Abb. 1. Resorption-Formation

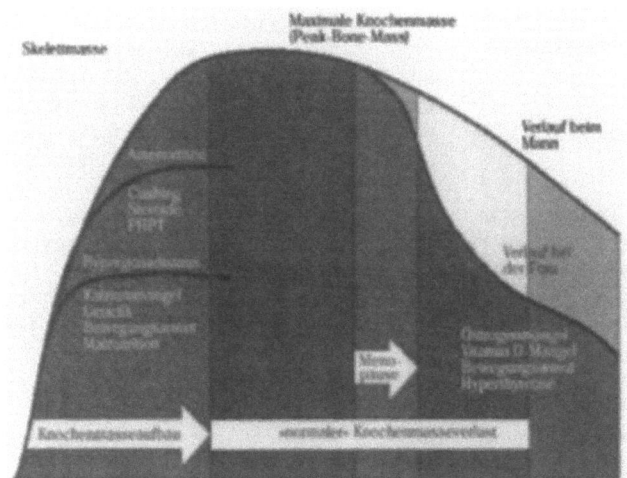

Abb. 2. Knochenmasseverhalten – Peak-Bone-Mass

Knochenmasse bei Frauen liegt zwischen 1 und 3%. Jeder größere Verlust ist als pathologisch zu bezeichnen. Patienten mit einem besonders erhöhten Knochenmasseverlust werden als Fast Looser-Patienten bezeichnet.

Je höher die Peak-Bone-Mass, desto geringer ist aber auch das zu erwartende Frakturrisiko, ohne zusätzlich beschleunigten Knochenabbau.

Die Diagnostik der Osteoporose gewinnt eine besondere Bedeutung in der Phase des Knochenabbaus, wenngleich die Phase des Knochenanbaus unter diagnostisch-präventivem Aspekt nicht unbeachtet bleiben sollte. Nutritives Fehlverhalten, mangelnde körperliche Aktivität, aber auch unterschiedliche, vorwiegend endokrinologische Erkrankungen können sich negativ auf eine zu erreichende Peak-Bone-Mass auswirken.

Die wesentlichen Strukturen des Knochens sind Kortikalis und Spongiosa, die in verschiedenen Knochen unterschiedlich stark ausgeprägt sind. Die Prädelektionsorte osteoporotischer Frakturen korrelieren mit einem hohen Anteil spongiöser Knochenstruktur. Das bedeutet, dass sich Abbauvorgänge an spongiösen Strukturen eher manifestieren. Kortikale Strukturen zeigen einen deutlich langsameren Knochenstoffwechsel. Im Fall der Osteoporose wird mehr Knochen ab- als angebaut. Histologisch und durch differenzierende Laborparameter wie Knochenmarker können diese Vorgänge erfasst werden. Das Ziel einer Osteoporosebehandlung ist, durch geeignete Behandlungsmaßnahmen in dieses Geschehen einzugreifen.

Die Bedeutung der Osteoporosediagnostik ist besonders evident, wenn berücksichtigt wird, dass nur 20% der Osteoporosepatienten behandelt werden, ganz abgesehen von der Qualität der Behandlung. Nach aktuellem Stand und internationalen Konsens lässt sich die Osteoporose in folgende unterschiedliche Formen differenzieren:

Osteoporoseformen

- Postmenopausale Osteoporose (Typ I)
- Senile Osteoporose bei Frauen und Männern über dem 60. Lebensjahr (Typ II)
- Sekundäre Osteoporose
- Steroidinduzierte Osteoporose
- Osteoporose des Mannes.

Die steroidinduzierte Osteoporose ist eine Sonderform der Sekundären Osteoporose. Ihre besondere Benennung resultiert aus ihrer Bedeutung durch die Steroidbehandlung anderer Erkrankungen, wie z.B. Krankheiten aus dem rheumatischen Formenkreis.

Die wichtigste Untersuchungsmethode in der Osteoporosediagnostik ist die Osteodensitometrie. Ein allgemeines osteodensitometrisches Osteoporosescreening ist nicht finanzierbar. Fokusiert werden müssen Risikopatienten, die dann einer gezielten Diagnostik zugeführt werden.

Bei der diagnostischen Vorgehensweise steht an erster Stelle das Risikoscreening. Die wesentlichen *Risikofaktoren* für das Entstehen einer Osteoporose sind:
- Geschlecht
- Alter
- Gewicht
- Rauchen
- Glukokortikoidmedikation
- Niedrige Knochenmasse
- Individuell prävalente Fraktur
- Familiär prävalente Fraktur
- Sturzgefahr.

Als zusätzliche Risikofaktoren gelten:
- Postmenopausale Frauen mit Risikofaktoren
- Hypomenorrhoe oder Amenorrhoe/Hypogonadismus
- Anorexia nervosa
- Osteopenie im Skelettröntgen
- Alkoholabusus
- Rauchen
- Immobilisation (mehr als 4 Wochen)
- Malabsorptionssyndrom (z.B. postoperativ)
- Laktoseintoleranz
- Hyperkalziurie
- Rheumatoide Arthritis, M. Bechterew
- Chronische Medikation mit
  - Kortikosteroiden
  - Methotrexat
  - Phenobarbital
  - Marcumar
  - Heparin
- Chronische Niereninsuffizienz
- Dialysepatienten
- Hyperparathyreoidismus
- Hyperthyreose
- Suppressionstherapie an der Schilddrüse > 10 Jahre
- Leberzirrhose.

Generelle *Warnzeichen der Osteoporose* sind:
- Rückenschmerzen
- Gefühl der Schwäche im Rücken
- langsames Kleinerwerden
- Knochenbrüche ohne eigentliche Gewalteinwirkung, z.B. nach einem einfachen Sturz
- Verstärkte Rundrückenbildung/Witwenbuckel.

Grundlage der *individuellen Untersuchung* sind:
- Anamnese
- Körperliche Untersuchung
- Risikobewertung
- Basislabor
- Osteodensitometrie
- Röntgennativaufnahmen von Brust- und Lendenwirbelsäule.

Nicht unwesentlich sind Anamnese und die klinische Diagnose mit der Feststellung einer Größenabnahme über 5 cm, dem Tannenbaumphänomen und der Zunahme des Kyphosierungswinkels der Brustwirbelsäule. Die ursprüngliche Körpergröße ist vergleichbar mit dem Abstand der Mittelfingerkuppen bei seitlich ausgestreckten Armen und Händen.

Tabelle 1. Laborparameter zur Differentialdiagnostik von

		Osteoporose	Osteomalazie	Osteopathie bei Malignomen	primärer Hyperparathyreoidismus
Serum	Calcium	→	↓, →	↑, →	↑
	Phosphat	→	↓, →	↑	↓, →
	alkalische Phosphatase	→ (↑)	↑	↑	↑, →
Urin	Calcium	→ (↑)	→	→	↑
	Phosphor	→	→	↓	↑
	Hydroxyprolin	→	↑	↑, →	→

→ = normal; ↑ = erhöht; ↓ = erniedrigt

Labordiagnostik

Zur grundsätzlichen Differenzierung zwischen Osteoporose, Osteomalazie, Osteopathie bei Malignomen und primärem Hyperparathyreoidismus dient die Übersicht nach Keck (Tablle 1).

Das Basislabor umfasst Blutsenkungsgeschwindigkeit, Calciumserumspiegel, knochenspezifische Phosphatase, PTH, TSH basal und Rheumafaktor. Nachfolgende pathologische Laborparameter bieten ggf. Hinweise auf das Vorliegen besonderer Erkrankungen.

Parameter	Normalabweichung	mögliche Befunde
BSG	erhöht	Systemerkrankung, Malignom
Blutbild	Leukozytose	Entzündung, Leukämie u.a.
	Anämie	Plasmozytom
Kalzium i.S.	erhöht	Hyperparathyreoidismus, maligne Skelettdestruktion
	erniedrigt	Hypoparathyreoidismus, Osteomalazie
Phosphat i.S.	erhöht	Niereninsuffizienz
	erniedrigt	Phosphatdiabetes (Osteomalazie)
Alkalische Phosphatase	diskret erhöht	High-turnover-Osteoporose
	leicht erhöht	frische Fraktur
Gamma-GT	normal	alkalische Phosphatase ist
	erhöhte	ossär bedingt
Keratinin	erhöht	Niereninsuffizienz
Kalzium i.U.	erniedrigt	Osteomalazie

Zusätzliche labordiagnostische Optionen bietet die Markerdiagnostik in Form von Osteocalcin als Ausdruck der Osteoblastenaktivität und der Pyridinolin Crosslinks als Ausdruck für die osteoklastären Prozesse. Der Markerdiagnostik kommt ein sekundärer Stellenwert bei speziellen differentialdiagnostischen Fragestellungen und ggf. therapeutischen Entscheidungen bei therapieresistenten Verläufen zu.

Weitere Laboruntersuchungen können sich aus internistisch-differentialdiagnostischen Erwägungen ergeben.

Osteodensitometrie

Als wichtigste Untersuchungsmethode im Verbund mit Anamnese, klinischer Untersuchung und Basislabor hat sich die Knochendichtemessung bewährt. Die besondere Wertigkeit der Osteodensitometrie liegt in ihrer Sensitivität und Reproduzierbarkeit mit einer Messfehlerbreite zwischen 1 und 3%. Ein besonderer Wert muss der DXA-Methode mit ihrer geringen Strahlenbelastung als Golden Standard zugeschrieben werden.

Die Osteodensitometrie erlaubt eine differenzierte Diagnostik unterschiedlicher Demineralisierungszustände. Sie erlaubt somit das individuelle, mit der Abnahme der Knochendichte korrelierte Frakturrisiko des Patienten zu bestimmen, eine dem Krankheitsstadium entsprechende Therapie einzuleiten und den Therapieerfolg in jährlichen Zeitintervallen zu kontrollieren.

Die Korrelation des Knochenmasseverhaltens ist direkt proportional zum Anstieg des Frakturrisikos sowie dem Lebensqualitätsverlust von Patienten mit osteoporotischen Frakturen.

Obwohl die WHO die Definition der Osteoporose über die Bestimmung der Knochendichte empfohlen hat, ist die Diagnostik der Osteoporose nicht allein auf die Knochendichtemessung zu beschränken. Anamnese, klinische Untersuchung, Röntgendiagnostik der Wirbelsäule, Labor- und interdisziplinäre Differentialdiagnostik sind unverzichtbar.

Unterschieden werden im Wesentlichen vier Osteodensitometriemethoden.

Osteodensitometriemethoden

- DXA
- QCT
- PQCT
- Osteosonographie.

Das anerkannteste Verfahren ist die DXA-Methode, sie hat den höchsten Stellenwert und ist am besten validiert. Es handelt sich um eine planare Messmethode mit der Möglichkeit, die Knochendichte an Lendenwirbelsäule, Hüfte, distalem Radius und am ganzen Körper zu messen. Von besonderer Bedeutung ist die Messung an Lendenwirbelsäule und Schenkelhals. Letztere, gerade beim älteren Patienten aufgrund des häufigsten Prädelektionsortes für Frakturen in diesem Alter. Die Aussagerelevanz der Messung an der Lendenwirbelsäule im Alter ist aufgrund verfälschender degenerativer Veränderungen an der Wirbelsäule selbst oder aber der Aorta abdominalis schlechter. Als ideal gilt zweifelsohne die kombinierte Messung an Lendenwirbelsäule und Schenkelhals.

Auch wenn das DXA-Verfahren den Rang eines Goldenen Standards einnimmt, muss man sich der Fehlinterpretationsmöglichkeiten bewusst sein. Durch das Projektionsprinzip ergeben sich prinzipielle Limitationen. Hintereinanderliegende Strukturen werden summiert und können, sofern sie röntgenabsorbierend wirken, das Messergebnis verfälschen. Ein typisches Beispiel ist die Calzifizierung der Aorta abdominalis bei der DXA-Messung der Lendenwirbelsäule. Hierdurch können sich falsch negative Ergebnisse und damit Fehlinterpretationen hinsichtlich des Krankheitsausmaßes und der Therapiebedürftigkeit ergeben.

Vermeintlich unauffällige oder hyperostotische Knochendichtewerte können im Bereich der Lendenwirbelsäule ebenso durch degenerative Veränderungen wie Spondylophytenbildung, Osteochondrosen, einer Spondylosklerosis hemisphaerica, Spondylarthrosen usw. entstehen.

Um diese alterkorreliert auftretenden Störfaktoren zu eliminieren, wird für ältere Patienten ab 65 Jahren als Prädelektionsort der DXA-Messung der Schenkelhals empfohlen. Im Gegensatz zu früheren Jahren wird heute der Gesamtdichtewert der Hüftregion zur Beurteilung herangezogen.

Eine Osteolyse oder ein Plasmozytom kann das Messergebnis im gegensätzlichen Sinn ebenso verfälschen. Dies unterstreicht die neben einer DXA-Untersuchung dringend notwendige Röntgenuntersuchung von Brust- und Lendenwirbelsäule zumindest im seitlichen Strahlengang, sowie die empfohlene Labordiagnostik. Einer DXA-Messung der Lendenwirbelsäule sollten daher orientierend Röntgenaufnahmen der BWS und LWS vorausgehen, um auszuschließen, dass durch die genannten Faktoren falsche Messergebnisse implementiert werden.

Moderne DXA-Techniken erlauben die Messung der Lendenwirbelsäule in seitlicher Projektion wie auch die Eliminierung beeinflussender Spondylophyten, wodurch die Messung des Knochenmineralgehaltes besser auf die Wirbelkörper fokussiert werden und Störeffekte in größerem Umfang ausgeschlossen werden können.

DXA-Geräte unterschiedlicher Hersteller zeigen bisweilen voneinander abweichende Dichtewerte. Kreuzkalibrierungen erlauben hier weitgehende Vergleichbarkeit.

Die Vergleichbarkeit anderer osteodensitometrischer Untersuchungsverfahren mit der DXA-Methode ist nicht gegeben.

Die Osteoporosedefinition unter Berücksichtigung der Standardabweichungen bezieht sich auf die DXA-Methode. Die Übertragung auf QCT oder sonographische Messungen ist nicht korrekt.

Als weitere Messmethode mit hoher Messgenauigkeit steht die quantitative Computertomographie für die Messung an der Lendenwirbelsäule zur Verfügung. Hierbei werden definierte Schnittebenen gelegt. Mit moderner Software erfolgt eine hohe Messgenauigkeit und Reproduzierbarkeit und damit Vergleichbarkeit der Messergebnisse. Die quantitative Computertomographie erlaubt sowohl eine Untersuchung der Kortikalis wie der Spongiosa.

Ergänzend zur quantitativen Computertomographie ist die periphere quantitative Computertomographie (pQCT) mit der Messung der Knochendichte am ultradistalen Radius und am Tibiakopf zu nennen. Diese Methode erlaubt ebenso eine Differenzierung von Kortikalis und Spongiosa.

Mit der Osteosonographie steht ein weiteres Messverfahren zur Verfügung. Die Messung der Schallgeschwindigkeit im Knochen ist an verschiedenen Körperstellen möglich, jedoch nicht am Femurhals und an der Wirbelsäule direkt. Am meisten angewandt wird diese Technik am Calcanius, aber auch an der Tibia, am Radius, am Metatarsale V und an den Fingerphalangen.

Die Ultraschallverfahren beruhen entweder auf der Messung der frequenzabhängigen Schallabsorption im Knochengewebe (BUA - Broadband Ultrasound Absorption) oder auf der Messung der Schallgeschwindigkeit (SOS - Speed of Sound) durch die Knochensubstanz. Die erste Technik soll der Dichtemessung dienen, die zweite der Elastizität. Die Diskussion hierüber ist noch nicht abgeschlossen.

Als weiteres neues peripheres Verfahren ist die digitale Röntgen-Radiogrametrie – DXR – zu nennen, bei dem die Hand und ggf. auch der distale Unterarm mit einem speziellen Film-/Foliensystem geröntgt wird. Das Röntgenbild wird digitalisiert mit Hilfe eines speziellen Algorythmus wird die Corticalisdicke und Fläche des distalen Radius des Unterarms ausgemessen und auf die Knochendichte zurückgeschlossen. Der Messung dient das herkömmliche Röntgengerät. Die Berechnung erfolgt mittels spezieller Auswertungsgeräte. Für dieses System liegen ebenfalls noch nicht ausreichend klinische Studien vor.

Die Evaluierung der genannten Messmethoden durch die S-3-Leitlinien Osteoporose räumen dem DXA-Verfahren den höchsten Stellenwert ein. Das DXA-Verfahren wird momentan als einziges ausreichend qualitätsgestütztes Verfahren empfohlen.

Osteodensitometrieverfahren

Methode	Medium	Technik	Messort	Reproduzierbarkeit in (%)	K/S-Sep	Dosis
DXA	Röntgenstrahlen	Zweidimensional	LWS, prox. Femur, Radius, Kalkaneus, Ganzkörper	< 2	∅	< 10 µSv
QCT	Röntgenstrahlen	Tomographisch	LWS	1–2	+	70–400 µSv
PQCT	Röntgenstrahlen	Tomographisch	Radius, Tibia	0,3–2	+	< 2 µSv
QUS	Schallwellen	–	Kalkaneus, Patella, Tibia, Finger	0,4–4	∅	∅
QMR	Magnetresonanz	Tomographisch	Kalkaneus, Radius, Femur, Tibia	?	+	∅

K/S-Sep. = Kortikalis-Spongiosa-Trennung; Dosis = effektive Ganzkörperdosis; µSv = Mikro-Sievert

Osteodensitometrieverfahren wie SPA, SXA und DPA sind zwischenzeitlich verlassen.

Die Knochendichtemessung stellt einen Faktor in der Osteoporosediagnostik dar. Sie ist in jedem Fall zu ergänzen durch Röntgenaufnahmen der Brust- und Lendenwirbelsäule im seitlichen Strahlengang. Sie sind von besonderer Relevanz für die Interpretation der Messergebnisse an der Lendenwirbelsäule, um messwertverfälschende degenerative Veränderungen die zu falschen diagnostischen und therapeutischen Schlüssen führen könnten, zu erkennen, bereits eingetretene osteoporotische Wirbelkörperdeformierungen bzw. maligne Veränderungen auszuschließen oder zu erkennen.

Von ergänzendem differentialdiagnostischen Wert sind Nuklearmedizin und Kernspintomographie.

Die Röntgenuntersuchung zur Osteoporosediagnostik hat nur sekundären Stellenwert, da Demineralisierungszeichen im Sinne verstärkter Strahltranzparenz stärkere Betonung der corticalen im Vergleich zu den spongiösen Strukturen und einer strähnigen Knochenzeichnung erst ab einer Demineralisierung von ca. 30% zu erkennen sind, die dem Vollbild einer Osteoporose entspricht. Wirbelkörperindizes haben ihre Bedeutung für die Verlaufskontrolle einer Osteoporose verloren.

Mit Hilfe der Osteodensitometrie können Anfangs- und fortgeschrittene Demineralisierungsbzw. Krankheitsstadien erfasst werden. Dies erlaubt die Diagnostik bereits zu Beginn einer Osteoporoseentwicklung ebenso wie die Diagnostik des Vollbilds einer Osteoporose und den daraus resultierenden therapeutischen Möglichkeiten. Der Vergleich der Untersuchungen in jährlichen Abständen erlaubt die Aussage über den Verlauf der Erkrankung bzw. den Erfolg der durchgeführten Therapie.

Die Diagnose des Demineralisierungsstadiums ist ein wesentlicher Beitrag für die Qualität und die Wirtschaftlichkeit der Osteoporosebehandlung.

Osteoporosestadien und Interpretation der Messergebnisse

	DXA (g/cm^2)	QCT (mg Hydroxylapatit pro cm^3)
■ Physiologisch	≤ 1 SD	120–100
■ Osteopenie	≥ –1 bis –2,5 SD	100–80
■ Osteoporose	≥ –2,5 SD	< 80

Stellenwert der Osteodensitometrie

■ Goldener Standard der Osteoporosediagnostik und Osteoporosetherapie
■ Aussage über das individuelle Osteoporoserisiko
■ Kriterium für eine individuelle, maßgeschneiderte Osteoporosetherapie
■ Compliancefaktor in der Betreuung des Osteoporosepatienten
■ Instrument zur Verlaufs- und Therapiekontrolle
■ Instrument zum wirtschaftlichen Umgang mit den Ressourcen: „so wenig wie möglich, aber so viel wie nötig".

Knochenbiopsie

Im Rahmen der diagnostischen Möglichkeiten bzw. Erfordernisse darf die Knochenbiopsie nicht außen vorgelassen werden. Indikationen für die Knochenbiopsie sind:
■ Jede Unsicherheit in Bezug auf die Diagnose
■ Patienten mit ungewöhnlichen Osteoporoseforen
■ Patienten mit ungewöhnlichem Behandlungseffekt und Verlauf, z. B. Therapieresistenz

Die Knochenbiopsie erlaubt Aussagen zu histomorphometrischen Parametern wie
■ Knochenstruktur
■ Knochenmineralisation
■ Statische und dynamische Umbauparameter, die zytologische Beurteilung Aussagen zu hämatologischen Fragestellungen.

Biopsiemethoden

Bekannt sind die Methoden nach:
■ Jamshidi (Stanznadel)
■ Burkhardt (Hohlfräse)
■ Bordier (Hohlfräse)

Bei allen drei Techniken wird Knochengewebe aus dem Beckenkamm gewonnen. Die Qualität des Präparates ist streng korreliert mit der diagnostischen Wertigkeit.

Von besonderem Interesse ist die Darstellung der dreidimensionalen Knochenstruktur anhand von Knochenstanzpräparaten im Mikro-CT. Mit der dreidimensionalen Darstellung wird die Veränderung der Knochenmikroarchitektur und der Verlust der für die Tragfähigkeit des Knochens besonders wichtigen Querverbindungen ersichtlich. Die nichtinvasive, dreidimensionale mikroarchitektonische Darstellung des Knochens in vivo ist eine Option der Zukunft.

Die Qualität der Diagnostik ist eine wesentliche Voraussetzung für eine erfolgreiche Therapie.

Literatur

Assessment of Fracture Risk and its Application to Screening for Postmenopausal Osteoporosis, WHO, Geneva 1994
Kurth AA, Hovy L, Hennigs T (2001) Bisphosphonattherapie von Knochenerkrankungen. Steinkopff, Darmstadt
Hedtmann A, Götte S (2002) Praktische Orthopädie: Osteoporose. Steinkopff, Darmstadt
Bröll A, Dambacher MA (1996) Osteoporose: Grundlagen, Diagnostik und Therapiekonzepte. Kager
Guidelines for preclinical evaluation and clinical trials in Osteoporosis (1998) WHO, Geneva
Meunier PJ (1994) Evidence-based medicine and osteoporosis: a comparison fracture risk reduction data from osteoporosis randomised clinical trials. Int J Clin Pract 53:122–129
Weisge R, Lingg, G, Glüer CC (1998) Osteoporose, Atlas der radiologischen Diagnostik und Differenzialdiagnostik. Gustav-Fischer-Verlag, München
Ringe JD (1995) Osteoporose. Thieme, Stuttgart
Ringe JD, Mertelsmann R (1977) Fehldiagnose „Osteoporose" beim diffusen Plasmozytom. Ein Beitrag zur Diagnostik des Plasmozytoms. Dtsch Med Wochenschr 102:928–931
Kraenzlin EM, Seibel MJ (1999) Measurement of biochemical markers of bone Resorption. In: Seibel MJ et al. Dynamics of bone and cartilage metabolism. Academic Press, San Diego, pp 411–426

Zeitgemäße medikamentöse, physiotherapeutische und orthetische Behandlung der Osteoporose

T. Drabiniok, J. Heisel

Vorbemerkungen

Der Begriff der Osteoporose ist definiert als Verminderung von Knochenmasse; Strukturqualität und Funktion des Skelettsystems (vor allem der anorganischen Knochenbestandteile mit noch durchaus regelrechten Anteilen an organischer Grundsubstanz). In der heutigen Wahrnehmung dieses eher syndromalen Krankheitsbildes stehen die pathophysiologischen Aspekte der gestörten Mikroarchitektur des Knochens mit daraus resultierender erhöhter Frakturanfälligkeit sowie die gerade mit zunehmendem Alter häufig wesentlich limitierenden neuromuskulären Funktionen in Bezug auf die dynamische posturale Haltungskontrolle und eine sturzsichernde Mobilitätsreserve wesentlich stärker im Fokus einer möglichst umfassenden medizinischen Behandlung. Eine zukünftige Neudefinition der Osteoporose sollte sinnvollerweise vielmehr die gestörte Anpassungsfähigkeit des Knochens an seine Funktion (ausgedrückt durch ein Missverhältnis zwischen einwirkender mechanischer Kraftkomponente und strukturwiderstehender Knochenfestigkeit) in den Mittelpunkt stellen, wobei durch das definierte Verhältnis von Knochen- und Muskelflächen auch die mitentscheidende Korrelation von Muskelkraft und Knochenfestigkeit adäquater berücksichtigt wäre. Die in den vergangenen Jahren durchgeführten epidemiologischen Studien (unter anderem EVOS-Studie, EPOS-Studie) verdeutlichen eindrucksvoll, dass die Osteoporose angesichts der demographischen Entwicklung (bereits aktuell erreichen 50% der Frauen und 40% der Männer ihren 85. Geburtstag) und im Hinblick auf 4–6 Millionen Osteoporoseerkrankte in Deutschland ohne Übertreibung als Volkskrankheit bezeichnet werden kann. Jede dritte postmenopausale Frau, aber auch jeder fünfte Mann über 50 Jahren ist hiervon betroffen. Die radiologische Wirbelkörperfrakturinzidenz nimmt sowohl bei Männern als auch bei Frauen trotz klinisch oft nicht erkannter Manifestation mit dem Alter erheblich zu; gemäß der multizentrisch prospektiven Studiendaten aus der EPOS-Studie lässt sich eine Neuinzidenz für Wirbelkörperfrakturen alle 2,5 Minuten errechnen. Nach Erstetablierung einer Wirbelkörperfraktur kommt es bereits innerhalb eines Jahres bei einer von fünf Frauen zu einer erneuten Fraktur, wobei das Risiko des teils dramatischen Krankheitsfortschrittes mit der Anzahl prävalenter Frakturen fast exponentiell zunimmt und mit progredienter Hilfsbedürftigkeit einhergeht. Besorgniserregend ist auch das starke Anwachsen der zumindest potentiell osteoporoseassoziierten Schenkelhalsfrakturen in Deutschland von heute ca. 115000 pro Jahr auf errechnet ca. 240000 pro Jahr im Jahr 2040, wobei die Ursachen für die Entstehung einer Fraktur multidimensional sind (individuelles Sturzrisiko, biomechanische Krafteinwirkung, Knochenfestigkeit) (Tabelle 1).

Divergierend zur soziomedizinischen Bedeutung des Krankheitsbildes Osteoporose existiert in der praktischen Versorgungssituation in Deutschland häufig noch ein therapeutischer Nihilismus, der nicht zuletzt durch den hohen Anteil von 77% gar nicht versorgter Osteoporosepatienten und selbst bei diagnostizierter Krankheitsentität mit Frakturereignis durch die nur bei maximal 7–12% leitliniengerechten Kombinationsbehandlungen verdeutlicht wird (Tabelle 2). Dabei stehen uns heutzutage mit den in der Leitlinienkommission des DVO (Dachverband deutschsprachiger osteologischer Gesellschaften) im Mai 2003 erstratifizierten Behandlungs-Guidelines evidenzbasierte rationale Behandlungsoptionen auf hohem wissenschaftlichem Signifikanzniveau zur Verfügung, die mittlerweile sämtliche Maßnahmen der Osteoporose-Therapie, die natürlich grundsätzlich präventiv angelegt sein sollte, mit dem Ziel der Belastbarkeitsstabilisierung des Skelett-Systems und der Vermeidung zentraler und peripherer Frakturen unter dem Aspekt einer möglichst ho-

Tabelle 1. Ursachen für die Entstehung einer Fraktur

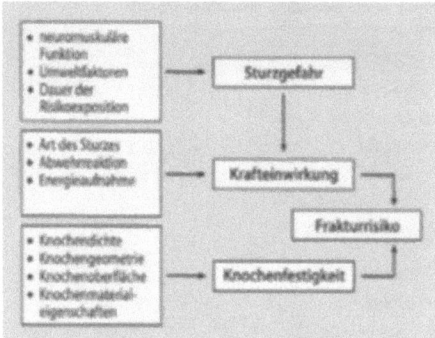

Tabelle 3. Indikationen zur Abklärung auf Osteoporose

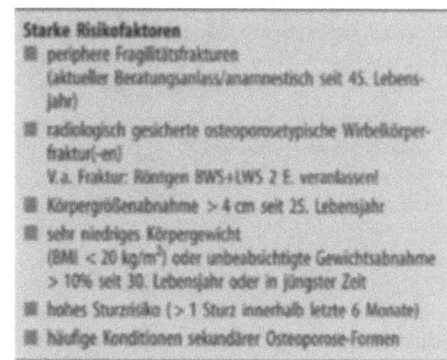

Tabelle 2. Aktuelle Versorgungssituation – Osteoporose

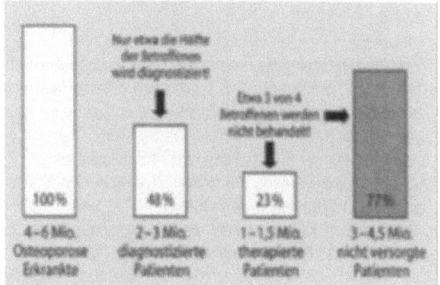

hen selbstständigen Alltagskompetenz und Lebensqualität gerecht werden.

Medikamentöse Behandlungsstrategien bei Osteoporose

Die Indikation zu einer über die präventiven Rahmenempfehlungen hinaus gehenden, spezifisch medikamentösen Behandlung der Osteoporose mit einerseits osteoanabolen Substanzen (sog. Knochenanbaustimulatoren) sowie andererseits antiresorptiven Wirkstoffen (sog. Knochenabbauhemmer) sollte altersbezogen und krankheitsstadienorientiert möglichst zielgerichtet und verlaufskontrollierbar auf der Basis einer auch apparativ gesicherten Diagnosestellung beruhen. Bei einer generellen Vielzahl teils noch kontrovers diskutierter und in ihrer Reliabilität und Reproduzierbarkeit eingeschränkten Diagnoseverfahren gerade auch zur Frakturrisikoabschätzung und Verlaufskontrolle stellt die röntgenologische DEXA (Dual Energy X-Ray Absorptiometrie) im Bereich der Lendenwirbel-

säule und am proximalen Femur das valideste Verfahren und den goldenen Standard für die Osteoporose-Diagnostik dar. Bei der standardtisierten Messung bei Menschen bis zum 75. Lebensjahr sollte zuerst die LWS, bei einem T-Score schlechter als −2,5 SD zusätzlich das Femur (Gesamtareal) Beurteilungsgrundlage sein; bei Menschen über 75 Jahren wird zunächst das Femurgesamtareal und erst bei einem T-Score von mehr als −2,5 SD zusätzlich die Lendenwirbelsäule gemessen. Die DEXA-Messung sollte bei entsprechender Indikation zeitnah zum Therapiebeginn neben der heute üblichen Basisdiagnostik (Anamnese und klinischer Befund, Basislabor, differenzierte Sturzabklärung) zumindest bei vorliegender Existenz sog. starker Risikofaktoren (Erhöhung des relativen Risikos > Faktor 2), d.h. bei anamnestischen peripheren Fragilitätsfrakturen, radiologisch gesicherter osteoporosetypischer Wirbelkörperfraktur, Körpergrößenabnahme > 4,0 cm seit dem 25. Lebensjahr, sehr niedrigem Körpergewicht (BMI < 20 kg/m^2 bzw. unbeabsichtigte Gewichtsabnahme > 10% in jüngster Zeit), hohem Sturzrisiko (>= zwei Stürze während der letzten sechs Monate) sowie bei den bekannten häufigen Konditionen sekundärer Osteoporoseformen (u.a. Hyperkortizismus, entzündlich rheumatische Erkrankungen) verbindlich durchgeführt werden (Tabelle 3).

Die im Folgenden dargestellten, bezüglich des Einsatzspektrums mit den letzten Jahren der Forschungsentwicklung wesentlich differenzierter einsetzbaren Antiosteoporotika (Tabelle 4) werden lebensalter- und stadienadaptiert längst nicht mehr vorrangig zum Knochenaufbau und zur Vergrößerung der Knochenmasse eingesetzt. Unverzichtbares Wirksamkeitskriterium ist die

Tabelle 4. Medikamentöse Behandlungsoptionen bei Osteoporose

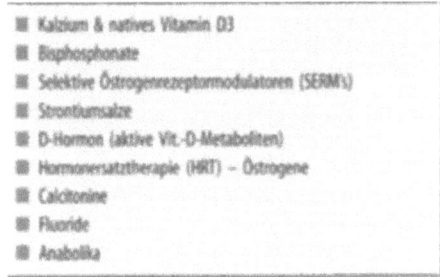

- Kalzium & natives Vitamin D3
- Bisphosphonate
- Selektive Östrogenrezeptormodulatoren (SERM's)
- Strontiumsalze
- D-Hormon (aktive Vit.-D-Metaboliten)
- Hormonersatztherapie (HRT) – Östrogene
- Calcitonine
- Fluoride
- Anabolika

Tabelle 5. Klassifikation im Sinne der EBM (modifiziert nach Pfeifer et al., Med. Klinik, Mai 2001, 270–280)

Substanzklasse	Klassifikation
Alendronat	A1
Kalzium und Vitamin D[b]	A1
Raloxifen	A1
Risedronat	A1
Teriparatid PTH 1–34	A1
(Ibandronat; Strontium	A1↑ ?)
Etidronat	B1
Fluoride	B1
Vitamin-D-Metaboliten	B1
Calcitonin	B2
Pamidronat	C1
Östrogene/Gestagene	C2
Testosteron	C2

A: Ergebnisse mehrer rand., kontr., prospektiver Doppelblindstudien (RCT's), konsistent in d. Ergebnissen oder es liegt eine sehr große prosp. Doppelblindstudie vor, d. Subgruppenanalysen erlaubt
B: Ergebnisse mehrer RCT's, inkonsistent in d. Ergebnissen
C: Ergebnisse lediglich von Kohortenstudien oder von Studien mit anderen Endpunkten als Frakturen
b: Vitamin D und Kalzium wurden bei altersentsprechenden gesunden Normalpersonen eingesetzt
1: Das Verhältnis zw. Wirkung u. Nebenwirkung kann eindeutig bestimmt werden
2: Das Verhältnis zw. Wirkung u. Nebenwirkung kann nicht eindeutig bestimmt werden

Reduktion oder sogar Verhinderung des Auftretens neuer Fragilitätsfrakturen sowie die ergänzend positive Beeinflussung der Mikroarchitektur im Sinne der originären Materialeigenschaften des Knochens und seiner Geometrie (u.a. Trabekelkonnektivität, Knochenvolumen, Kortikalisdicke, Mineralisationsgröße und -verteilung). Langfristig am geeignetsten scheinen Wirkstoffe zu sein, die das Knochenumbauverhalten und eine überschießende Resorptionsaktivität möglichst physiologisch harmonisieren, ohne die prinzipiell gleichwohl erforderliche kompensatorische Formation regelhaft mineralisierten Osteoids einseitig zu hemmen. Gleichwohl steht im Falle eines Low-turn-over zunächst die Stimulation der Osteoid-Synthese durch die Osteoblasten mit nachfolgender physiologischer Mineralisation im Vordergrund, wohingegen beim High-turn-over das Abbremsen des überschießenden Knochenabbaus (überwiegend unmittelbar postmenopausal, in höherem Lebensalter und bei inzidentem Hyperkortizismus) dominiert. Eine *Übersicht zur Therapiewertigkeit der aktuell verfügbaren Substanzklassen im Sinne einer evidenzbasierten Klassifikation* hinsichtlich der Verhütung neuer Knochenbrüche ist in Tabelle 5 dargestellt.

Da bei fortgeschrittener Osteoporose eine höhergradige Restaurierung und alltagsrelevante Frakturprotektion gegenüber exomechanischen Kraftspitzen und muskulären Dysregulationen de facto leider oft eine auf den Individualfall bezogene Illusion bleiben wird, ist es um so erforderlicher, bereits bei vorhandenem Risikopotential noch ohne messbaren Substanzverlust (speziell auch prämenopausal oder bei entsprechender Grunderkrankung wie beispielsweise rheumatoider Arthritis) eine ausreichende natürliche und nur im Bedarfsfall supplementierte Zufuhr von *anorganischem Kalzium*, postmenopausal bedarfsweise mit, ab dem 75. Lebensjahr möglichst umfassend mit *Vitamin-D-Zusatz* durchzuführen. In einer Metaanalyse hochwertiger randomisierter Studien zur Kalzium-/Vitamin-D-Wirksamkeit mit dem Zielkriterium der Frakturreduktion profitierten vorrangig Frauen mit einer alimentären Zufuhr von weniger als 400 mg Kalzium täglich, die global ein ca. 2,5fach erhöhtes Risiko zur Etablierung einer Schenkelhalsfraktur tragen. Eine Kalzium-Monotherapie (800–1200 mg pro Tag) konnte lediglich leicht frakturredzierende Effekte im Bereich des Achsenskeletts bei Frauen mit prävalenten Frakturen nachweisen. Auch unter Vitamin-D-Monotherapie (400 Int. Einheiten pro Tag) war bei über 70-jährigen Personen kein signifikant positiver Effekt auf das Hüftfrakturrisiko nachweisbar, sondern nur eine verbesserte Knochendichte am Oberschenkelhals. Bei seniler Osteoporose konnte durch eine Kombination von 1200 mg Kalzium plus 800 IE Vitamin D3 nach 18 Monaten eine Reduktion der Femurhalsfrakturinzidenz um 43% mit überdauerndem Effekt auch

Tabelle 6. Calcium und Vitamin D

- **Wirkung**
  Calcium (neben Phosphat) Hauptmineral der Knochenhartsubstanz mit Korrekturmechanismus über Parathormon (d. h. essentielle Prävention eines sekundären Hyperparathyreoidismus). VitD3 als aktiver Metabolit (1,25-Dihydroxycholecalciferol) des nativen VitD steigert enterale Calciumresorption, noch ungeklärter positiver Effekt auf die Peak-Bone-Mass, Muskelkraft- und -koordinationsbeeinflussung durch VitD3 (Sturzreduktion) nachgewiesen

- **Indikationen**
  Supplementationsbedarf nur bei limitierter Grundversorgung durch Ernährung (Faustregel: tgl. Calciumzufuhr 1000 mg bei Kindern/Erwachsenen, 1500 mg bei Älteren, 1200–1600 mg in Pubertät/Schwangerschaft); VitD-Mangel (bes. bei alten, institutionalisierten Menschen eher die Regel)

- **Nebenwirkung**
  Unterhalb Einnahmdosis von 2–3 g elementarem Calcium täglich bzw. 50 000 IE genuinem VitD3/Woche unbedenklich; Ausschluss einer Calciumstoffwechselerkrankung obligat; bei idiopathischer Hypercalciurie besser „Calciumleckabdichtung" mit Thiaziddiuretika

- **Präparate**
  Calciumcitrat oder -carbonat/-gluconat 1000–1500 mg/Tag; über den Tag verteilte Einnahme mit höherer Resorption, nicht gleichzeitig mit Bisphosphonaten; Cholecalciferol 400–800 IE/Tag

- **Effekt**
  BMD-Zuwachs am OSH nach 1,5–3 Jahren nachgewiesen; Reduktion des extravertebralen Frakturrisikos durch Kombination (Calcium/VitD3) 25–50% nach 3 Jahren bei > 65-jährigen Männern und Frauen

- **Besonderheit**
  alleinige Calciumprävention zum Ausgleich des postmenopausalen Knochenmasseverlustes nicht ausreichend; kostengünstige Basismedikation der Kombination (0,26–0,41 Euro/Tag)

nach 3 Jahren (27%) nachgewiesen werden. Dennoch war bei dieser betagten Patientengruppe (über 80-Jährige) bis dato keine eindeutige Präventivwirkung auf die Wirbelkörperbruchgefahr zu untermauern. Entsprechend beinhalten die allgemeinen Empfehlungen zur Prophylaxe und Therapie der Osteoporose eine regelmäßige Supplementation mit Kalzium und Vitamin D3 auch nur bei stark mobilitätseingeschränkten Frauen oberhalb des 65. Lebensjahres (Evidenzgrad A) (Tabelle 6).

Die früher häufig großzügig eingesetzte postmenopausale *Hormontherapie (HRT) mit Östrogenen* kann auf der Basis kritischer Studienergebnisse zum Nutzen-Nebenwirkungsprofil in der WHI-Studie (u. a. Brustkrebs- und kardiovaskuläres Risiko) nicht mehr vorbehaltslos zur Primärprophylaxe der Osteoporose empfohlen werden, sondern erfordert stets eine sorgfältige, individuelle Abwägung möglicher Risikofaktoren. Immerhin ließ sich jedoch ergänzend zu den Ergebnissen bekannter Metaanalysen aus rein epidemiologischen Studien zum frakturprotektiven Östrogeneffekt im Bereich der Hüfte (ca. 25%ige Risikoreduktion) erstmals auch eine signifikante Verringerung des relativen Risikos für nicht traumatische Wirbelkörper- und Oberschenkelhalsfrakturen um 34% und von Fragilitätsfrakturen allgemein um 23% verifizieren. Bei prämenopausalen Patientinnen mit gesichertem Hormondefizit ist die Östrogensubstitution (im Falle eines intakten Uterus zusammen mit Gestagen) jedoch weiter etabliert. Die in der Primärpräventionsstudie WHI letztlich zu berücksichtigende amerikanische Risikopopulation (65-jährige, rauchende, übergewichtige Frauen) macht eine 1:1-Übertragung auf europäische Verhältnisse jedoch problematisch. Die Studienendauswertung zeigte bei Frauen nach Hysterektomie sogar eine positive Wirkung für die Östrogen-Monotherapie bei sogar leicht reduziertem Brustkrebsrisiko. Mittlerweile liegen auch aussichtsreiche Daten zur Östrogen-Monotherapie in transdermaler Niedrigdosis (sog. „ultra low dose" HRT, 0,014 mg transdermales E2) bei Frauen ohne Hysterektomie vor. Bei jetzt 100%iger Endauswertung der seinerzeit vorzeitig abgebrochenen Studie ergab sich selbst für die Kombination von Östrogen plus Gestagen keine statistisch signifikante Erhöhung des KHK-Risikos, sondern lediglich eine signifikante Zunahme für Apoplexe (Tabelle 7).

Die Ergebnisse der neueren Studienanalyse zeigen, dass unter dem Aspekt der Verhinderung einer atraumatischen, osteoporoseassoziierten Fraktur die modernen methylierten *Bisphosphonate* Alendronat und Risedronat den unter den Kriterien einer gesicherten Wirksamkeit, Verträglichkeit, Indikationsbreite, Compliance und Langzeitoption quasi Gold-Standard bei der spezifischen Osteoporosetherapie mit positiven Knochendichteeffekten von ca. 4–7% nach 2–3 Jahren und gleichzeitig knapp 50% Frakturreduktion nach 3 Jahren darstellen. Ihre antiresorptive, osteoklastenhemmende Wirkung führt bei einer extrem langen Halbwertszeit bis zu mehreren Jahren jedoch nicht nur zu einer statischen „Imprägnierung" mineralischer Oberflächen mit reduziertem Remodelling, sondern die Gesamtbilanz bleibt auch im Rahmen des Coupling mit

Tabelle 7. Hormonersatztherapie (HRT) – Östrogene

- Wirkung
  Rationale: Östrogenmangel als Osteoporoserisikofaktor bei Frauen aller Altersstufen (postmenopausaler BMD-Verlust 1-5%/Jahr); erhöhte gastrointestinale Calciumresorption; Calcitoninausschüttung; Hemmung der Osteoklastenaktivität; Kollagensynthese; ossäre Durchblutungssteigerung; Verbesserung zentralnervöser Funktionen; kein direkter Muskeleffekt

- Indikationen
  nur nach kritischer Nutzen-Risiko-Abwägung; zur Sekundärprävention 5 max. 10 Jahre bei Postmenopausen-Syndrom+Osteoporose I° Typ I; bei vorzeitiger Menopause in den ersten Jahren noch 1. Wahl; zur Primärprävention nach individueller Risikofaktorabwägung

- Nebenwirkung
  Brustkrebsrisiko nach 5 Jahren 50-70% erhöht (bes. Betroffene des 1. Verwandtschaftsgrades); bis zu 5 Jahren Präventionsdauer niedrig dosierte konjugierte/natürliche Östrogene relativ unbedenklich; Monotherapie nach Hysterektomie ohne erhöhte Mamma-Ca-Inzidenz; signifikante Steigerung der Apoplexrate durch Kombinationstherapie mit Gestagenen

- Präparate
  Östradiolvalerat (oral 1-2 mg/Tag, transdermal 14-50 µg), konjugierte equine Östrogene (oral 0,625 mg/Tag), ggf. + kombinierte Gestagene (Medroxyprogesteronacetat) bei intaktem Uterus 2,5-10 mg (ohne BMD-Vorteil)

- Effekt
  gesicherter BMD-Effekt LWS ca. 10%/OSH ca. 4%; bei Langzeittherapierten (ca. 10 Jahre) sinkt Inzidenz OSH-Faktur/WK-Faktur > 50%; positiver Nebeneffekt: Risikoreduktion genitaler und kolorektaler Karzinome

- Besonderheit
  kontinuierlicher oder sequentieller Gestageneinsatz nur bei hysterektomierten Frauen verzichtbar (Endometriumkarzinom-Risiko); kein anhaltender Stabilisationseffekt (Ausgangszustand 4 Jahre nach Absetzen)

Tabelle 8. Bisphosphonate

- Wirkung
  Synthetische Pyrophosphatanaloga (P-C-P-Struktur); langfristige Ablagerung im Bereich der Lining-cell's (hohe Hydroxylapatitaffinität); Wirkung nach intrazellulärer Aufnahme über Mevalonat-Zyklus-Hemmung; starke Osteoklasteninhibierung u. -apoptosesteigerung; reduziertes Remodelling

- Indikationen
  Therapie u. Prävention der PMO; männliche Osteoporose (Alendronat); glukokortikoidinduzierte Osteoporose (Alendronat, Risedronat, Etidronat); Spezialindikationen u. -zulassungen: M. Paget, Hypercalcämie, ossäre Metastasierung/Osteolysen (ältere i.v.-Bisphosphonate)

- Nebenwirkung
  Vorrangig: gastrointestinale Symptome/Komplikationen (Reflux-Ösophagitis, Striktur, Ulcus, chem. Ösophagitis mit Blutung) – überwiegend pH-abhängig! → spezielle Einnahmemodalität; schlechte enterale Resorption (1-2%)!

- Präparate
  Aminobisphosphonate (Pamidronat, Aledronat, Risedronat, Ibandronat, Zoledronat) – Bisphosphonate ohne Stickstoffsubstitution (Clodronat, Tiludronat, Etidronat); zur Osteoporosetherapie vorrangig peroral (z. B. Alendronat 10 mg/Tag-70 mg/Woche; Risedronat 5 mg/Tag-35 mg/Woche); neue Entwicklungen mit intermitt. i.v./s.c.-Gabe (z. B. Ibandronat, Zoledronat)

- Effekt
  BMD-Anstiege ca. 4-7% nach 2-3 J. (OSH < WS); frakturreduzierende Wirkung bereits nach 6-12 Monaten (Risedronat, Alendronat) – am stärksten im 1./2. Jahr – bis knapp 50% nach 3 Jahren; Korrelation von Osteoporoseschweregrad und Frakturrisikoreduktion an WS + OSH; Once-Weekly-Therapie (Alendronat, Risedronat) insgesamt überlegen

- Besonderheit
  Langzeithemmung des Bone-turnover (?); bisherige 10-Jahresdaten (Alendroant) bzgl. Strukturqualität bedenkenlos; aktuell 3-5 Jahre Therapiedauer für Aminobisphosphonate empfohlen (Minimum 6 Monate!)

den Formationsparametern positiv, was die auch histomorphometrisch erhaltene Mikroarchitektur in 3D-CT-Biopsaten unterstreicht. Die flexiblere und zuverlässigkeits-steigernde Once-weekly-Dosierung mit hoher Verträglichkeit auch bei gastrointestinalen Hochrisikopatienten hat die individuelle Steuerbarkeit dieser enteral ja nur eingeschränkt resorbierten Präparate (1-2%) wesentlich verbessert. Die stringenten Einnahmeoptionen (aufrechte Position, Nahrungsaufnahmeintervall, keine direkte Kalziumkopplung) müssen natürlich befolgt werden. Als Off-Label-Therapie besteht weiterhin die Möglichkeit zum intermittierenden Einsatz von i.v.-Gaben spezieller Präparate (Pamidronat, Ibandronat, Zoledronat). Bei Zoledronat waren die Effekte auf Knochendichte und Frakturreduktion sogar bei einer nur 1 × jährlichen Intervallinfusion (4 mg i.v.) in Kombination mit täglicher Kalziumgabe (1000-1500 mg) noch signifikant nachweisbar. Die aktuell empfohlene Behandlungsdauer einer Bisphosphonatbehandlung beträgt 3-5 Jahre. Langzeitstudien mit Alendronat zeigten selbst nach 10 Jahren Applikationsdauer keinen negativen Einfluss auf die Knochenfestigkeitsparameter (Tabelle 8).

Antiresorptiva erster Wahl sind weiterhin die *selektiven Östrogenrezeptormodulatoren (sog. SERM's)*, die vor allem zur Prävention und Therapie der postmenopausalen Osteoporose eingesetzt werden. Neben einer physiologisch östro-

Tabelle 9. Selektive Östrogenrezeptormodulatoren (SERM's)

- **Wirkung**
  Östrogenderivate mit selektivem agonistischem Wirkprofil am Knochen (Aktivierung des Östrogenrezeptor's im Knochen über Aktivierung alternativer Nucleotidsequenzen); Synthese und Freisetzung des Wachstumsfaktor's TGF-β3 (Osteoklastendifferenzierung/-aktivität ↓, Apoptoserate ↑); inhibiert Bildung resorptionsstimulierender Zytokine (TNF, IL-1, IL-6)

- **Indikationen**
  Prävention und Therapie der PMO (Raloxifen) – bes. nach Mamma-Ca od. bei erhöhtem Risiko; adjuvante Therapie des rezeptorpositiven Mamma-Ca's (Tamoxifen)

- **Nebenwirkung**
  TVT (bis 70% Risikoerhöhung!), Hitzewallung, Krämpfe, Ödeme; neurovegetative Dysregulationen u. Urogenitalatrophie der Postmenopause unbeeinflusst!

- **Präparate**
  1. Generation: Tamoxifen = Triphenylethylenderivat (vorrangig adjuvant bei postmenopausalem Mamma-Ca) – 20 mg p.o./Tag;
  2. Generation: Raloxifen = Benzothiophenderivat – 60 mg p.o./Tag

- **Effekt**
  Signifikanter BMD-Zuwachs nach 6 Monaten; geringe BMD-Anstiege ca. 2–3% nach 3 Jahren (Nettozuwachs WS 0,5% > OHS 0,3%), d.h. geringer als bei Hormonsubstitution; Risikoreduktion für neue Wirbelfrakturen 39–55% nach 3 Jahren (bei High-turnover sogar 63%); extravertebrale Frakturen bei leichter-mittelschwerer Osteoporose unbeeinflusst (–4%, n.s. in MORE-Studie)

- **Besonderheit**
  Antiöstrogene Wirkung auf die Brustdrüse (Risikoreduktion für invasives Mamma-Ca 76% nach 3 Jahren); keine uterotrophische Wirkung; günstige Beeinflussung des Lipidprofil's, ?: optimales Einstiegsalter

Tabelle 10. Fluoride

- **Wirkung**
  Starke, langanhaltende Osteoblastenstimulation via Hemmung wachstumsfaktorenspezifischer saurer Phosphatase, erschwerte Kristallresorption durch Fluorapatit

- **Indikationen**
  m.o.w. obsolet; keine 1.-Wahltherapie mit Primärziel „Frakturensenkung"; ggf. osteopenische, postmenopausale Frühfälle bei lfd. Kontrolle; Effekte von Kombinationen unklar

- **Nebenwirkung**
  Epigastrische u. osteoartikuläre Beschwerden; iatrogene Fluorose mit Spongiosamikrofrakturen (inkompetenter Geflechtknochen!) – lower extremity pain syndrom

- **Präparate**
  Na-Fluorid (dünndarmlöslich), Dinatrium-Monofluorophosphat (MFP) – effektiver Therapiebereich bei 10–20 mg resorbierbaren Fluoridionen/Tag

- **Effekt**
  BMD-Anstiege bis 6%/Jahr (WS); frakturreduzierte Wirkung aus 2.-klassigen Studien erst ab 2.–3. Jahre an der Wirbelsäule; teils Zunahme von Femurfrakturen

- **Besonderheit**
  Enges therapeutisches Fenster (individuelle Bioverfügbarkeitsvarianz – MFP 95%, NaF 60%); Resorptionsstörung von NaF bei gleichzeitiger Calciumgabe; intermittierende Gabe?; Ca-/VitD-Kombination unerlässlich

genagonistischen Rezeptorwirkung am Knochen bewirken sie auch eine Stimulation des Wachstumsfaktors TGF-Beta-3 und eine erniedrigte Zytokinproduktion (TNF, IL-1/-6) im Knochenmark. Damit stellt das als Hauptvertreter der 2. Generation zu nennende Raloxifen (Bazedoxifen als 3. Generations-SERM in Erprobung) mit auch außerhalb des Skelettes positiven Effekten (u.a. Brustkrebsreduktion, verringerte ischämische Herzereignisse) die Möglichkeit zu einem quasi biologischen Osteoporosemanagement mit einer deutlichen Frakturrisikosenkung von 55% nach 3 Jahren (erstinzidente postmenopausale Wirbelkörperfrakturen) dar (Tabelle 9).

Die bis vor ca. 5 Jahren angesichts ihrer starken Osteoblastenstimulation und osteoanabolen Einflüsse auf die messbare Knochendichte noch verbreitet eingesetzten, da auch kostengünstigen *Fluoride* spielen heutzutage keine bedeutende Rolle mehr, da bei ihrem wirkstoffbezogen engen therapeutischen Fenster keine einheitlich positiven Daten zur Frakturreduktion besonders an der Hüfte belegt werden konnten. Ob in der Zukunft indikationsbegrenzte Fluorid-Studien z.B. bei Osteoporose-Frühstadien mit noch solider Mikroarchitektur oder Kombinationsanwendungen mit antiresorptiven Substanzen eine Renaissance bewirken können bleibt derzeit angesichts des abgelaufenen Patentschutzes eher fraglich (Tabelle 10).

Für die wegen ihrer direkten Wirkung über Osteoblastenrezeptoren früher ebenfalls als Knochenaufbausubstanz genutzten *Anabolika* (Nandrolondecanoat, Primobolan) kann nur eine klinisch unspezifische und daher untergeordnete Wirkung allenfalls im Sinne eines Side-Effektes (psychotrop, appetitsteigernd, muskelaufbauend) zur Ergänzungsgabe bei kachektischen und mobilitätslimitierten senilen Patienten differenziert werden. Ihr deutliches Nebenwirkungsprofil mit u.a. Virilisierung und thrombogenem Faktor ist bei einer Kombinationsbehandlung stets individuell sorgsam abzuwägen und gilt im Zweifelsfall als klare Kontraindikation.

Seit Ende 2003 steht mit dem rekombinanten *Parathormonfragment* Teriparatid eine innovative, stark osteoanabole Wirksubstanz zum Wiederaufbau der kortikalen und trabekulären Knochensubstanz bei gleichzeitiger Verbesserung der spongiösen Konnektivität zur Verfügung. Teriparatid konnte in Studien bis zu durchschnittlich 21-monatiger Auswertungsdauer das Risiko neuer Wirbelfrakturen um 68%, das der extravertebralen Frakturen um 53% reduzieren. Je höher der Schweregrad prävalenter vertebraler Frakturen war, desto eindrücklicher war der weitere frakturssenkende Benefit (ca. 90% betreffend mittelschwere und schwere Wirbelkörperbrüche). Da eine osteoklastenstimulierende Wirkung ausschließlich bei kontinuierlicher Gabe überwiegt, stellt die zugelassene einmal tägliche Subcutandosis von 20 µg erstmals die Möglichkeit zu einer raschen Netto-Knochen-Neubildung für osteoporosebedingte Knochenzerstörung in fortgeschrittenen, bislang oft therapiefrustranen Stadien dar. Die maximale Therapiedauer sollte unter Beachtung von Kontraindikationen (besonders Hyperkalzämie, schwere Niereninsuffizienz, primärer Hyperparathyreoidismus, Morbus Paget) derzeit 18 Monate nicht überschreiten (Tabelle 11).

Kalzitonin als ältere hormonelle Wirksubstanz mit antiresorptiver Osteoklastenhemmung konnte bislang nur in einer Studie mit einer speziellen Dosierung (200 IE nasales Kalzitonin pro Tag; kein linearer Dosis-Wirkungseffekt) seine vertebral frakturssenkende Eigenschaft unter Beweis stellen. Angesichts der hohen Kosten und der verfügbaren sicheren Alternativen von Bisphosphonaten und potenteren Analgetika stellt hier vor allem die Therapie der schubhaft aktivierten, postmenopausalen Osteoporose mit überbrückenden Initialgaben auch subcutan verabreichbaren Kalzitonins mittlerweile eher eine Nischenindikation dar (Tabelle 12).

Aktive Vitamin-D-Metaboliten üben neben einem kalziumhomöostatischen, antiresorptiven Effekt gleichsam auch eine osteoanabole Wirkung über ihre multiple endokrine Hormonwirkung aus. Obwohl die bisherige Datenlage keine Empfehlung zum höchsten Evidenzgrad zulässt, kommt neben dem Ausgleich von Vitamin-D-Mangel-Situationen eine spezifisch unterstützende Osteoporosetherapie mit kausalem Knochenschutz besonders im Senium, bei Nie-

Tabelle 11. Parathormon (1–34 rhPTH)

- Wirkung
  Biotechnologisch hergestelltes PTH-Fragment (aminoterminale Sequenz 1–34); anabole und katabole Knochenwirkung; Second-messenger-Interaktion (u. a. Adenylatzyklase, Phospholipase), Proliferation/Differenzierung von Osteoblasten (IGF-I), Osteoblastenapoptose-Inhibition, Kollagenstimulation, Osteoklastenstimulation via IL-6/RANKL (nur bei kontinuierlicher Gabe)

- Indikationen
  Postmenopausale Osteoporose mit multiplen Frakturen + stark erniedrigter Knochenmasse; Kombinationseinsatz bislang nicht validiert; derzeit (auch preisbedingt!) eher Reservetherapeutikum

- Nebenwirkung
  Leichte Hypercalcämie 4–6 h nach Injektion, zirkulierende PTH-Antikörperbildung, Schwindel, Wadenkrämpfe

- Präparate
  Teriparatid 20 µg/Tag s.c. (Fertigspritzen), empfohlene Behandlungsdauer 18 Monate

- Effekt
  Signifikante BMD-Zunahme nach 3 Monaten; BMD-Anstieg LWS 9,7%; Reduktion neuer WK-Frakturen 65%/extravertebraler Frakturen 53% (jeweils nach durchschnittlich 21 Monaten); Rekonstruktion vorgeschädigter Mikroarchitektur (Spongiosavolumen +60%, Kortikalisdicke +29%, trabekuläre Konnektivität +40%)

- Besonderheit
  Calciumspiegel muss nicht überwacht werden; in den USA auch für männliche Osteoporose zugelassen; Effekt von Teriparatid bei gleichzeitiger Alendronatgabe gehemmt

Tabelle 12. Calcitonine

- Wirkung
  Peptidhormone mit Osteoklastenhemmung via Oberflächenrezeptoren; zentrale u. periphere analgetische Wirkung; leicht antihypercalcämisch; vasodilatatorisch

- Indikationen
  Therapie der vorrangig frühen postmenopausalen Osteoporose; Alternative bei stark schmerzhaftem Schub in Kombination mit z. B. Bisphosphonaten

- Nebenwirkung
  Hitzegefühl, Flush, Nausea, Vomitus, Prurigo, keine Toxizität (bei raschem Abbau)

- Präparate
  Fisch- u. Säuger-Calcitonine; subkutane (50–100 IE/Tag) oder nasale (200 IE/Tag) Applikation

- Effekt
  High-turnover-Status geeigneter; BMD-Anstieg gesichert; nur 200 IE nasales Calcitonin mit erwiesener vertebraler Frakturssenkung (1! RCT); schnelle und milde Wirkung

- Besonderheit
  Fehlende AK-Bildung bei Humanform; Intervalltherapie meist über 6 Wo. bevorzugt (Resistenzprophylaxe!); Kombination mit Calcium sinnvoll; Nasalspray hochpreisig

Tabelle 13. D-Hormon-Präparate

- **Wirkung**
  Multiple endokrine Wirkung: Förderung der intestinalen Calciumabsorption (600–800 × > als genuines Vit. D3); Reduktion der Nebenschilddrüsenproliferation (PTH↓); Kompensation von 1,25-Vit.-D-Mangel/-Resistenz; antiinflammatorische Zytokinmodulation (IL-6, TNF); verminderte Osteoblastenapoptose; Osteoklastenaktivität↓; Sturzreduktion/Muskelleistungszunahme

- **Indikationen**
  Ausgleich eines Vit.-D-Mangels; Unterstützung einer spezifischen Osteoporosetherapie bes. bei renaler 1α-Hydroxylasehemmung im Senium, chron. entzündlichen Immunerkrankungen, Nierenfunktionsstörung (u. a. Diabetes, Dialyse, MAS, Vit.-D-Resistenz, myopathischem Sturzsyndrom)

- **Nebenwirkung**
  Hypercalcämierisiko, reversible heterotope Calcifikationen, passagere Phosphaterhöhung

- **Präparate**
  Calcitriol oder Alfacalcidol (= Prodrug) 0,25–1–3 μg/Tag p.o. morgens u. abends; bei 1 ×-Dosis besser abends

- **Effekt**
  Frakturreduktion nach 3 J. 40%; Sturzreduktion nach 3 J. 37%; durchschnittliche Muskelkraftzunahme bis 24% (limitierte Studienlage, Evidenzgrad B!)

- **Besonderheit**
  Pharmakologische Wirkung unabhängig vom Vit.-D-Status; regelmäßige Kontrollen des Blutcalcium- und Phosphatspiegels (wöchentlich-monatlich); cave: alters- u. gewichtsabhängige Reduktion der Kreatinin-Clearance schon bei Kreatinin-Wert > 1,2 mmol/l möglich!

Tabelle 14. Strontiumsalze

- **Wirkung**
  Induktion einer positiven Entkopplung zwischen Knochenbildung und Knochenresorption; Replikation präosteoblastischer Zellen und Kollagensynthese stimuliert; Hemmung der Osteoklastendifferenzierung; histomorphologische Verbesserung der Mikroarchitektur (in-vitro)

- **Indikationen**
  Bislang noch keine Zulassung (erwartet 12/2004), Wirksamkeits- und Frakturdaten aus hochwertigen Phase-III-Studien (FIRST, TROPOS, SOTI)

- **Nebenwirkung**
  In bisherigen Wirksamkeitsstudien relativ sicher – weiterer Beobachtungsbedarf; Therapiesicherheit bzgl. Calcium-Phosphat-Homöostase nachgewiesen

- **Präparate**
  Strontiumranelat 2 g/Tag peroral (bislang Behandlungszeitraum max. 3 Jahre)

- **Effekt**
  BMD-Zuwachs nach 3 Jahren: LWS 12,7%, OSH 6,54%; Risikoreduktion für neue WK-Frakturen 49%/41% (nach 1 bzw. 3 Jahren), für neue extravertebrale Frakturen 41% (nach 18 Monaten), alle extravertebralen Frakturen global 16% nach 3 Jahren

- **Besonderheit**
  Klinischer Benefit bzgl. Lebensqualität nachgewiesen (Health Related Quality of Life = HRQOL)

renfunktionsstörungen (ab Kreatinin-Clearance < 65 ml/min) sowie bei Kortikoid-Dauermedikation in Betracht. Hauptpräparate sind das 1-Alpha-Hydroxy-Cholecalciferol (Alfacalcidol) und das 1,25-Dihydroxy-Cholecalciferol (Calcitriol) in Tagesdosen zwischen 0,25 und 1 μg. Eindeutige Vergleichsstudien zu genuinem Vitamin-D3 fehlen allerdings bislang (Tabelle 13).

Strontiumsalze, derzeit noch nicht zugelassen (als Strontium-Ranelat unter dem Handelsnamen PROTELOS® erwartet für Ende 2004) aber mit überzeugenden Wirksamkeits- und Frakturdaten nach Evidenzgrad A aus hochwertigen Phase-3-Studien, stellen die einzige gleichzeitig additiv osteoanabol und antiresorptiv wirksame Substanzklasse dar. Sie induzieren eine positive Entkopplung zwischen Knochenbildung und Knochenabbau. Die Wirksamkeitsstudien über bislang maximal 3 Jahre oral gegebenen Strontium-Ranelats in einer Dosis von 2 g pro Tag überzeugten dazu hinsichtlich ihrer Nebenwirkungsarmut und der klinischen Verbesserung der Lebensqualität bei postmenopausalen Frauen. Bei stärkerem Knochenmassezuwachs scheint die Potenz der Frakturreduktion nur gering unterhalb der Bisphosphonate zu liegen (–41% für Wirbelkörperbrüche, –16% für alle nicht-vertebralen Frakturen) (Tabelle 14).

Die im Mai 2003 verabschiedete, jährlich nachadaptierte *Leitlinien-Empfehlung gemäß DVO (Dachverband deutschsprachiger osteologischer Gesellschaften)* zur postmenopausalen bzw. senilen Osteoporose und zur glucocorticoid-induzierten Osteoporose wird, obwohl streng genommen als rationale Behandlungsrichtlinie nicht obligat judikativ, in Zukunft wohl auch bei der juristisch qualitativen Bewertung eines zeitgemäß „ausreichend" realisierten Therapiekonzeptes verstärkt an Bedeutung gewinnen (Tabelle 15 und 16). Herausgehoben wurde neben einer grundsätzlich ausgewogenen diätetischen Grundversorgung, der Karenz von Noxen (u. a. keine Zigaretten, < 30 g Alkohol pro Tag) und täglich ausreichender Aufenthaltszeit im Freien (mindestens 30 Minuten) auch eine regelmäßige, angepasste körperliche Aktivität (bei weiterem Differenzierungsbedarf sinnvoller

Tabelle 15. Leitlinienempfehlung – Postmenopausale/Senile Osteoporose

1. Periphere Frakturen oder Frakturrisikofaktoren
   - 1.a DXA-T-Score > –2
     – allgemeine Empfehlungen; DXA-Verlauf nach 2 Jahren
   - 1.b DXA-T-Score –2 bis –2,5
     – Rö BWS + LWS 2E: ohne WK# wie 1.a
       mit WK# wie 2.b
   - 1.c DXA-T-Score < –2,5
     – allgemeine Empfehlungen + spezielle Pharmakotherapie
2. Radiologische gesicherte Wirbelkörperfrakturen
   - 2.a DXA-T-Score > –2
     – allg. Empfehlungen; Nutzen einer spez. Pharmakotherapie nicht untersucht, andere Ursache? (Osteolyse, pathologische Fraktur, altes Trauma?) ggf. ÜW Fachspezialist
   - 2.b DXA-T-Score < –2
     – allg. Empfehlungen + spez. Pharmakotherapie + begleitende Therapiemaßnahmen (u. a. Schmerztherapie, ggf. WS-Orthese, Reha)

Tabelle 16. Leitlinienempfehlung – Glukokortikoidinduzierte Osteoporose

1. Inzidente Patienten und Patienten mit osteoporotischen Frakturen
   - 1.a DXA-T-Score > –1
     – Wiederholungsmessung DXA nach 6–12 Monaten
   - 1.b DXA-T-Score –1 bis > –1,5
     – Rö BWS + LWS 2E: ohne WK# wie 1. a →
       T-Wert > –2 → Wdh. DXA nach 12–24 Monaten
       T-Wert < –2 → ggf. DD zum Ausschluss anderer Ursachen
       spezielle Pharmakotherapie
       Wiederholungsmessung DXA nach 12–24 Monaten
     – Rö BWS + LWS 2E: mit WK# →
       ggf. DD zum Ausschluss anderer Ursachen
       spezielle Pharmakotherapie
2. Prävalente Patienten
   - 2.a DXA-T-Score > –1
     – Wiederholungsmessung DXA nach 12–24 Monaten
   - 2.b DXA-T-Score –1 bis > –2,5
     – Rö BWS + LWS 2E: ohne WK# wie 1. a →
     – Rö BWS + LWS 2E: mit WK# →
       ggf. DD zum Ausschluss anderer Ursachen
       spezielle Pharmakotherapie
   - 2.c DXA-T-Score < –2,5
     – bei klinischer Indikation fakultativ Rö BWS + LWS 2E
     – ggf. DD zum Ausschluss anderer Ursachen
     – spezielle Pharmakotherapie (Alendronat, Risedronat od. Etidronat)

Tabelle 17. Schmerztherapie bei Osteoporose

- Kontrollierte, passagere Ruhigstellung
  – Lagerung, Kontraktur- u. Dekubitusprophylaxe, Atem-/ Venengymnastik
- Medikamentös
  – NSAR, Muskelrelaxantien, zentrale Analgetika, TLA
- Physikalisch-balneologisch
  – Kälte/Wärme, Peloide/Packungen, Wickel, Elektrotherapie, Ultraschall, Massage, Bäder, Akupressur/-punktur
- Krankengymnastisch
  – hubarme Mobilisierung, assisitives Üben, PNF, Weichteiltechniken
- Orthopädietechnisch
  – Gehhilfen (UAG's, Rollator), Mieder (aktiv redressierende Osteoporosebody's), teilrigide Rumpforthesen (assistive Stabilisation), starre Korsett's (Ausnahme: starke Instabilität/neurologisch kompromittierende Frakturgefahr)

physikalischer Reize) sowie Maßnahmen zur interventionellen Sturzrisikoreduktion (s. u.). Eine multimodale, stadienadaptiert ausreichende Schmerztherapie ist auch bei der Osteoporose Grundbestandteil jedes ärztlichen Behandlungsansatzes und sollte gerade im Falle von Frakturfolgen zur Überwindung von Remobilisierungsschwellen und zum Abbau von Chronifizierungsmechanismen im Sinne eines Decrescendoprinzipes unter Berücksichtigung moderner Applikationstechniken (z. B. transdermale Matrixpflaster für stark wirksame Opioide), gegebenenfalls unter einleitend stationären Bedingungen, erfolgen (Tabelle 17).

Diätetische Maßnahmen

Ein weiterer wichtiger Baustein der Osteoporose-Prävention ist die adäquate individuelle Anpassung der Ernährung, vor allen im höheren Lebensalter. Von großer Bedeutung ist in erster Linie eine kalzium- und eiweißreiche sowie gleichzeitig fettarme Kost: Unter diesem Gesichtspunkt werden Milchprodukte, Gemüse sowie frisches Obst als wesentliche Elemente der Nahrung empfohlen. Der Genuss phosphatreicher Produkte (Fleisch, Kurzgebratenes, gepökelte Wurstwaren, Schmelzkäse), aber auch Esswaren mit Konservierungsmitteln sowie Cola und Alkohol sind weitgehend einzuschränken (sogenannte „Kalziumräuber") (Tabelle 18).

Physiotherapeutische Behandlungsstrategien

Im Vordergrund stehen hier vor allem aktive Maßnahmen der Bewegungstherapie, stadien- und altersadaptiert von krankengymnastischen Interventionen bis hin zu regelmäßigen körperlichen Trainingsmaßnahmen reichend, wobei eine gleichmäßige und vor allem kontinuierliche, möglichst lebenslange Belastung der Rumpfwirbelsäule sowie der angrenzenden großen Extremitätengelenke mit Einschluss posturaler Kräftigungsübungen die wichtige muskuläre Trophik und Stabilisierungsfähigkeit erhalten soll und gleichzeitig einem überproportional inaktivitätsbedingten Abbau der Mineralsubstanz des Knochens entgegenwirkt. Unter diesem Aspekt ist eine Immobilisation, auch bei akuten Beschwerden, eher kontraproduktiv. Aus früheren Longitudinalen und Interventionsstudien in den 70er und 80er Jahren ergaben sich bereits deutliche Hinweise auf eine Alters-, Intensitäts- und Übungsspezifität des Trainings in Bezug auf den Knochenstoffwechsel. Geht es in der Jugend im Wesentlichen um den Aufbau einer möglichst hohen Spitzenknochenmasse mit hoher biomechanischer Knochenkompetenz durch regelmäßige muskuläre Grundlagenkonditionierung, steht im Erwachsenenalter zumindest die Verlangsamung des Knochenmasseverlustes bei Erhalt der muskulären Grundlageausdauer und Kraft, im betagten Seniorenalter hingegen die grundlegende Sicherung der selbständigen Alltagsmobilität mit Gleichgewichts- und Geschicklichkeitsschulung sowie Verbesserung der unbewussten Propriozeption zur Reduktion des Sturzrisikos im Vordergrund (Tabelle 18). Dementsprechend kann die physikalische trainingsorientierte Therapie unter den Schwerpunkten der Prävention, Behandlung sowie Rehabilitation bei Osteoporose altersabhängig sinnvoll strukturiert werden (Tabelle 19), auch wenn die wissenschaftliche Studienlage bezüglich definierter Spezifität, Methodik und Interaktion noch keine homogenen Daten höchsten Evidenzgrades bereithält.

Die physiotherapeutischen Interventionsstrategien richten sich vor allem nach dem subjektiven Beschwerdebild: Je akuter die Symptomatik, desto schonender die Behandlung. Zur Verfügung stehen hier Einzelbehandlungsmaßnahmen mit gezieltem Funktions- und Krafttraining bei früher (Grad I-II) oder fortgeschrittener (Grad II-III) Osteoporose (s. Abb. 1 und 2). Gerade

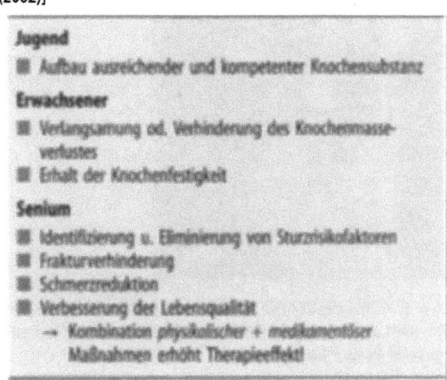

Tabelle 18. Bewegungstherapie zur Prävention, Behandlung und Rehabilitation der Osteoporose. [Position Statement of the NAMS; Menopause 9/2 (2002) Venth, RT; Z Gastroenterol 40/Suppl. 1 (2002)]

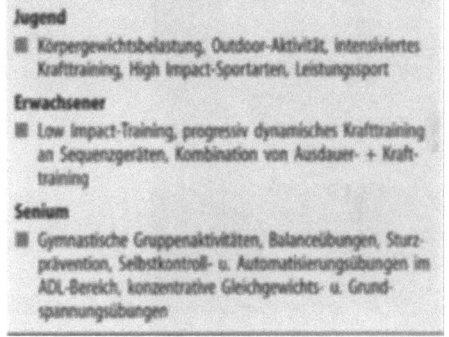

Tabelle 19. Alters- und stadienadaptierte physikalische Therapie zur Prävention, Behandlung und Rehabilitation der Osteoporose. [Hendersson, HK; White, CP; Eisman, JA: Endocrinol Metab Clin North Am 27/2 (1998)]

bei frischen Frakturen ist die Balneotherapie im wohltemperierten Wasser (Auftriebsprinzip) erheblich schmerzentlastend und beweglichkeitsfördernd. Nach entsprechender Anbahnung durch isometrische Haltungsübungen auch unter Einsatz von kleinen Widerständen und Lastgewichten (z.B. Theraband, Kleinhantel, Gewichtsmanschetten) sind meist im Intervall von 6 Wochen auch repetitive Übungen im Rahmen der überwachten medizinischen Trainingstherapie (MTT) an speziellen Geräten (Ergometer, Stepper, Rollenzüge u.a.) möglich.

Bei der krankengymnastischen Gruppentherapie sollte auf eine beschwerde-, leistungs- und stadiengerechte Zusammenstellung des Krankengutes geachtet werden, wobei hier für betag-

Abb. 1. Kräftigungstherapie bei Osteoporose Grad I–II (*Cross-Trainer* zum aeroben, axial belasteten, dynamischen Konditionstraining mit Beinkräftigung)

Abb. 2. Kräftigungstherapie bei Osteoporose Grad II–III (balancierende Rumpfaufrichtung im Sitzen)

te Patienten Hocker- und Hantelgruppen, für noch gut mobile Patienten anspruchsvollere Osteoporosegruppen und für jüngere, weitgehend belastbare Patienten Gruppen der „leichten" und „schweren" Rückenschule denkbar sind. Wesentliche Bestandteile sollten hier ein gezieltes muskuläres Kraft-, Balance- und Koordinationstraining zur Sturzprophylaxe sowie das Üben von Alltagsbewegungen sein.

Passive Behandlungsstrategien werden vom Patienten meist als sehr wohltuend empfunden und sind aus diesem Grunde als sinnvolle ergänzende Maßnahmen vor allem zur lokalen Schmerzlinderung und Detonisierung der teilweise überforderten Muskulatur anzusehen. Neben Wärmepackungen (Wickel, Fango, heiße Rolle), Heißluft sowie Elektrotherapie (z. B. Interferenzstrom, Stangerbad) stehen hier milde manuelle Massagen und gegebenenfalls lokale Triggerpunktbehandlungen an den stabilisierenden Rückenstreckern und angrenzenden Extremitätenübergängen im Vordergrund.

Maßnahmen der Ergotherapie

Nur in sehr desolaten Fällen ist ein gezieltes Selbsthilfetraining zum Erhalt der ADL's wichtig. Bei eingeschränkter Funktionalität bietet sich die Versorgung mit speziellen Hilfsmitteln (z. B. Greifzange, Schuh- und Strumpfanziehhilfen) an. Auch der Einsatz eines teilentlastenden Gehstockes, einer oder zwei Unterarmgehstützen bzw. eines Rollators ist im Einzelfall sicher überlegenswert (Sturzprävention!).

Orthetische Versorgung

In Abhängigkeit vom subjektiven Beschwerdebild sowie vom Ausprägungsgrad des Leidens ist in wenigen Einzelfällen die Versorgung mit einer lumbalen oder thorakolumbalen Orthese ratsam.

Elastische Leibbinden aus Drellstoffen, die Bauch und Becken zirkulär umfassen, zielen auf eine Aktivitätssteigerung der lumbalen Rückenstreckmuskulatur ab; sie beinhalten keine wesentliche Bewegungsbeeinträchtigung der Rumpfwirbelsäule. Hauptindikation sind vor allem leichtere Osteoporosen mit insuffizienter Abdominalmuskulatur ohne eingetretene Wirbelkörperfrakturen.

Flexible Mieder, partiell verstärkt durch Stäbe und Pelotten, umfassen ebenfalls Becken und Rumpf. Auch sie dienen einerseits der Aktivitätssteigerung der Rückenmuskulatur sowie einer Erhöhung des intraabdominellen Druckes. Neuere Entwicklungen stellen hier die besonders eng anliegenden und daher auch kosmetisch besser akzeptierten Osteoporosebodys, teilweise mit zusätzlich zuggurtenden, teilrigiden Aufrichtungselementen im Paravertebralbereich sowie leibunterstützenden Redressionsgurten mit Klettverschluss dar. Über ihre stützende Teilfixierung des Rumpfes führen sie zu einer statischen Entlastung und auch propriozeptiv vermittelten Aufrichtung der LWS, ohne die Rotationsbeweglichkeit wesentlich einzuschränken. Verordnet werden diese Hilfsmittel vor allem bei einer beginnenden, klinisch bereits symptomatischen Osteoporose noch ohne wesentliche strukturelle Störung.

Diesen beiden Rumpfstützen werden die Korsette gegenübergestellt, die teilfixierend, fixierend oder korrigierend in der frontalen, sagittalen und/oder horizontalen Ebene wirken. Sie stabilisieren die Lenden- und/oder Rumpfwirbelsäule an das Becken im Sinne einer Rahmenabstützung. Eine 3-Punkt-Orthese ist ein passiv-mechanischer Apparat zur statisch-mechanischen Sicherung der lumbalen Wirbelsäule in Hyperextension nach dem 3-Punkte-Prinzip (Sagittalebene), was zu einer Entlastung der ventralen Anteile der lumbalen Wirbelsäule führt und die Anteklinationsbewegung limitiert. Oft bestehen bei diesen Orthesen nicht unerhebliche Probleme mit dem korrekten Passsitz, was die Compliance dann deutlich beeinträchtigt. Die Indikation erstreckt sich in erster Linie auf Fälle mit tief sitzenden Kyphosen und bereits eingetretenen LWK-Kompressionsfrakturen.

Die ausschließlich passiven Thorakolumbalorthesen werden im Allgemeinen als Halbfertigprodukte oder Bausätze angeboten, teilweise aber auch individuell gearbeitet. Sie führen durch ihre stabile Rahmenkonstruktion mit Rückenspangen und Reklinationspelotten mit oberer und unterer Abstützung zu einer weitergehenden Rumpfimmobilisierung. Ihr Einsatz ist schweren destruierenden Prozessen mit hochgradigen Schmerzbildern vorbehalten; zur Verhinderung einer Rückenmuskelatrophie sollten sie in erster Linie in der hochschmerzhaften Akutphase getragen werden.

Grundsätzlich gilt bei Verordnung einer Rumpforthese der Grundsatz der Minimalversorgung: So dynamisch wie möglich, so fixierend wie nötig. Behandelt werden im Wesentlichen akute oder chronische Schmerzbilder, die Wirbelsäule soll stabilisiert bzw. in ihrer Stellung korrigiert werden und vor einer übermäßigen Belastung geschützt werden. Weitere Frakturen sollen verhindert werden, wobei die Mobilität des Patienten möglichst erhalten bleiben sollte. Zur optimalen Akzeptanz ist vor allem der Tragekomfort entscheidend (leichte Handhabung, kein Auftragen, keine Beeinträchtigung der Atmung, kein gastroösophagealer Reflux).

Schlussfolgerungen

In Kenntnis der Krankheitshäufigkeit sowie der klinischen Problematik bezüglich Komplikationen und hierdurch bedingter Folgekosten ist die grundlegende Therapie der Osteoporose im Wesentlichen präventiv. Die individuell heterogene Ausprägung des Krankheitssyndromes Osteoporose erfordert eine frühzeitigere und expansivere Behandlungsoffensive, die über eine rein knochenmassenorientiere Sichtweise hinausgeht. Der Prävention der schwerwiegendsten Osteoporosefolge, der Fragilitätsfraktur, und der Analyse ihrer multifaktoriellen Entstehungsfaktoren zur konservativen Interventionssteuerung kommt angesichts limitierten Ressourcen ein besonderer Stellenwert zu. „Wer rastet der rostet" – bis auf die teils frühzeitiger medikationspflichtigen sekundären Osteoporoseformen verdeutlicht dieses Motto, dass insbesondere den bewegungsorientierten, diätetischen und remobilisierenden Maßnahmen das Prädikat basiswirksam bzw. primärprophylaktisch zukommt und diese deshalb in diesem Zusammenhang stets als wichtigste Eckpfeiler anzusehen sind.

Literatur

Bartl R, Bartl C (Hrsg) (2004) Osteoporose-Manual. Diagnostik, Prävention und Therapie. Springer, Berlin Heidelberg

Bartl R (Hrsg) (2001) Osteoporose. Thieme, Stuttgart

Böttcher-Bühler E (1999) Kongressreport zu VitD-Metaboliten bei Osteoporose. MMW – Fortschr. Med. 117. Jg., Nr. 3 – Orthopädie und Rheuma 2. Jg., Nr. 1 1–12

Cranney A et al (2002) Summary of Meta-Analyses of Therapies for Postmenopausal Osteoporosis. Endocrine Reviews 23, 4:570–578

Crepaldi G, Meunier PJ (Vors.) (2003) Die Innovation in der Behandlung der Osteoporose. Satellitensymposium zu Strontiumranelat in Zusammenarbeit mit Fa. Servier. 4. Europäischer Jahreskongress für Rheumatologie – EULAR, Lissabon

Götte S, Dittmar K (2001) Epidemiologie und Kosten der Osteoporose. Der Orthopäde 7:402

Hedtmann A, Götte S (Hrsg) (2002) Osteoporose. Praktische Orthopädie, 41. Jahrestagung des Berufsverbandes der Ärzte für Orthopädie e.V. Steinkopff, Darmstadt

Heisel J (1999) Sinnvoller Einsatz lumbaler Orthesen in der Rehabilitation. Orth Prax 35:89

Marie PJ, Ammann P, Boivin G, Rey C (2001) Wirkmechanismen und therapeutisches Potential von Strontium am Knochen. Calcif Tissue Int 69/3:121–128

McClung MR et al (2001) Effect of risedronate on the risk of hip fracture in elderly women. N Engl J Med 344:333

Minne HW (2001) Osteoporose 2001. Gesellschaftliche Bedeutung – Diagnostik – Therapeutische Maßnahmen. Springer, Heidelberg: 3–31

Peters A (2002) Calcium – Medizinische Relevanz und Sicherheit in der Osteoporosetherapie nach den Kriterien der Evidenz-basierten Medizin. Z Orthop 140:248–250

Pfeifer M, Lehmann R, Minne HW (2001) Die Therapie der Osteoporose aus dem Blickwinkel einer Evidenz basierenden Medizin. Med Klin 96, 5:270–280

Pfeifer M, Wittenberg R, Würtz R, Minne HW (2001) Schenkelhalsfrakturen in Deutschland. Prävention, Therapie, Inzidenz und sozioökonomische Bedeutung. Dt Ärztebl 98:B1502

Pfeilschifter J (2001) Hormonsubstitution und SERM in der Prophylaxe und Therapie der postmenopausalen Osteoporose. Der Orthopäde 7:462–472

Pfeilschifter J (2003) DVO – Die Leitlinien des Dachverbandes Osteologie zur Osteoporose 2003/2004. AZ Druck und Datentechnik GmbH, Kempten im Auftrag des Hans Huber Verlages, Bern

Pollähne W, Bröll H, Burckhardt P, Delling G, Minne HW (Hrsg) (1999) Therapie primärer und sekundärer Osteoporosen. Thieme, Stuttgart New York

Ringe JD (Hrsg) (1991) Osteoporose. Pathogenese, Diagnostik und Therapiemöglichkeiten. Walter de Gruyter, Berlin New York

Ringe JD (2001) Fluoride und Bisphosphonate in der Therapie der Osteoporose. Der Orthopäde 7:456–461

Ringe JD, Nickelsen TN (2003) Rekonstruktion osteoporotischen Knochengewebes mit Teriparatid. Arzneimitteltherapie 21:194–199

Ringe JD (2004) Schmerztherapie bei Osteoporose. Orthopädie und Rheuma 1:48–52

Rote Liste 2004: Arzneimittelverzeichnis für Deutschland. Cantor Verlag, Aulendorf

Schacht E (2000) Osteoporose bei rheumatischer Arthritis – Bedeutung von Alfacalcidol in der Prävention und Therapie. Z Rheumatol 59:(Suppl. 1), I/10–20

Scharla SH (1999) Osteoporosetherapie: VitD nativ oder als Hormon? MMW – Fortschr Med 141 Jg, Nr. 31–32, 32–36

Seibel MJ (2001) Evaluation des osteoporotischen Frakturrisikos. Dt Ärztebl 98:B1443–1448

Nutzbare Hilfsmitteleffekte und Konstruktionsprinzipien als Orientierungshilfe für die Osteoporosetherapie

I. Barck

Zusammenfassung

Die osteoanabole medikamentöse Therapie benötigt eine längere Laufzeit, ehe sie nennenswerte Effekte erzielt und ist als Langzeittherapie ausgerichtet. Aus diesem Grund kann primär die Verordnung einer Orthese im Rahmen der Schmerztherapie angezeigt sein.

Obwohl weitere Kompressionen von Wirbelkörpern nicht vollständig vermieden werden können, verhindert die Einschränkung kritischer Bewegungen Belastungsspitzen und sichert eine eher physiologische Lastübertragung auf Wirbelkörperteilbereiche.

Drei-Punkt-Korsette werden von den älteren Patienten in der Regel schlecht toleriert. Moderne Reklinationsorthesen und Mieder sind vorzuziehen und erhöhen Aktivität und Gangsicherheit.

Neben der aufrichtenden und bewegungslimitierenden Wirkung einer Orthese sind Bandageneffekte (z. B. Bauchraumkompression) in der Therapie der Osteoporose von Bedeutung. Orthesen mit entsprechendem Konstruktionselement verbinden externe mit internen Wirkmechanismen.

Mahnorthesen sind geeignet bei initialem Stadium der Erkrankung über eine aktive Verbesserung der Körperhaltung die Rumpfmuskulatur zu trainieren.

Besteht ein weit fortgeschrittenes Stadium der Osteoporose, tolerieren die Patienten keine Bauchraumkompression. In solchen Fällen muss – soweit überhaupt möglich – ein rein passives Orthesensystem gewählt werden.

Die grundsätzlichen Wirkmechanismen von Rückenprodukten zur Osteoporosebehandlung werden erläutert.

Hüftprotektoren sind geeignet beim Sturz eine Vielzahl Schenkelhalsfrakturen zu verhindern.

Das mittlerweile große Angebot an orthopädischen Hilfsmitteln macht es dem verordnenden Arzt zunehmend schwer, den Überblick zu behalten und das für den einzelnen Patienten therapeutisch beste Hilfsmittel – auch unter ökonomischen Gesichtspunkten – zu ermitteln. Gelerntes ist durch Entwicklungen konfektionierter Produkte oder Halbfertigprodukte schnell überholt und so ergeben sich bei dem Fortbildungsbedarf, den unsere Zeit fordert, leicht Defizite auf dem Sektor der Orthopädietechnik.

Jede Diagnose verlangt nach einer speziellen Therapie, und auch die Hilfsmittel müssen separat für bestimmte Indikationen ausgesucht werden. Die therapeutischen Möglichkeiten mit orthopädischen Hilfsmitteln sollen im Folgenden für die Osteoporose näher beleuchtet werden.

Die Wirbelsäule, als Ort erster Frakturen, steht bei der Osteoporose zumeist im orthopädischen Blickpunkt. Schmerzen führen die Patienten zum Arzt. Ausgelöst werden diese entweder akut infolge einer frischen Fraktur [21] oder schleichend aufgrund statischer Veränderungen und damit einer Überlastung muskulo-ligamentärer Strukturen [8].

Nach der Diagnosestellung sind Medikamente und Physiotherapie zwei wesentliche Pfeiler der Osteoporosebehandlung (Abb. 1). Die osteoanabole medikamentöse Therapie bedarf allerdings einer längeren Laufzeit [8, 14], ehe nennenswerte Effekte erzielt werden und ist demzufolge als Langzeittherapie ausgerichtet (Abb. 2).

Die Orthopädietechnik stellt Mittel zur Verfügung, um unmittelbar Hilfe leisten zu können. Entwicklungen der Industrie haben das Spektrum erweitert und schufen die Voraussetzung mit Halbfertig- und Fertigprodukten die Versorgungen ohne Verzögerung vornehmen zu können. Kurzfristige Ziele der Anwendung dieser orthopädischen Hilfsmittel sind die Schmerzreduktion und Mobilisation des Patienten. Langfristig unterstützen sie das Bemühen, weitere Frakturen zu verhindern und die Selbstständigkeit und damit die Lebensqualität zu erhalten [18].

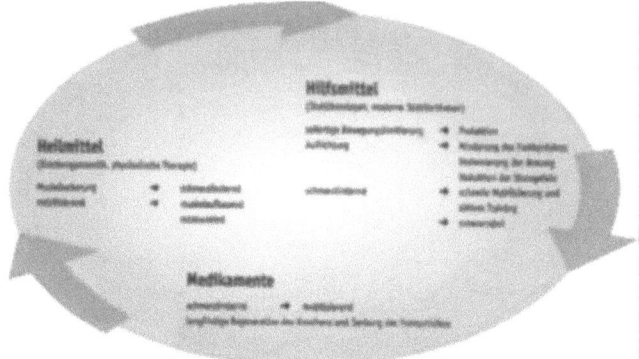

Abb. 1. Therapiespektrum

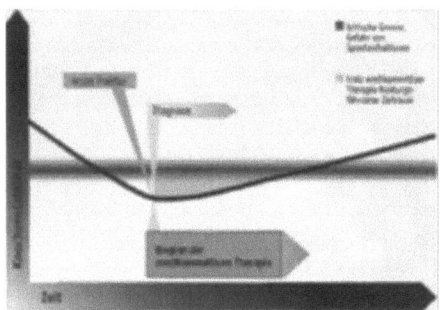

Abb. 2. Lange Laufzeit für die Reduktion des Frakturrisikos durch eine medikamentöse osteoanabole Therapie

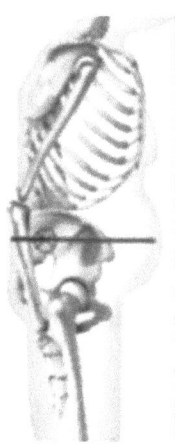

Abb. 3. Weichteilmassen wirbelsäulennah (= kürzerer Lastarm) bedeuten weniger Last für die Rückenmuskulatur und die Wirbelsäule

Auch für die orthopädischen Hilfsmittel gilt, nur die Kenntnis der einzelnen Produkte und ihrer Konstruktionsmerkmale und der daraus resultierenden medizinischen Wirkmechanismen ermöglicht eine zielgerichtete und zweckdienliche Verordnung.

Hilfsmitteleffekte, die bei der Osteoporose eine Rolle spielen, sind u. a. der Ausgleich von Bauchmuskelinsuffizienzen [8]. Elastische oder unelastische Materialien komprimieren bzw. stützen die Bauchdecke, die beispielsweise beim Kugelbauch aufgrund einer Annäherung von Muskelansatz und -ursprung infolge der Wirbelkörpersinterungen ein Teil ihrer Stabilisationsfunktion für den Rumpf verloren hat [5]. Die nach vorne verlagerten Weichteilmassen würden zudem aufgrund ungünstiger Hebelverhältnisse (Abb. 3) die Rückenmuskulatur und damit auch die Lendenwirbelsäule belasten [8]. Eine hier oft bestehende Hyperlordose infolge der Kompensationshaltung bei Hyperkyphose der BWS [5] kann verstärkt werden. Bei bereits schweren Verformungen der Wirbelsäule und damit einem Verlust der Brustkorbatmung muss darauf geachtet werden, dass diese Patienten sehr sensibel auf eine Bauchraumkompression und damit Beeinflussung ihrer Zwerchfellatmung reagieren können. Durch eine gezielte Materialauswahl (unelastisch, elastisch) und Hebung des Unterbauches unter Freilassung der Atembewegungen im Oberbauch können funktionsfähige Kompromisslösungen erreicht werden.

Der Aspekt, dass eine positive Beeinflussung der Sensomotorik erzielt wird, wie es für Bandagen nachgewiesen wurde [21], ist auch bei diesem Krankheitsbild interessant. Dieses lässt sich zur Zeit allerdings nur vermuten, da für die Osteoporose noch keine ausreichenden wissenschaftlichen Nachweise existieren. Erklären

Abb. 4. Ungleichmäßige Lastverteilung der Grund- und Deckplatten bei Hyperkyphose mit der Gefahr der Keilwirbelbildung

würde es zumindest das von den Patienten oft angegebene, gesteigerte Sicherheitsgefühl bzw. der Eindruck einer besseren Rumpfstabilität.

Eine Bewegungslimitierung und auch die Haltungskorrektur (Abb. 4) können dafür sorgen, Schmerzen zu reduzieren [5, 9]. Dieses ist bei den Betroffenen notwendig, um sie zu mobilisieren oder mobil zu halten. Bei einem hohen Frakturrisiko sollten endgradige Bewegungen und damit hohe Belastungen für Wirbelkörperteilbereiche [9] als Auslöser von Wirbelfrakturen vermieden werden [5, 16]. Die Argumentation, aufgrund einer drohenden Muskelatrophie kein Rückenprodukt zu verordnen, ist deshalb nicht schlüssig, da die Ursache einer Muskelatrophie in diesem Fall ausschließlich die mangelnde Bewegung bzw. Belastung sein kann. Verharrt der Patient im Bett oder Sessel, bildet sich die Muskulatur und damit auch der Knochen zurück, unabhängig davon, ob er eine Orthese trägt oder nicht. Wird der Patient durch sein Hilfsmittel aber unterstützt (z.B. schmerzreduziert, Sicherheitsgefühl) entsteht so z.T. erst die Voraussetzung für die nötige Bewegung und Belastung [16]. Zu Beginn passiv vorgegebene Haltungen können Überlastungen einzelner Muskelbereiche aufheben und eine physiologische Ausgangsposition für ein erfolgreiches Muskeltraining schaffen [23]. Dass sich die Rückenmuskulatur auch unter maximaler Bewegungseinschränkung von außen (Gips) trainieren lässt, zeigen Böhlers Untersuchungen bereits zu Beginn des vergangenen Jahrhunderts [3].

Hilfreich bei der Verordnung eines Rückenproduktes ist die Orientierung an den grundlegenden medizinischen Wirkmechanismen. Diese sind wie bereits dargelegt die Bauchwandstützung mit sensomotorischem Beeinflussungspotential, die Bewegungslimitierung und die Aufrichtung. Letztere kann „aktiv" in Form einer Mahnfunktion (z.B. Drei-Punkt-Korsett) oder „passiv" wie beispielsweise beim Stabgittermieder sein. Die Bewegungslimitierung und Aufrichtung können in der Höhe des manipulierten Wirbelsäulensegmentes, der Richtung und des Ausmaßes verschieden sein. Wie man bereits an den Beispielen erkennt, lassen sich die Produkte nur selten auf einzelne Wirkmechanismen reduzieren. In der Regel handelt es sich um eine Kombination der verschiedenen Effekte mit unterschiedlichen Schwerpunkten. Beispielsweise besitzt das Drei-Punkt-Korsett neben seiner „aktiven" auch eine „passive" Aufrichtungsfunktion. Diese kommt immer dann zur Geltung, wenn sich der Patient in das System „reinhängt". Aufgrund der unangenehmen Brustbein- und Symphysenpelotte wird der Patient jedoch versuchen, dauerhaft starken Druck in diesen Bereichen zu vermeiden und versuchen, sich aktiv aufzurichten bzw. zu reklinieren. Die erzielte Bewegungslimitierung (beim Dreipunktsystem nach Vogt/Bähler bevorzugt in ventraler Richtung und beim Jewettsystem zusätzlich in frontaler Ebene) besitzt einen gleichen Stellenwert. Wie wichtig der Tragekomfort in der Therapie ist, zeigt sich gerade an der mangelhaften Compliance dieser Produkte [4, 9, 22] speziell bei älteren Patienten [16].

Bei jeglichen Mahnbandagen oder -Orthesen ist zu berücksichtigen, dass die Patienten in der Regel unfähig sind, eine ungewohnte Körperhaltung längere Zeit aktiv zu stabilisieren [2, 4]. Eine „längere Zeit" kann im Einzelfall nur wenige Minuten bedeuten. Der Patient muss also mit dem Produkt trainieren, um auf entsprechende Tragezeiten zu kommen. Den Rest der Zeit liegt er entweder im Bett, oder er bewegt sich ohne den Schutz der Orthese. Je größer also der Anteil der „aktiven" Aufrichtungswirkung eines Produktes ist, um so eher ist dieses als Trainingsgerät zu klassifizieren. So vorteilhaft die „Aktivität" in der Osteoporosetherapie auch ist, sollte gerade bei Patienten, die eine unmittelbare, dauerhafte Aufrichtung und dosierte Bewegungslimitierung benötigen, ein überwiegend passives System gewählt werden. Ein begleitendes krankengymnastisches Training z.T. auch mit Orthese ist dann der richtige und notwendige Weg Muskulatur aufzubauen.

Neben den medizinischen Wirkmechanismen spielt die Beurteilung der Handhabung und des Tragekomforts eines Rückenproduktes bei der Auswahl des richtigen Hilfsmittels eine nicht unerhebliche Rolle. Bei Produkten, die über der Kleidung getragen werden, kommt dann das Design als Entscheidungskriterium noch hinzu. Der Patient muss nicht nur mit dem Hilfsmittel umgehen können, also es an- und ablegen, richtig positionieren und reinigen können, sondern er muss bereit sein, das Produkt zu tragen. Der verordnende Arzt und auch der versorgende Orthopädietechniker haben einen wesentlichen Einfluss auf die Compliance. Sie müssen dem Patienten die Bedeutung der Hilfsmittelversorgung in dem gesamten Behandlungskonzept vermitteln und den Umgang erläutern. Die Hilfsmittelabnahme des Arztes am Patienten ist hier ein wichtiges Instrument der Einflussnahme.

Ist ein Osteoporosepatient untersucht und diagnostiziert, wird ein Therapieplan entwickelt. Dieser setzt eine Festlegung der Behandlungsziele (Nah- und Fernziele) voraus. Beispielsweise steht die Schmerzreduktion als Nahziel [20] sicherlich mit im Vordergrund. Dabei ist es wichtig, die Schmerzauslöser zu benennen. Ist es eine frische Fraktur, besteht die Lösung z.B. in der externen Stabilisierung bzw. Bewegungseinschränkung mittels Orthese, einer bedarfsgerechten Gabe von Analgetika und ggf. physikalischen Anwendungen, um den Muskeltonus zu reduzieren. Bestehen chronische Schmerzen aufgrund statischer Veränderungen und Fehlhaltungen, so steht die aufrichtende Orthese im Mittelpunkt. Bei ausgeprägter Beschwerdesymptomatik und wie zumeist insuffizienter Rumpfmuskulatur empfiehlt sich eine passiv aufrichtende Orthese mit begleitendem krankengymnastischen Muskelaufbau und Haltungstrainings. Analgetika, Myotonolytika und physikalische Anwendungen ergänzen die Therapie bedarfsgerecht. Erst beginnende Schmerzen infolge einer Fehlhaltung bei stark motiviertem Patienten können mit einem überwiegend aktiv aufrichtendem System (Mahnbandage) angegangen werden.

Die Bestimmung differenzierter und an den Beschwerdeauslöser orientierter Behandlungsziele verdeutlicht, ob der Einsatz eines orthopädischen Hilfsmittels sinnvoll ist.

Allgemein schwierig ist die Versorgung, wenn kein ausreichender Leidensdruck vorliegt. In dem Fall kann im Gespräch mit dem Patienten geklärt werden, was er zu tragen bereit ist. Hierbei sind Kompromisse möglich, die vom Leistungsniveau niedriger einzuordnen sind, aber zumindest Teileffekte beinhalten. So könnte beispielsweise eine Bandage mit integrierten Stäben mit ihrer Bauchwandstützung, geringen Bewegungslimitierung und Aufrichtung einem Patienten Hilfe leisten, der eigentlich ein stärker und höher aufrichtendes Produkt benötigt hätte.

Hilfsmittel, die keine unmittelbare Beschwerdebesserung bewirken (z.B. Mahnorthesen), droht ebenfalls eine schlechtere Akzeptanz beim Patienten. Die Compliance wird zusätzlich durch Faktoren wie z.B. schlechter Tragekomfort, schwierige Handhabung und „unschönes" Produktdesign negativ beeinflusst.

Zum besseren Verständnis kann man die Rückenprodukte für die Osteoporosebehandlung systematisch nach Konstruktionsmerkmalen einteilen. Ein Produktkonzept, welches bisher noch nicht genannt wurde, ist der passive „Gradehalter". Er funktioniert wie ein Rucksack und soll mit seinem Eigengewicht die Patienten aufrichten. Auch wenn eine Pilotuntersuchung Hinweise für positive Behandlungsresultate gefunden hat [11], ist das Produkt doch eher fraglich, da es eine zusätzliche Last auf die Schultern und damit auf die Wirbelsäule bringt.

Als weitere Gruppe gibt es die Mahnorthesen. Hierunter lassen sich starre Systeme wie das Drei-Punkt-Korsett (nach Vogt/Bähler und Jewett) mit ventralen Mahnpelotten und Systeme mit Bauchraumkompression und einer dorsalen Schiene in Kombination mit rucksackähnlichen Reklinationsgurten (z.B. Torso Stretch, Spinomed) einordnen. Das Problem des Drei-Punkt-Korsetts wurde bereits angesprochen. Bei den Rucksacksystemen ist darauf zu achten, dass es ähnlich wie beim Rucksackverband zu keiner Einschnürung in der Achselhöhle und damit Druck auf das Gefäß-Nervenbündel kommt. Die Zugrichtung der Rucksacksysteme an den Schultern ist angesichts ihrer Verankerung schräg nach dorsokaudal. Problematisch wird beides erst dann, wenn sich der Patient in die Schultergurte reinhängt, was den Charakter der Produkte als nicht stabilisierende, sondern lediglich mahnende Systeme unterstreicht.

Die Gruppe der Lumbalbandagen enthält eine große Menge an Produkten, die sich u.a. in dem Ausmaß der stabilisierenden und bewegungslimitierenden Konstruktionselemente (in der Regel flexible Stäbe) unterscheiden. Es gibt sie auch mit Reklinationszügeln (z.B. Vibrosta-

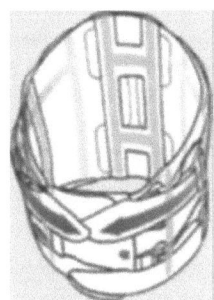

Abb. 5. Konfektioniertes Kreuzstützmieder mit 8–10 Korsettstäben: SecuTec Dorso

tic, Camp TLS), die allerdings nur begrenzt wirksam sind.

Abgrenzen möchte ich hiervon das Stabgitter- bzw. Lindemannmieder. Diese reichen bis knapp unter die Schulterblätter und verfügen bereits über ein relativ hohes Maß an aufrichtender und bewegungslimitierender Wirkung. Sie werden nach Maß gefertigt. In modifizierter Ausführung (Abb. 5) erhält man diese auch konfektioniert (z. B. SecuTec Dorso oder CAMP-Kreuzstützmieder).

Eine eigene Gruppe aufgrund der dorsal stützenden Eigenschaften bis in den hohen thorakalen Bereich sind die Rumpfstützmieder. Konfektioniert gibt es bodyähnliche Mieder, die dorsal einen reklinierenden Stab enthalten (z. B. Spinomed aktiv). Dieser kann an die therapeutischen Bedürfnisse angepasst werden und limitiert fast ausschließlich die Bewegungen in sagitaler Ebene. Die Wirksamkeit ist bei Produkten mit unelastischen und zugstabilen Textilzonen, die die reklinierende Kraft übertragen, deutlich besser (DorsoTrain). Diese werden in der Regel nach Maß gefertigt. Aus dieser Gruppe fällt der Osteomed heraus. Der Hersteller unterstellt, dass über dorsale Luftpolster propriozeptiv eingegriffen und so die aufrichtende Muskulatur „ermüdungsfrei" aktiviert würde.

Die größte externe Bewegungslimitierung bieten die Reklinationsorthesen. Aufteilen lässt sich diese Gruppe in starre Schalensysteme mit ventral aufrichtenden Pelotten (z. B. aufgebautes BOB, Becker-Habermann-Korsett mit Sternalpelotte nach Gschwend, Reklinationskorsett nach Hepp-Kurda) und Systeme, die Stabgefüge zur Bewegungslimitierung verwenden und mittels Schultergurten aufrichten (z. B. SofTec Dorso, Dorsolumbal-Orthese „Taylor"). Zwischen den starren Schalen- und Stabsystemen sind verschiedene Va-

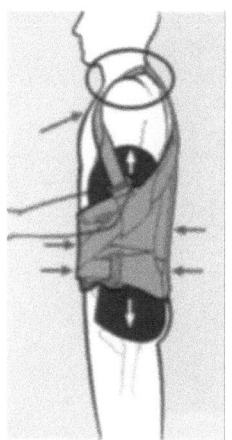

Abb. 6. Regulierbare Bauchwandstützung einer Reklinationsorthese aus der Gruppe der Stabsysteme

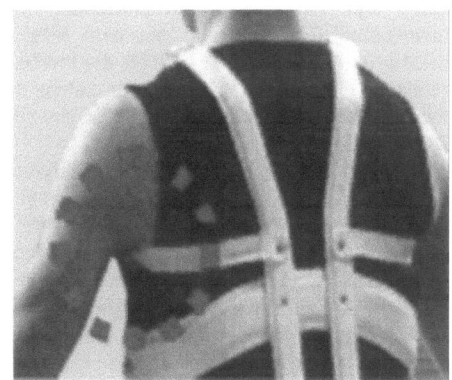

Abb. 7. Kritischer Achselbereich

riationen möglich. So können Schultergurte auch mit Brustpelotten kombiniert werden (z. B. Arthromax TLSO-Plus). Die starren Reklinationsorthesen werden nicht für die Osteoporosetherapie empfohlen [1] und sollten auf Sonderfälle begrenzt bleiben. Bei den „Stabprodukten" lässt sich in der Regel die Bauchwandstützung regulieren (Abb. 6). Mit ihnen ist es möglich, Patienten ohne nennenswerten Zeitverlust zu versorgen, da sie vielfach als Halbfertigprodukte von der Industrie angeboten werden. Sie unterscheiden sich z. T. deutlich hinsichtlich ihres Stabilisationsgrades, der Schultergurtführung, Handhabung und des Tragekomforts. Einige Orthesen haben Schultergurte, die ähnlich einem „Rucksackverband" unter der Achselhöhle streng nach dorsal geführt sind. Dieses kann eine Gefäß-Nerven-Irritation hervorrufen (Abb. 7). Für ältere Patienten stellt

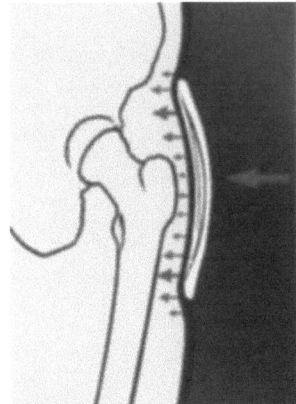

Abb. 8. Stoßumverteilung auf das umgebende Weichteilgewebe durch eine Hüftprotektorschale

eine unübersichtliche Gurtanordnung ein unüberwindbares Hindernis bei dem Versuch des An- und Ablegens oder auch bei der Produktreinigung dar. Vorteilhaft in der Anwendung des dynamischen Systems SofTec Dorso ist u.a. eine Dosierbarkeit der Reklinationskraft.

Die Schenkelhalsfraktur ist auch aufgrund der damit verbundenen erhöhten Mortalität eine schwerwiegende Komplikation der Osteoporose. Mit abnehmender Knochendichte sinkt die Frakturschwelle (Sturzlast, die zu einer Fraktur führt) [6]. Bei einem Vitamin-D-Mangel besteht zudem eine erhöhte Sturzgefahr [19]. Beides macht deutlich, wie wichtig es gerade für Osteoporosepatienten ist, eine Verletzungsprophylaxe zu betreiben. Eine Möglichkeit der Prophylaxe besteht in der Anwendung von Hüftprotektoren [7, 10, 12, 13, 17, 24]. Alle anerkannten Systeme arbeiten mit dem Prinzip der Lastumverteilung (Abb. 8). Die sturzbedingten Kräfte werden zu einem erheblichen Anteil über Protektorschalen von dem Trochanter auf das umgebende Weichteilgewebe verteilt. Die im Schenkelhals wirksam werdenden Kräfte werden so auf ein für den Knochen verträgliches Maß reduziert.

Die Compliance bei diesen Produkten ist sehr davon abhängig, welche Anleitung die Patienten erhalten [15].

Das Angebot an orthopädischen Hilfsmitteln insbesondere in Form konfektionierter oder halbfertiger Produkte ist mittlerweile auch hinsichtlich der Osteoporosetherapie sehr gut. Sind einmal Therapieziele definiert, sollte ein Produkt unter Berücksichtigung der benötigten Wirkmechanismen ausgewählt werden. Die Einteilung der Hilfsmittel nach Konstruktionsmerkmalen kann hierbei hilfreich sein. Der Patient sollte wenn möglich in die Entscheidung mit einbezogen werden. Dabei ist es für die Compliance wichtig, dem Patienten die Bedeutung des Medizinproduktes für den gesamten Therapieerfolg nachvollziehbar zu vermitteln.

Literatur

1. Baumgartner R, Greitemann B (eds) (2002) Grundkurs Technische Orthopädie. Thieme, New York Stuttgart
2. Begerow B, Pfeifer M, Minne HW (2002) Rückenorthese bei Osteoporose. Orthopädie-Technik 2:86–89
3. Böhler L (eds) (1932) Technik der Knochenbruchbehandlung. Wilhelm Maudrich, Wien
4. Boluki D (2001) Stabilität nach Maß. Orthesenversorgung bei Osteoporose. Orthopädie & Rheuma 6:32–34
5. Broll-Zeitvogel E, Tyws J, Ludwig J, Fehlberg L (1998) Indikationen zur Orthesenversorgung bei Osteoporose. Med Orth Tech 118:42–45
6. Courtney AC, Wachtel EF, Meyers ER, Hayes WC (1994) Effects of loading rate on strength of the proximal femur. Calcif Tissue Int 55:53–58
7. Cryer C, Knox A, Martin D, Barlow J (2002) Hip protector compliance among older people living in residential care homes. Inj Prev 8:202–206
8. Darmbacher MA (1983) Therapie der Osteoporose. Dtsch med Wschr 108:710–713
9. Götte S (2001) Rückenorthese zur Behandlung von Brust- und Lendenwirbelsäulenfrakturen. Arthritis & Rheuma 21 (4):229–232
10. Kannus P, Parkkari J, Niemi S, Pasanen M, Palvanen M, Järvinen M, Vuori I (2000) Prevention of hip fracture in elderly people with use of a hip protector. N Engl J Med 343:1506–1513
11. Kaplan RS, Sinaki M, Hameister MD (1996) Effect of back support on back strength in patients with osteoporosis: a pilot study. Mayo Clin Proc 71:235–241
12. Lauritzen JB, Petersen MM, Lund B (1993) Effect of external hip protectors on hip fractures. The Lancet 341:11–13
13. Lauritzen JB (1996) Hip fractures: Incidence, risk factors, energy absorption and prevention. Bone 18/1:65–74
14. Lin JT, Lane JM (2002) Nonmedical management of osteoporosis. Curr Op Rheumatol 14:441–446
15. Meyer G, Warnke A, Bender R, Mühlhauser I (2003) Effect on hip fractures of increased use of hip protectors in nursing homes: cluster randomised controlled trial. Brit med J 326:76–78
16. Morscher E (1988) Orthopädische Aspekte der Osteoporose. Therapeut Umschau 25 (10):567–570
17. Parker MJ, Gillespie LD, Gillespie WJ (2003) Hip protectors for prevention hip fractures in elderly (Cochrane Review). The Cochrane Library; Issue 1

18. Pfeifer M, Dreher R, Minne HW (2001) Nicht-medikamentöse Maßnahmen. Akt Rheumatol 26:219-226
19. Pfeifer M, Wittenberg R, Würtz R, Minne HW (2001) Schenkelhalsfrakturen in Deutschland. Prävention, Therapie, Inzidenz und sozioökonomische Bedeutung. Deutsches Ärzteblatt 26:1394-1399
20. Tamayo-Orozco J, Arzac-Palumbo P, Pedeón-Vidales H, Mota-Bolfeta R, Fuentes F (1997) Vertebral fractures associated with osteoporosis: patient managment. Am J Med 103 (2A):44-50
21. Thorwesten L (2001) Orthesen- und Bandagenapplikation im Sport - Hilfe oder Hindernis? Der Einfluss äußerer Stabilisierungshilfen auf das sensomotorische System und die sportliche Leistungsfähigkeit. Med Orth Tech 121(3):89-95
22. Urist MR (1973) Orthopaedic management of osteoporosis in postmenopausal women. Clin Endocrinol Metab 2 (2):159-176
23. Wagner-Scheurer H, Heisel J (2000) Differentialindikation zur orthetischen Versorgung bei Osteoporose der Wirbelsäule. Orthop Praxis 36(2):74-78
24. Wortberg W (1998) In-vivo-Untersuchungen mit einer Senioren-Sicherheitshose zur Verhinderung von Oberschenkelhalsbrüchen bei älteren Menschen. Geriat Forsch 8/1:42-46

KAPITEL 16

Vertebroplastik und Kyphoplastik
Indikationen, Möglichkeiten und Probleme

J. Jerosch

Einleitung

Die Osteoporose ist eine Stoffwechselkrankheit des Knochens, die durch Knochensubstanzverlust, Veränderungen der Mikroarchitektur der Knochen und in der Folge durch Verluste an Knochenfestigkeit charakterisiert ist (Consensus Development Conference 1993). Bei jedem Menschen über 40 Jahre verringert sich die Knochenmasse jährlich um 0,5–1,5% (Minne 1991). Von einer Osteoporose spricht die WHO allerdings erst bei einem Abfall der messbaren Knochendichte unter −2,5 Standardabweichungen unter den Spitzenknochendichtewert für junge kaukasische Frauen (peak bone mass) (Kanis 1994). Von allen 50-jährigen Frauen werden ca. 15,6% Wirbelkörper-, 17,5% Hüft- und 39,7% irgendeine Fraktur im Laufe des vor ihnen liegenden Lebens erleiden (life time risk). Während der Schenkelhalsbruch fast immer zu einer Krankenhauseinweisung führt, werden Wirbelkörperfrakturen noch relativ oft therapeutisch vernachlässigt.

Da kein Goldstandard zur Bestimmung einer Wirbelfraktur existiert (O'Neill/Silman 1997), da die Angaben zum Teil auf der Grundlage unterschiedlicher Bestimmungsmethoden beruhen, wird die Inzidenz von Wirbelkörperfrakturen in der Literatur sehr unterschiedlich angegeben. Daher ist es sehr schwer, reliable Daten über die tatsächliche Prävalenz von Wirbelkörperfrakturen zu erhalten. Je nach genutzter Definition schwanken die Angaben zwischen 10% und 25% für über 50-jährige Frauen (Arden/Cooper 1998). Die Gesamtkosten für eine osteoporotisch verursachte Wirbelkörperfraktur exakt abzuschätzen, ist grundsätzlich schwierig, da sie u.a. die akute Pflege in Krankenhäusern und Rehabilitationskliniken, langfristige Aufenthalte in Pflegeheimen, aber auch Verluste an Arbeitstagen und medikamentöse Betreuung sowie Hilfsmittel beinhalten (Arden/Cooper 1998). Zusätzlich kommen die o.g. definitorischen Problem hinzu. Die wenigen Zahlen verdeutlichen jedoch bereits, welch immenser volkswirtschaftlicher Schaden durch frühzeitige Diagnostik und Therapie vermieden werden kann. Die Kosteneffektivität von Prävention und Therapie richtet sich stark nach dem relativen Risiko, welches eine Person hat. Daher ist es unbedingt notwendig, Risikogruppen zu identifizieren, um frühzeitig geeignete therapeutische Maßnahmen zu initiieren und den Behandlungserfolg zu kontrollieren (Kanis et al. 1997).

Körperliche Folgen von Wirbelfrakturen sind Größenverluste, Rundrücken („Witwenbuckel") und eine Verringerung des Abstandes zwischen Rippenbögen und Beckenkamm (Leidig-Bruckner et al. 1997, Leidig et al. 1990). Sind diese Veränderungen einmal eingetreten, so sind sie irreversibel. Nach frischen Wirbelfrakturen haben die Patientinnen und Patienten zum Teil akute Schmerzen und damit quälende Beschwerden (Huang et al. 1996). Silverman (1992) gibt an, dass akute Frakturen 4–6 Wochen Schmerzen verursachen. Die Ursachen dieser Schmerzen ist in lokalen Mediatoren zu sehen und wird über multiple Schmerzfasersysteme im Wirbelkörper weitergeleitet. Jedoch werden zur Zeit nur 30% der Frakturen klinisch erfasst (O'Neill/Silman 1997, Ross 1997). Dies erschwert die Generalisierbarkeit von Studienergebnissen, die mit Patientinnen und Patienten durchgeführt werden, die bereits klinisch manifeste Frakturen aufweisen. Mit zunehmender Wirbelsäulendestruktion gehen Einschränkungen der generellen Beweglichkeit und der Belastbarkeit im Allgemeinen einher. Im Zusammenhang mit den durch Knochenbruch entstehenden Verformungen der Wirbelkörper und der nachfolgenden Deformierung des gesamten Achsenskelettes kommt es zu chronischen Beschwerden, wie z.B. Schmerzen, Einschränkungen der allgemeinen Funktions- und Leistungsfähigkeit und – wie häufig bei chronischen Schmerzkarrieren –

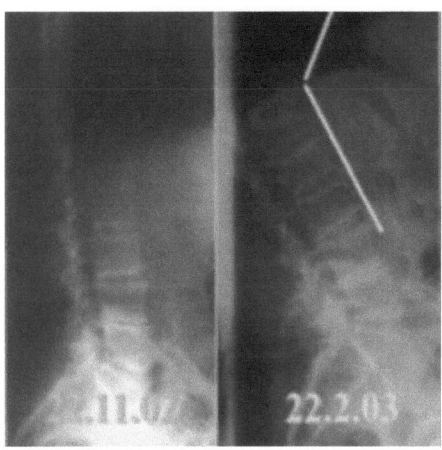

Abb. 1. Progredienz einer osteoporotischen Fraktur im thorakolumbalen Übergang

auch zu einer Verminderung der Lebensqualität (Scholz/Minne 1998).

Erhebliche die Lebensqualität deutlich reduzierende Schmerzen werden immer wieder als Leitsymptom bei Patientinnen und Patienten mit Osteoporose benannt (Ross 1997) und gelten damit als hauptsächlicher Belastungsfaktor für die gesundheitsbezogene Lebensqualität.

Biomechanisch besonders ungünstig scheint der thorakolumbale Übergang zu sein. Hier sind nach einmal stattgehabter Fraktur auch mit nur geringer Deformierung immer wieder rasch progrediente Verläufe zu beobachten (Abb. 1).

Perkutane Vertebroplastik (PVP)

Die Behandlung der Osteoporose bedingten Wirbelkörperfraktur erweist sich als außerordentlich schwierig. Die Schmerzen sind in der Regel Folge des akuten Knochenversagens und weniger des allgemeinen Krankheitsprozesses. Sehr häufig wird anfänglich die Fraktur nicht erkannt, sodass lediglich der starke Schmerz auf eine knöcherne Verletzung hinweist. Grundsätzlich werden zahlreiche und unterschiedliche Behandlungskonzepte angeboten. Im Vordergrund der Behandlung sollten die Beseitigung der Schmerzphasen und die Prophylaxe einer progressiven Kyphose sein, die in sich wiederum aufgrund ungünstiger statischer Veränderungen zu progredienten anhaltenden Rückenschmerzen führen kann.

Neben der medikamentösen Behandlung, die besonders in der Prophylaxe eingesetzt wird, reicht das therapeutische Spektrum bei manifesten Frakturen von konservativen Therapiemaßnahmen mit Analgesie/Bettruhe und Korsett- oder Miederbehandlung zur Mobilisation bis hin zu aufwändigen, stabilisierenden Eingriffen. Für viele Patienten sind jedoch aufgrund wesentlicher zusätzlicher Erkrankungen größere chirurgische Eingriffe nicht mehr zumutbar. Zudem ist die Fixationskraft von Implantaten in osteoporotischem Knochen deutlich vermindert.

In den letzten Jahren wurde deshalb intensiv nach Möglichkeiten gesucht, frakturierte Wirbelkörper bei Osteoporosepatienten durch minimalinvasive Verfahren wieder zu stabilisieren und evtl. sogar wieder aufzurichten.

Die Technik der perkutanen Vertebroplastik (PVP) wurde erstmals 1987 zur Behandlung vertebraler Hämangiome beschrieben (Galibert et al. 1987). Als Füllmaterial wurde Polymethylmetacrylat (PMMA) verwendet, welches bis heute das Material der Wahl geblieben ist. Selbst die Auffüllung von Wirbelkörpern mit Knochenzement ist im Rahmen der Tumorchirurgie bereits mehrfach beschrieben (DeBusche et al. 1991, Gangia et al. 1994, Weill et al. 1996, Jensen et al. 1997). Nachdem in diesen Fällen meist eine rasche und deutliche Schmerzreduktionen zu verzeichnen war, wurde Mitte der 90er Jahre begonnen, auch osteoporotische Wirbelkörperkompressionen mit der Zementaugmentierung zu behandeln.

■ **OP-Technik.** Bei der PVP wird der frakturierte Wirbelkörper mit flüssigen Knochenzement (PMMA) aufgefüllt und so in seiner Stabilität verstärkt (Abb. 2). Die Operation erfolgt über eine perkutan eingebrachte Hohlkanüle, die transpedikulär oder über einen posterolateralen Zugang in dem Wirbelkörper platziert wird. Benutzt wird entweder ein steriler Knochenzement, der relativ lange dünnflüssig bleibt oder injektionsfähiges biodegradibles Calzium-Phosphat. In der Regel wird eine PVP in Lokalanästhesie durchgeführt und somit auch für die oftmals multimorbiden Patienten wenig belastend ist. Ein venöser Zugang ist ebenso obligat wie ein Monitoring der Herz-Kreislauffunktionen.

In der klinischen Routine führen wir die Vertebroplastik im LWS-Bereich im Operationssaal unter Bildwandlerkontrolle durch. Der Patient wird auf dem Bauch gelagert (Abb. 3). Der Rücken wird chirurgisch mehrfach steril abge-

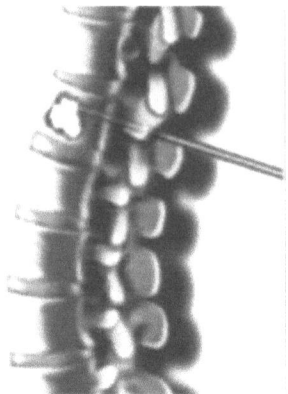

Abb. 2. Schematische Darstellung der Vertebroplastik

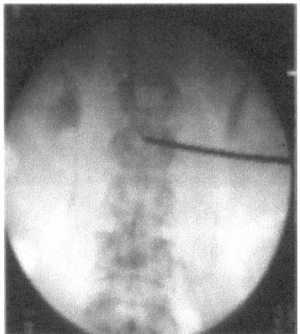

Abb. 4. Pyelogramm nach Testinjektion mit Kontrastmittel

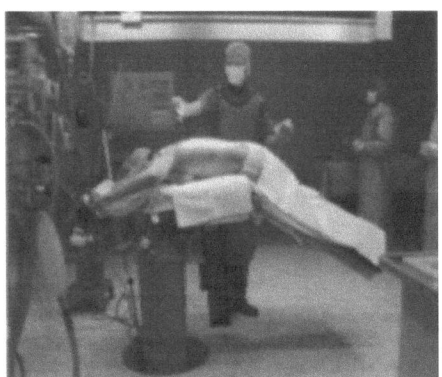

Abb. 3. Lagerung des Patienten

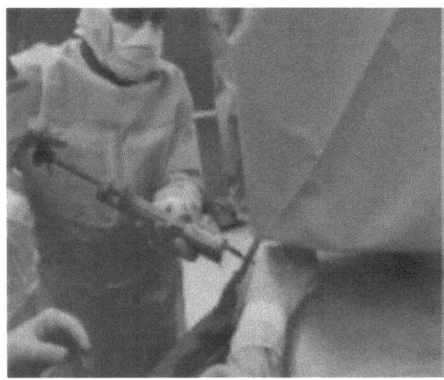

Abb. 5. Auffüllen des Wirbelkörpers mit PMMA

waschen und steril abgedeckt. Das zu augmentierende Niveau unter dem Bildwandler identifiziert. Der Bildwandler kann intraoperativ steril umgeschwenkt werden, sodass während der Zementauffüllung eine Röntgenkontrolle in mehreren Ebenen möglich ist. Das schmerzhafte Segment wird präoperativ mit Hilfe einer Kernspintomographie identifiziert. Haut und Stichkanal werden bis auf das Periost des betroffenen Wirbelkörpers mit Lokalanaesthetikum infiltriert.

Dann wird von posterolateral eine Punktionskanüle in den betroffenen Wirbelkörper gelegt und Kontrastmittel vorinjiziert. Andere Autoren bevorzugen einen transpedikulären Zugang zum Wirbelkörper. Wenn das Kontrastmittel sofort in große Gefäße abfließt, wird die Nadel umplatziert. In der Spätphase findet sich immer ein Abschluss – oftmals mit einer Darstellung des Nierenkelchsystemes (Abb. 4). Dann erfolgt die Injektion des PMMA unter kontinuierlicher Röntgenkontrolle (Abb. 5), wobei besonderes Augenmerk der Wirbelkörperhinterkante sowie potenziellen Zementextrusionen nach anterior gilt. Im Idealfall vergrößert sich die Zementwolke ausgehend von der Nadelspitze kontinuierlich unter Respektierung des Wirbelkörperrahmens. Die Zementauffüllung muss bei sichtbaren Zementextrusionen sofort abgebrochen werden und ist durch die zunehmende Viskosität des Materials limitiert. Nach Aushärten des Zements werden die Nadeln entfernt und die Stichinzisionen verschlossen. Der Patient kann sofort mobilisiert werden. Postoperativ erfolgt eine Röntgenkontrolle (Abb. 6).

Im thorakalen Bereich ist eine CT-kontrollierte Auffüllung indiziert, um Fehlpunktionen zu vermeiden (Abb. 7).

Es gibt bereits verschiedene Systeme auf dem Markt erhältlich (Stryker, Parallax, Optimed Cemento) (Abb. 8). Diese unterscheiden sich zum

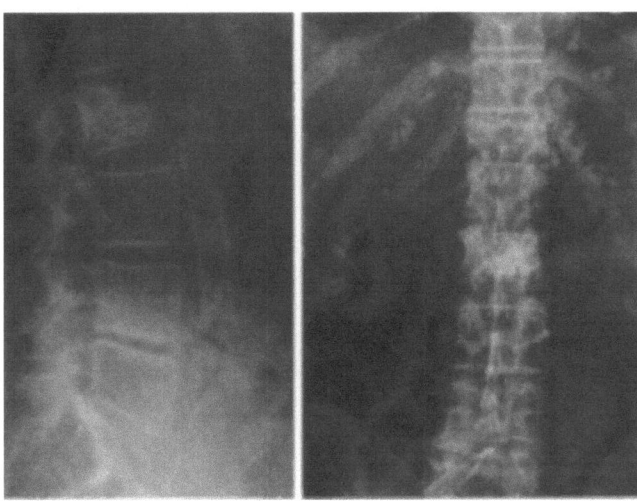

Abb. 6. Postoperatives Röntgenbild nach PVP in 2 Ebenen

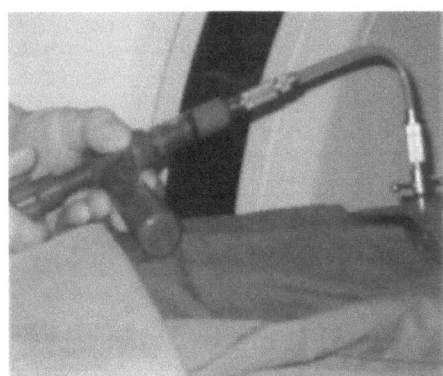

Abb. 7. PVP im thorakalen Bereich unter CT-Kontrolle

Teil erheblich im Preis, aber insbesondere auch in der Handhabbarkeit der einzelnen Systeme.

Eine PVP sollte möglichst rasch nach der Fraktur durchgeführt werden. Eine relative OP-Indikation stellt auch die drohende Fraktur bei ausgeprägter Osteoporose dar. Weitere Indikationen sind ausgedehnte Osteolysen von Wirbelkörpern mit ebenfalls drohender Fraktur. Das Verfahren lässt sich gleichzeitig bei mehreren Wirbelkörpern durchführen. Voraussetzung für die PVP ist, dass die Hinterkante der Wirbelkörper intakt sind, um so ein Eindringen des Knochenzementes in den Spinalkanal zu vermeiden.

Biomechanik und Biologie. Eine signifikante Stabilisierung von Wirbelkörpern nach Zementauffüllung konnten Deramond et al. (1990) so-

wie Evans et al. (1995) nachweisen. Die meisten Studien in der Literatur vergleichen die biomechanischen Eigenschaften eines einzelnen Wirbelkörpers nach Zementfüllung mit denen eines nichtaugmentierten Nachbarwirbels. Hierbei wird erwartungsgemäß deutlich, dass sich mit einer Augmentierung sowohl die Festigkeit („failure strength") als auch die Steifigkeit eines Wirbelkörpers signifikant erhöhen lassen (Belkoff et al. 2001, Tohmeh et al. 1999).

Dies gilt insbesondere für PMMA und zu etwas geringerem Ausmaß für Alternativmaterialien, wie z. B. Kalziumphosphatzemente (Bai et al. 1999, Heini et al. 2001, Ikeuchi et al. 2001). Stechow und Alkalay (2001) untersuchten die Belastbarkeit frakturierter osteoporotischer Wirbelkörper vor und nach PVP mit PMMA. Die Knochenstruktur und -dichte von 20 Wirbelkörpern (T6-L2) wurde vor und nach PVP mit Röntgen und DEXA beurteilt. Die Bestimmung der Belastbarkeit bis zur Fraktur erfolgte durch quasi-statische, kombinierte axiale Kompression mit anteriorem Flexionsmoment vor und nach PVP. Die Ergebnisse zeigten, dass die Knochendichte der untersuchten Wirbelkörper vor PVP signifikant erniedrigt war (0,52 g/cm^2; Norm: 0,55 g/cm^2). Die Belastbarkeit und die axiale Steifigkeit waren nach PVP signifikant erhöht. Die Autoren folgerten, dass die perkutane Vertebroplastik mit PMMA in frakturierten Wirbelkörpern eine effektive Methode ist, um die Belastbarkeit der Wirbelkörper signifikant zu steigern.

Es wurde jedoch auch die Auswirkungen der Zementierung auf die Stabilität des nichtaugmen-

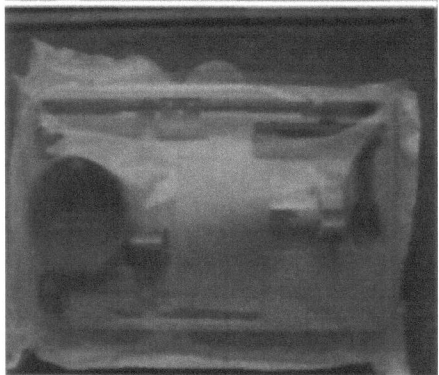

Abb. 8. Verschiedene PVP-Systeme: Stryker (oben), Paralax (mitte), Optimed Cemento (unten)

tierten Nachbarwirbels untersucht, indem nicht einzelne Wirbelkörper im Vergleich getestet wurden, sondern ein Bewegungssegment als Ganzes (Berlemann et al. 2001). Es bestätigt sich dabei die klinische Vermutung, dass durch eine PMMA-Zementierung eine Fraktur des benachbarten, nichtzementierten Wirbels induziert werden kann. Diese Vermutung wurde auch in einigen klinischen Studien geäußert (Grados et al. 2000). Es ist jedoch ebenfalls bekannt, dass bei einer bereits vorliegenden Fraktur die Inzidenz einer weiteren Fraktur in benachbarten Bewegungssegmenten statistisch erhöht ist (Wasnich 1996). In diesem Zusammenhang wirft sich die Frage auf, ob die Zementierung ein bestimmtes Wirbelkörpervolumen nicht überschreiten sollte (optimales Augmentierungsvolumen), oder ob sich zur Vermeidung dieses Effektes alternative, weniger rigide Materialien anbieten. Finite-Element-Studien weisen jedenfalls darauf hin, dass lediglich 3–4 ml Knochenzement erforderlich sind, um die Steifigkeit eines komprimierten Wirbelkörpers wieder auf normale Werte zu erhöhen (Liebschner et al. 2001).

Die experimentell erarbeiteten Grundlagen scheinen eine Anwendung am Patienten durchaus zu rechtfertigen. Hierbei ist zu unterstreichen, dass sowohl das verwendete Material (Knochenzement) als auch die Methodik (Wirbelkörperauffüllung) in der klinischen Verwendung die erforderlich Sicherheit gezeigt haben. Die Verwendung von Knochenzement ist in der Endoprothetik Stand der Technik. Auch langfristige Untersuchungen haben gezeigt, dass bei stabiler Implantatlage spongiöser Knochen auch in der Zementeinbettung durchaus vital bleiben kann (Draenert 1988).

Auch die Frage der potentiellen Gefahr von Hitzeschäden im Zuge der Auspolymerisation des Zementes wurde schon untersucht. So konnten Wang et al. (1984) im Tierversuch keine spinalen Schädigungen bei cervikalen Fusionen mit PMMA im Hundemodell nachweisen, auch wenn keine Isolationsschicht verwendet wurde. Die Autoren führen dies auf die Isolationsfunktion der erhaltenen Ligamentae sowie vor allem auf die Wärmetransportfähigkeit der gefäßreichen duranahen Strukturen zurück.

■ **Klinische Resultate.** Die bisher veröffentlichten Resultate der Vertebroplastik sind durchwegs positiv und haben zu großem Enthusiasmus gegenüber dieser Technik in der Osteoporosebehandlung geführt (Einhorn 2000). Die klinischen Erfahrungen in der Literatur zeigen auch, dass bei einer frühzeitigen Injektion in den Wirbelkörper eine sehr rasche Schmerzlinderung eintritt, die bei einem sehr großen Anteil der Patienten dauerhaft sind. Diese außerordentlich hohe Responserate ist um so erstaunlicher, als diese Ergebnisse gerade bei den Patienten erreicht werden, bei denen weder Bett-

Tabelle 1. Publizierte PVP-Studien mit mehr als 10 Patienten

Autor	Fallzahl	Follow-up	Besserung	Komplikationen
Jensen 1997	29	max. 3 Jahre	90%	2 Rippenfrakturen
Martin 1999	11	Keine Angabe	78%	Keine Angabe
Cortet 1999	16	6 Monate	88%	Bei 11 Patienten Zementextrusionen ohne Konsequenzen
Cyteval 1999	20	6 Monate	90%	1 Patient Zement in Psoas
Barr 2000	38	max. 3,5 Jahre	95%	1 Radikulopathie
Heini 2000	17	1 Jahr	76%	Bei 20% Zementextrusionen ohne Konsequenzen
Grados 2000	25	max. 7 Jahre	90%	2 Radikulopathien

ruhe noch Analgetikabgaben zu einer Schmerzlinderung führen.

Eine deutliche Schmerzreduktion ist bei 80–90% der behandelten Patienten zu erwarten (Barr et al. 2000, Grados et al. 2000, Heini et al. 2001, Jensen et al. 1997, Martin et al. 1999). Bemerkenswert erscheint ebenfalls, dass die Schmerzlinderung bereits direkt post-operativ zu verzeichnen ist und die Patienten teilweise ambulant behandelt werden können. Offen ist die Frage nach dem Mechanismus der Schmerzreduktion. Möglich erscheint einerseits die mechanische Stabilisierung von Frakturen durch den Zement (Belkoff et al. 1999). Gegen diesen Mechanismus als alleinige Erklärung spricht die Tatsache, dass das Ausmaß der Schmerzreduktion nicht notwendigerweise mit der Zementmenge korreliert. Außerdem ist es möglich, auch bei älteren Frakturen durch eine Zementierung noch eine Verbesserung zu erreichen, obwohl diese knöchern bereits konsolidiert sein müssten. Eine andere Theorie geht davon aus, dass es durch die Erhitzung während der Polymerisation des Zements zu einer Koagulation an Nozizeptoren kommt, was in einer Schmerzreduktion resultiert (Bostrom/Lane 1997). Dagegen spricht jedoch die nur geringe Temperaturerhöhung, die in vitro an der Wirbelkörperoberfläche gemessen werden kann (Heini et al. 2001).

Erstaunlicherweise berichteten Hiwatashi et al. (2003) sogar bei der PVP über eine Höhenzunahme der 85 behandelten Wirbelkörperfrakturen bei 37 Patienten (anteriorer Wirbelkörper: 2,5 mm; zentraler Wirbelkörper: 2,7 mm; posteriorer Wirbelkörper: 1,4 mm).

Die PVP bietet somit eine neue Therapiemöglichkeit in der Behandlung schmerzhafter osteoporotischer Wirbelkörperkompressionsfrakturen. Unter Berücksichtigung der vorliegenden Literatur, den eigenen experimentellen Grundlagen (Jerosch et al. 1999) und klinischen Erfahrungen sehen wir durchaus den Ansatz die PVP in den Therapiealgorithmus bei Osteoporosepatienten zu integrieren. Daneben stellen schmerzhafte und/oder instabile primäre oder sekundäre Wirbelkörpertumoren sowie klinisch symptomatische Hämangiome eine Indikation dar. Aber obwohl in der Literatur über exzellente Ergebnisse berichtet wird, sind noch einige Fragen offen (Tabelle 1). So herrscht Uneinigkeit über die genaue Indikation, die Kriterien der Patientenauswahl und den idealen Zeitpunkt für die Durchführung der Wirbelkörperaugmentation. Auch die Fragen nach einer prophylaktischen Augmentation benachbarter Wirbelkörper oder der Durchführung einer Vertebroplastik im Anschluss an eine langstreckige Spondylodese werden kontrovers diskutiert.

Trotz allem Enthusiasmus stellt die PVP noch ein neues Verfahren dar, welches erst in den letzten Jahren eine weitere Verbreitung gefunden hat und dementsprechend sind noch keine Langzeitergebnisse bekannt. Weitere Untersuchungen sind nötig, um vom experimentellen Stadium zu einer standardisierten Therapie zu gelangen.

Perkutane Ballon–Kyphoplastik (PKP)

Die Kyphoplastik ist eine Weiterentwicklung der Vertebroplastik und stellt ein minimal invasives chirurgisches Verfahren zur Aufrichtung frischer schmerzhafter Wirbelfrakturen dar, die zu einer starken Keil- oder Fischwirbelbildung geführt haben. Die Betonung liegt auf frischer (etwa bis 3 – 8 Wochen) Fraktur, da bei diesen Frakturen die beste Aufrichtung erzielt werden kann. Bei älteren Frakturen besthet jedoch auch die Möglichkeit einer Aufrichtung, gelingt dies nicht ist die Ballon-Kyphoplatie eine sichere Vertebroplastik mit wesentlich geringerem Risiko.

■ **OP-Technik.** Die ersten Schritte entsprechen dem oben beschriebenen Ablauf der PVP. Die PKP ist ebenfalls über einen trans-extrapedikulären (posteroateralen) Zugang möglich. Nach korrekter Platzierung der K-Drähte, werden über diese die Arbeitskanülen in der korrekten Position in den Wirbelkörper eingebracht. Der Ausgang der Kanüle sollte am Übergang des Pedikels in den Wirbelkörper liegen. Mit einem Stößel wird der Kanal für den zu verwendenden Ballon vorbereitet. Dieser Kanal reicht zu 80% in den Wirbelkörper hinein und lässt 20% der anterioren Wand stehen. Durch die Arbeitskanüle werden dann die Ballons in den vorbereiteten Knochenkanal geschoben. Durch stufenweises Aufblasen des Ballons mit Kochsalzlösung, der ein röntgendichtes Kontrastmittel beigemischt ist, wird der Wirbel wieder aufgerichtet und die Kyphose vermindert (Abb. 9, 10). Dies geschieht unter Monitorüberwachung des Druckaufbaus und -verlaufs.

Dann wird der Ballon entfernt und in die entstandene Höhle ein speziell für die Ballon-Kyphoplastik entwickelter hochvisköser Knochenzement ohne Druck appliziert, sodass das Risiko des Zementabflusses auf ein minimum reduziert ist. Dies erfolgt ebenfalls unter Bildwandlerkontrolle. Der Patient wird nur ein bis wenige Tage stationär behandelt und kann nach

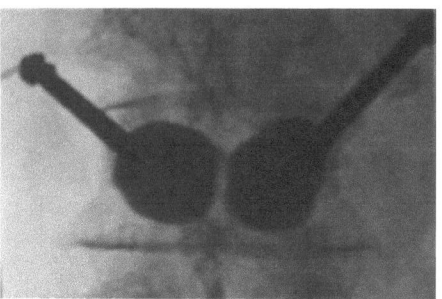

Abb. 10. Bilaterales Aufrichten durch Ballonkatheter

der Operation sofort die Wirbelsäule belasten, die durch die Fraktur hervorgerufenen Schmerzen verschwinden.

■ **Klinische Resultate.** Diese Methode wurde in den USA entwickelt und die ersten Berichte über die Ergebnisse sind wie bei allen neuen Methoden hoffnungsvoll bis enthusiastisch.

Seit 1998 sind weltweit mehr als 55000 Patienten mit mehr als 65000 Wirbelkörperfrakturen mit einer Ballon-Kyphoplastie versorgt worden. Die Komplikationsrate liegt unter 0,5% (MedWatch Medical Device Reporting System, Juni 2003).

Ergebnisberichte gibt es von der 22. Jahrestagung der Amerikanischen Gesellschaft für Knochen- und Mineralforschung im September 2000 in Toronto. Hier berichteten J. M. Lane und Mitarbeiter, New York, in einer Sammelstudie aus den USA über die ersten 226 Kyphoplastiken bei 121 Patienten, 40 bis 96 Jahre alt. Bei den ersten 30 Kyphoplastiken wurden folgende Ergebnisse erzielt: Die Wirbelkörperhöhe konnte im Durchschnitt vorn um 45% und in der Mitte um 54% aufgerichtet, der Kyphosewinkel um 17° reduziert werden.

Von 75 Patienten gaben 96% eine sofortige Schmerzlinderung an, 2 Patienten hatten unverändert Schmerzen und bei einem Patienten hatten sich die Schmerzen verstärkt.

Als Nebenwirkungen bei allen 226 wurden festgestellt:
■ eine Blutung im Rückenmarkskanal, die durch eine 2. Operation ohne Folgen verblieb
■ eine inkomplette Querschnittslähmung
■ ein vorübergehendes akutes Lungenversagen (ARDS).

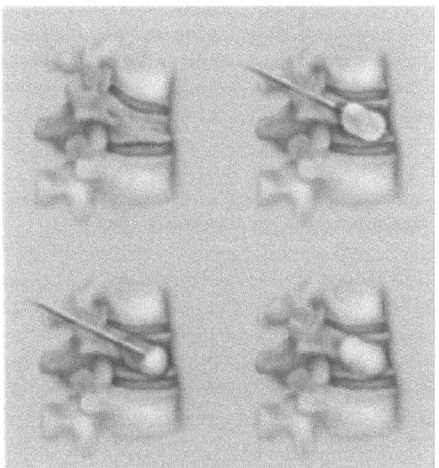

Abb. 9. Schematische Darstellung der Kyphoplastik

Im Labor lassen sich experimentelle Kompressionsfrakturen bis auf 97% der ursprünglichen

Höhe mit der PKP wieder aufrichten (Belkoff et al. 2001). Die durch die Zementierung erreichte Augmentierung ist vergleichbar mit dem Effekt der Vertebroplastik. Auch die ersten publizierten klinischen Ergebnisse sind vielversprechend. Lieberman et al. (2001) konnten in 70% die Wirbelkörperhöhe um durchschnittlich 47% erhöhen, verbunden mit einer signifikanten Schmerzerleichterung.

Berlemann et al. (2001) konnten bei 20 Patienten eine Aufrichtung von Wirbelkörpersinterungen um bis zu 18° dokumentieren, was einer Erweiterung der anterioren Wirbelkörperhöhe um 90% entsprach. Die Aufrichtung gelang umso besser, je jünger die Sinterung war. Frakturen, die jünger als 4 Wochen waren, konnten durchschnittlich um 43% aufgerichtet werden. Bei Veränderungen älter als 8–10 Wochen gelang eine wesentliche Aufrichtung nur noch in Einzelfällen. Auch Garfin et al. (2001) beschrieben eine altersabhängige Reponierbarkeit der Frakturen, wobei in Fällen jünger als 3 Monate die Kyphose um durchschnittlich 50% gebessert werden konnte. Coumans und Liebermann (2003) konnten bei einem Follow-up nach 12 Monaten bei 74 Patienten mit 179 Kyphoplastiken eine anhaltende Schmerzreduktion sowie eine Verbesserung der Lebensqualität (SF-36) aufzeigen.

Ananthakrishnan et al. (2003) untersuchten in einem experimentellen Aufbau den intradiskalen Druck vor und nach Vertebroplastik und Kyphoplastik. Sie konnten zeigen, dass beiden Verfahren den intradiskalen Druck im Vergleich zum Normalbefund unter Last erhöhen. Es zeigte sich gleichzeitig kein Unterschied im intradiskalen Druck zwischen den Präparaten, die mit einer Vertebroplastik, und denen, die mit einer Kyphoplastik behandelt wurden.

Katzmann (2003) untersuchte die PVP und PKP im Vergleich. In beiden Gruppen sah er mit 88% (PVP) bzw. 90% (PKP) eine vergleichbare Schmerzreduktion. Eine Korrektur durch PKP konnte in 19 von 82 Patienten erreicht werden. Innerhalb der ersten beiden Wochen nach Fraktur wurde mit der PKP in 57,6% eine Korrektur erzielt.

■ **Komplikationen.** Die üblichen Operationskomplikationen wie Thrombose, Embolie, Belastung des Herzkreislaufes und Infektionen gelten auch für die PVP und PKP. Zementextrusionen in den Spinalkanal können schwerwiegende neurologische Konsequenzen bis hin zur Paraplegie

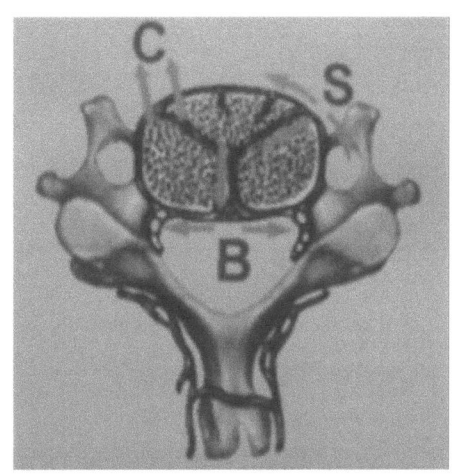

Abb. 11. Klassifikation von Zementaustritt
- Typ B: via basivertebrale Vene (etwa 40%)
- Typ S: via Segementvene (etwa 40%)
- Typ C: via cortikaler Defekt (etwa 20%)

haben (Harrington 2001, Ratcliff et al. 2001) und sofortige Dekompressionen erforderlich machen. Weiterhin sind pulmonale Embolien nach Zementaustritt in Wirbelkörpergefäße beschrieben worden (Padovani et al. 1999). Allerdings ist durch die Ballonvordehnung, geringem Applikationsdruck und wegen der Verwendung des speziell für die Ballon-Kyphoplastie entwickelten hochviskösen Knochenzementes bei der PKP die Gefahr geringer wie bei der PVP.

Insbesondere die Inzidenz von Zementaustritten führt in letzter Zeit zu einer zunehmend kritischen Sicht dieser Methoden. Eine klinisch relevante Einteilung (Yeom et al. 2003) unterscheidet 3 Typen des Zementaustrittes (Abb. 11):
- Typ B: via basivertebrale Vene (etwa 40%)
- Typ S: via Segementvene (etwa 40%)
- Typ C: via cortikaler Defekt (etwa 20%).

Hierbei kann noch weiter differenziert werden:
- Typ BV: bis zum *Foramen Vasculare*
- Typ BC: in den *Spinalkanal*

- Typ SH: *Horizontal*
- Typ SV: *Vertikal* oder oblique
- Typ SF: in das *Foramen*

- Typ CD: in den *Diskus*
- Typ CK: in den Spinal-*Kanal*
- Typ CF: in das *Foramen*
- Typ CWK: lateral oder anterior zum *Wirbel-Körper*.

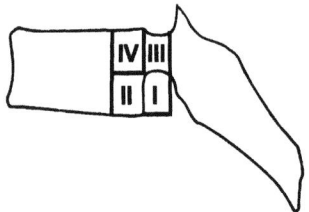

Abb. 12. Zoneneinteilung für potentiellem Zementaustritt im seitlichen Röntgenbild
- Zone I: Neuroforamen
- Zone II: Wirbelkörper anterior des Neuroforamen
- Zone III: Pedikelwurzel
- Zone IV: Wirbelkörper vor der Pedikelwurzel

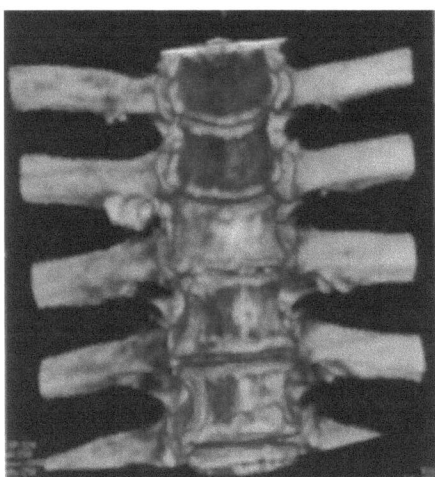

Abb. 13. Zementaustritte im 3D-CT

Potentiell gefährliche Austrittsstellen sind in gewissem Umfang bereits auf dem seitlichen Röntgenbild zu erkennen (Abb. 12). Hierbei ist unbedingt zu berücksichtigen, dass Zementaustritte auf konventionellen Röntgenbildern häufig übersehen werden. Besonders Typ-B- und Typ-S-Austritte werden auf AP und seitlichen Röntgenbildern, die intraoperativ nur zur Verfügung stehen, übersehen. Im lateralen Röntgenbild ist Zement in Zone I besonders prediktiv für einen Zementaustritt.

Unseres Erachtens kann man viele Zementaustritte nicht oder nur unzureichend in Röntgenaufnahmen in zwei Ebenen erkennen. Postoperative Computertomogramme lassen oftmals erst das Ausmaß des Zementaustrittes erkennen (Abb. 13).

Diskussion

Die PVP stellt ein minimal invasives Verfahren dar, mit dem bei Patienten mit schmerzhaften osteoporotischen Wirbelkörpersinterungen, eine erhebliche Reduktion der Beschwerden möglich ist. Ein weiteres Zusammensintern des Wirbelkörpers wird verhindert. Eine Reposition schon bestehender Fehlstellung ist hierdurch jedoch nicht möglich. Trotz Beachtung der technische Grundprinzipien und sorgfältiger Beobachtung des Zementflusses hat die PVP dennoch eine klinisch relevante Komplikationsrate und Morbidität, sodass die Durchführung nur dann empfehlenswert ist, wenn der Therapeut technisch und instrumentell in der Lage ist, eine Komplikation auch in offener Technik zeitnah zu revidieren.

Offene Fragen betreffen zurzeit noch nach wie vor die Langzeitreaktion des Knochens auf den injizierten Zement, was neben dem augmentierten Wirbel insbesondere aber auch für die nichtaugmentierten Anschlusssegmente gilt. In der wissenschaftlichen und klinischen Diskussion ist auch die Frage inwieweit die prophylaktische Augmentierung gefährdeter Wirbelkörper vor einer Sinterung sinnvoll ist. In jedem Falle sollte eine PVP lediglich als ein Baustein der Osteoporosetherapie verstanden werden, die individuell in Zusammenarbeit mit den einschlägigen Fachkollegen festzulegen ist.

In den nächsten Jahren sind Fortschritte auf dem Gebiet der verwendeten Augmentationsmaterialien zu erwarten. Das ideale Material ist einfach und perkutan applizierbar, zeigt eine sofortige und lang andauernde mechanische Wirkung und ist biologisch inert. Die Frage, ob das Material über die Zeit entweder abbaubar oder knöchern integrierbar sein soll, wird zurzeit unterschiedlich beantwortet. Es spricht sicherlich nichts dagegen ein Material wie PMMA-Zement, welches seit vielen Jahrzehnten sein biologisches und biomechanisches Verhalten im Rahmen der Endoprothetik bewiesen hat, für die PVP zu verwenden. Aus diesem Grunde werden PMMA-Zemente auch wegen ihrer guten Applizierbarkeit und Mechanik am häufigsten verwendet. Von Alternativmaterialien, wie Kalziumphosphatzementen verspricht man sich eine höhere biologische Potenz, ein wesentliches Problem stellt hier aber die Applizierbarkeit der häufig zu hochviskösen Materialien dar.

Die Kyphoplastik stellt eine sinnvolle Erweiterung der Zementierungstechniken dar, mit der bereits gesinterte Wirbelkörper zumindest partiell wieder aufgerichtet werden können. Erste klinische Erfahrungen sind positiv, insgesamt aber noch spärlich. Ob die Patienten tatsächlich durch die Reposition in einem Maße profitieren, welches über die reine Schmerzreduktion hinausgeht, wird sich erst in größer angelegten Langzeitstudien zeigen.

Weitere klinische Langzeitbeobachtungen bleibt es vorbehalten, zu überprüfen, ob diese mit Knochenzement stabilisierten, gefestigten Wirbel durch ihre verbesserten biomechanischen Eigenschaften nicht zu vermehrten Frakturen der Nachbarwirbel führen. Im Rahmen der Gesamtdiskussion gilt jedoch auch zu beachten, wie diese innovativen Techniken im Einzelfall zu finanzieren sein werden. Seit dem 1.1.2004 hat die Ballon-Kyphoplastie einen eigenen OPS-Code. Somit kann die Ballon-Kyphoplastie bei qualitativ guter Codierung Kostenneutral geleistet werden. In der Ambulaten Abrechnung wird das Material über den Materialverbrauch bezahlt.

Literatur

Aebli et al (2002) Fat Embolism and Acute Hypotension during Vertebroplasty. Spine 27:(5)460–466

Ananthakrishnan D, Lotz, JC, Berven S, Puttlitz Ch (2003) Changes in spinal loading due to vertebral augmentation: vertebroplasty versus kyphoplasty. AAOS, New Orleans, p 593

Bai B, Jazrawi LM, Kummer FJ, Spivak JM (2000) The Use of an injectable, biodegradable calcium phosphate bone substitute for the prophylactic augmentation of osteoporotic vertebrae and the managment of vertebral compression fractures. Spine 24:1521–1526

Barr JD, Barr MS, Lemley TJ, McCann RM (2000) Percutaneous vertebroplasty for pain relief and spinal stabilisation. Spine 25:923–928

Belkoff SM, Mathis JM, Fenton DC et al (2001) An ex vivo biomechanical evaluation of an inflatable bone tampused in the treeatment of compression fracture. Spine 26:151–156

Belkoff SM, Jasper LE, Stevens SS (2002) An ex vivo evaluation of an inflatable bone tamp used to reduce fractures within vertebral bodies under load. Spine 27(15):1640–1643

Belkoff SM, Maroney M, Fenton DC, Mathis JM (1999) An in vitro biomechanical evaluation of bone cements used in percutaneous vertebroplasty. Bone 25:23S–26S

Berlemann U, Heini PF (2002) Percutaneous Balloon Kyphoplasty. A Treatment of Osteoporotic VCF. Unfallchirurg 105:2–8

Berlemann U, Ferguson SJ, Nolte LR Heini PF (2001) Adjacent vertebral failure following vertebroplasty: a biomechanical investigation. J Bone Joint Surg (Br)

Berlemann U, Franz T, Heini PF, Krettek C (2001) Die perkutane Aufrichtung und Zementierung kyphotischer Osteoporosewirbelkörper mittels einer neuen Ballontechnik (Kyphoplastik). Deutsche Gesellschaft für Unfallchirurgie, 65. Jahrestagung/Berlin

Bostrom MP, Lane JM (1997) Future directions. Augmentation of osteoporotic vertebral bodies. Spine 15; 22(24 Suppl):39S–42S

Cauley JA (2000) Risk of Mortality Following Clinical Fractures. Osteoporosis Int 11:556–561

Coe JD, Wrden KE, Herzig MA, McAffee PC (1990) Influence of bone mineral density on the fixation of thoracolumbar implants: a comparative study of transpedicular screws, laminar hooks, and spinous process wires. Spin 15:902–907

Consensus Developement Conference (1993) Diagnosis, Prophylaxis, and Treatment of Osteoporosis. Am J Med 94:646–650

Cook DJ, Guyat GN, Adachi JD, Clifton J, Griffith LE, Epstein RS, Juniper EF (1993) Quality of life issues in women with vertebral fractures due to osteoporosis. Arthritis and Rheumatism 36(6):750–756

Cook DJ, Guyatt GH, Adachi JD, Epstein RS, Juniper EF, Austin PA, Clifton J, Rosen J, Kesennich CR, Stock JL, Overdorf J, Miller PD, Erickson AL, McLung M, Love B (1997) Measuring Quality of Life in Women with Osteoporosis. Osteoporos Int 7:478–487

Cooper C, Atkinson EJ, Jacobsen SJ, O'Fallon M, Melton U (1993) Propulation-based study of survival after osteoporotic fractures. Am J Epidemiology 137:1001–1005

Cooper et al (1992) Incidence of Clinically Diagnosed Vertebral Fractues: A Population-Based Study on Rochester, MM 1985–1989. J Bone and Mineral Research, Vol 7:2

Cooper C (1997) The Crippling Consequences of Fractures and Their impact on Quality of Life. Am J Med 103(2A):12–19

Cortet B, Cotten A, Boutry N et al (1999b) Percutaneous vertebropiasty in the treatment of osteoporotic vertebral compression fractures: an open prospective study. J Rheumatol 26:2222–2228

Cortet B, Cotten A, Boutry N, Dewatre F, Flipo RM, Duquesnoy B, Chastanet P, Delcambre B (1997) Percutaneous vertebroplasty in patients with osteolytic metastases or multiple myeloma. Rev Rhum Engl Ed 64(3):177–183

Cortet B, Cotten A, Deprez X, Deramond H, Lejeune JP, Leclerc X, Chastanet P, Duquesnoy B, Delcambre B (1994) Value of vertebroplasty combined with surgical decompression in the treatment of aggressive spinal angioma. Apropos of 3 cases. Rev Rhum Ed Fr 61(1):16–22

Cortet B, Houvenagel E, Puisieux F et al (1999a) Spinal curvatures and quality of life in women with vertebral fractures secondary to osteoporosis. Spine 24:1921–1925

Cotten A, Boutry N, Cortet B, Assaker R, Demondion X, Leblond D, Chastanet P, Duquesnoy B, Deramond

H (1998) Percutaneous vertebroplasty: state of the art. Radiographics (2):311-320

Cotten A, Dewatre F, Cortet B, Assaker R, Leblond D, Duquesnoy B, Chastanet P, Clarisse J (1996) Percutaneous vertebroplasty for osteolytic metastases and myeloma: effects of the percentage of lesion filling and the leakage of methyl methacrylate at clinical follow-up. Radiology 200(2):525-530

Cotten A, Duquesnoy B (1997) Vertebroplasty: current data and future potential. Rev Rhum Engl Ed 64 (11):645-649

Coumans JVCE, Liebermann IH (2003) A pospective kyphoplasty study. AAOS, New Oleans, p 593

Cyteval C, Sarrabere MR, Roux JO et al (1999) Acute osteoporotic vertebral collapse: open study on percutaneous injection of acrylic surgical cement in 20 patients. Am J Roentgenol 173:1685-1690

Deramond H, Depriester C, Galibert P, Le Gars D (1998) Percutaneous vertebroplasty with polymethylmethacrylate. Technique, indications, and results. Radiol Clin North Am 36(3):533-546

Deramond H, Depriester C, Toussaint P (1996) Vertebroplasty and percutaneous interventional radiology in bone metastases: techniques, indications, contraindications. Bull Cancer Radiother 83(4):277-282

Dousset V, Mousselard H, de Monck d'User L, Bouvet R, Bernard P, Vital JM, Senegas J, Caille JM (1996) Asymptomatic cervical haemangioma treated by percutaneous vertebroplasty. Neuroradiology 38(4):392-394

Dudeney et al (2002) Kyphoplasty in the Treatment of Osteolytic Vertebral Compression Fractures as a Result of Multiple Myeloma. Journal of Clinical Oncology, Vol 20, Issue 9:2382-2387

Dufresne AC, Brunet E, Sola-Martinez MT, Rose M, Chiras J (1998) Percutaneous vertebroplasty of the cervico-thoracic junction using an anterior route. Technique and results. Report of nine cases. J Neuroradiol 25(2):123-128

Einhorn TA (2000) Vertebroplasty: an opportunity to do something really good for patients. Spine 25:1051-1052

Ettinger B, Black DM Nevitt MC, Rundle AC, Cauley JA, Cummings SR, Genant HK (1992) Contribution of vertebral deformities to chronic back pain and disability. The Study of Osteoporotic Fractures Research Group. J Bone Miner Res 7(4):449-456

Evans AJ, Weinhoffer SL, Mathis JM, Kennett KB, Crandall JR, Dion JE (1995) Effectiveness of vertebral body stabilisation with percutaneus injection of methylmatecrylate. American Society of Neuroradiology, Chicago II

Felsenberg D, Wieland E, Hammermeister C, Armbrecht G, Gowin W, Raspe H, Deutschlad DEG (1998) Prävalenz der vertebralen Wirbelkörperdeformationen bei Frauen und Männer in Deutschland. Medizinische Klinik 93(Suppl II):31-33

Feydy A, Cognard C, Miaux Y, Sola Martinez MT, Weill A, Rose M, Chiras J (1996) Acrylic vertebroplasty in symptomatic cervical vertebral haemangiomas: report of 2 cases. Neuroradiology 38(4):389-391

Fourney et al (2003) Pecutaneous Vertebroplasty and Kyphoplasty for Painful Vertebral Body Fractures in Cancer Patients. J Neurosurg (Spine 1) 98:21-30

Galibert P, Deramond H, Rosat P, Le Gars D (1987) Preliminary note on the treatment of vertebral angioma by percutaneous acrylic vertebroplasty. Neurochirurgie 33(2):166-168

Galibert P, Deramond H (1990) Percutaneous acrylic vertebroplasty as a treatment of vertebral angioma as well as painful and debilitating diseases. Chirurgie 116(3):326-334

Gangi A, Kastler BA, Dietemann JL (1994) Percutaneous vertebroplasty guided by a combination of CT and fluoroscopy. AJNR Am J Neuroradiol 15(1):83-86

Garfin et al (2001) New Technologies in Spine: Kyphoplasty and Vertebroplasty for the Treatment of Painful Osteoporotic Compression Fractures. Spine, Vol 26, 2:1511-1515

Garfin SR, Yuan HA, Reiley MA (2001) Kyphoplasty and vertebroplasty for the treatment of painful osteoporotic compression fractures. Spine 26:1511-1515

Gold DT (1996) The Clinical Impact of Vertebral Fractures: Quality of Life in Women with Osteoporosis. Bone 18(3):185S-189S

Gold DT (1996) The Clinical Impact of Vertebral Fractures: Quality of Life in Women with Osteoporosis, Bone, Vol 18(3)

Grados F, Depriester C, Cayrolie G et al (2000) Longterm observations of vertebral osteoporotic fractures treated by percutaneous vertebroplasty. Rheumatology 39:1410-1414

Hardouin P et al (2002) Kyphoplasty. Joint Bone Spine 69:256-261

Harington KD (2001) Major neurological complications following percutaneous vertebroplasty with polymerhylmethacryiate: a case report.J Bone Joint Surg 83-A:1070-1073

Heini PF, Wälchli B, Berlemann U (2000) Percutaneous transpedicular vertebroplasty with PMMA: a prospective study for the treatment of osteoporotic compression fractures. Eur Spine J 9:445-450

Heini PF, Beriemann U, Kaufmann M et al (2001) Augmentation of mechanical properties in osteoporotic vertebral bones: a biomechanical investigation of vertebroplasty efficacy with different bone cements. Eur Spine J 10:164-171

Hiwatashi A, Moritani T, Numaguchi Y, Westesson PL (2003) Increase in vertebral body height after vertebroplasty. Am J Neuroradiol 24(2):185-189

Huang C, Ross P, Wasnich R (1996) Vertebral Fractures and other Predictors of Bck Pain among Older Women. JBMR 11(7):1026-1032

Huang C, Ross P, Wasnich R (1996) Vertebral Fractures and other Predictors of Physical Impairment and Health Care Utilization. Arch Intern Med 156(79):2469-2475

Ide C, Gangi A, Rimmelin A, Beaujeux R, Maitrot D, Buchheit F, Sellal F, Dietemann JL (1996) Vertebral haemangiomas with spinal cord compression: the place of preoperative percutaneous vertebroplasty with methyl methacrylate. Neuroradiology 38(6):585–589

Ikeuchi M, Yamamoto H, Shibata T, Otani M (2001) Mechanical augmentation of the vertebral body by caicium phosphate cement injection. J Orthop Sci 6:39–45

Jensen ME, Evans AJ, Mathis JM, Kallmes DF, Cloft HJ, Dion JE (1997) Percutaneous polymethylmethacrylate vertebroplasty in the treatment of osteoporotic vertebral body compression fractures: technical aspects. AJNR Am J Neuroradiol 18(10):1897–1904

Jerosch J, Filler TJ, Peuker ET, Grönemeyer D, Gewargez A, Grundei H (1999) Perkutane vertebrale Augmentation (PVA) bei osteoporotischen Wirbelkörpern - eine experimentelle Untersuchung. Biomedizinische Technik 44:190–193

Johnell O et al (2001) Acute and Long-Term Increase in Fracture Risk after Hospitalization for Vertebral Fracture, Osteoporosis Int' I 12:207–214

Johnell O et al (1997) The Hospital Burden of Vertebral Fracture in Europe: A Study of National Register Sources, Osteoporsis Int'l 7:138–144

Kado DM et al (1999) Vertebral Brody Fractues and Mortality in Older Women. Arch In Med Vol 159

Kaemmerlen P, Thiesse P, Bouvard H, Biron P, Mornex F, Jonas P (1989) Percutaneous vertebroplasty in the treatment of metastases. Technic and results. J Radiol 70(10):557–562

Kanis JA, Delmas P, Burckhardt P, Cooper C, Torgerson D (1997) Guidelines for Diagnosis and Management of Osteoporosis. Osteoporosis Int 7:390–406

Kanis JA, Group WS (1994) Assessment of fracture risk and its application ot screening for postmenopausal osteoporosis: synopsis of a WHO report. Osteoporosis International 4:368–381

Kaplan FS, schert JD, Wiskneski R, Cheatle M, Haddad JG (1993) The cluster Phenomenon in Pateints Who have Multiple Vertebral Compression Fractures. Clinical Orthopaedics and Related Research 297:161–167

Katzman SS (2003) Operative Treatment of oesteoporotic vertebral body fractures: vertebroplasty versus kyphoplasty. AAOS, New Orleans, p 461

Klöckner C, Weber U (2001) Operative Möglichkeiten zur Behandlung von Erkrankungen und Verletzungen der Wirbelsäule bei Patienten mit manifester Osteoporose. Orthopäde 30:473–478

Ledlie JT et al (2003) Balloon Kyphoplasty: One Year Outcomes in Vertebral Body Height Restoration, Chronic Pain, and Activity Leels. J Neurosurg (Spine 1) 98:36–42

Lee et al (2002) Paraplegia as a Complication of Percutaneous Vertebroplasty with PMMA. Spine 27(19):E419–422

Leidig G, Minne HW, Sauer R, Wüster C, Wüster J, Lojen M, Raue F, Ziegler R (1990) A study of complaints and their relation to verebral destruction in patients with osteoprosis. Bone and Mineral 8:217–229

Leidig-Bruckner G, Minne HW, Schlaich C, Wagner G, Scheidt-Nave C, Bruckner T, Gebest HJ, Ziegeler R (1997) Clinical Grading of Spinal Osteoporosis.

Quality of Life Components and Spinal Deformity in Women with Chronci Low Back Pain and Women with Vertebral Osteoporosis. JBMR 12(4):1–13

Lieberman ICH, Dudeney S, Reinhardt MK, Bell G (2001) Initial outcome ad efficacy of kyphplasty in the treatment of painfui osteoporotic vertebral compression fractures. Spine 26:1631–1638

Liebschner MAK, Rosenberg WS, Keaveny TM (2001) Effects of bone cement volume and distribution on vertebral stiffness after vertebroplasty. Spine 26:1547–1554

Lyies KW, Gold DT, Shipp KM, Pieper CF, Martinez S, Mulhausen PL (1993) Association of osteoporotic vertebral compression fractures with impaired functional stuats. Am J Med 94:595–601

Martin JB, Jean B, Sugiu K et al (1999) Vertebroplasty: clinical experience and follow-up results. Bone 25:11S–15S

Mathis JM, Petri M, Naff N (1998) Percutaneous vertebroplasty treatment of steroid-induced osteoporotic compression fractures. Arthritis Rheum 41(1):171–175

Matthis C, Raspe H (1998) Burden of Illness in Vertebral Deformities: EVOS-Group in Germany. Med Klin 93(Supp 2):41–46

Melton LJ III (1997) Epidemiology of Spinal Osteoporosis. Spine 22(24S):2S–11S

Minne HW (1991) Lebensqualität im Alter bedroht durch Osteoporose? Pharmazie in unserer Zeit 3:109–113

O'Neill TW, Felsenberg D, Varlow J, Cooper C, Kanis JA, Silman AJ, Group a.t. EVOS (1996) The prevealcen of verebral deformity in European mencen and women: the European Vertebral Osteoporosis Study. J Bone Miner Res 11:1010–1018

O'Neill TW, Silman AJ (1997) Definition and Diagnosis of Vertebral Fracture. J Rheum 24(6):1208–1211

Padovani B, Kasriei O, Brunner P, Peretti-Viton P (1999) Pulmonary embolism caused by acrylic cement: a rare complication of percutaneous vertebroplasty. Am J Neuroradiol 20:375–377

Ratliff J, Nguyen T, Heiss J (2001) Root and spinal cord compression from methyl-methacrylate vertebroplasty. Spine 26:e300–e302

Ross PD (1997) Clinical Consequences of Vertebral Fractures. Am J Med 103(2A):30S–43S

Scholz MG, Minne HW (1998) Differential Diagnosis: Back Pain and Osteoporosis. In: Geusens P (ed) Osteoporosis in Clinical Practice: A Practical Guide for Diagnosis and Treatment, pp 65–68

Silvermann SL (1992) The clinical conseuqences of vertebral compression fracture. Bone 13:27–31

Stechow D von, Alkalay R (2001) Perkutane Vertebroplastik mit Polymethylmethacrylat (PMMA) in frakturierten osteoporotischen Wirbelkörpern. Eine biomechanische Untersuchung. Z Orthop

Tohmeh AG, Mathis JM, Fenton DC, Levine AM, Boikott SM (1999) Biomechanical efficacy of unipedicular versus bipedicular vertebroplasty for the management of osteoporotic compression fractures. Spine 24:1772–1776

von Strempel A, Kühle J, Plitz W (1994) Stabilität von Pedikelschrauben. Teil 2: Maximale Auszugskräfte unter Berücksichtigung der Knochendichte. Z Orthop 132:82–86

Wang GW, Wilson CS, Hubbard SL (1984) Safety of anterior cement fixation in the cervical spine: in vivo study of the dog spine. South Med J 77:178–179

Wasnich RD (1996) Vertebral fracture epidemiology. Bone 18:19S–183S

Weill A, Chiras J, Simon JM, Rose M, Sola-Martinez T, Enkaaoua E (1996) Spinal metastases: Injections for and results of percutaneous injection of acrylic cement. Radiology 199:241–247

Yeom JS, Kim WJ, Choy WS, Lee, CK, Chang BS, Kang JW, Kim KH (2003) Leakage of cement in percutaneus transpedikular vertebroplasty for painful osteororotic compression fractures. J Bone Joint Surg 85-B:83–89

Schmerztherapie

KAPITEL 17

Medikamentöses Stufenschema in der Schmerztherapie

J. Heisel

Einleitende Vorbemerkungen

Der Schmerz ist ein subjektives Resultat einer komplexen zentralen Reizbeantwortung; dies bedeutet, dass ein eigentliches zerebrales Schmerzzentrum nicht existiert. Das Resultat ist ein unangenehmes Sinnes- und Gefühlserlebnis, das mit einer aktuellen oder potenziellen Gewebeschädigung verbunden ist. Auf längere Sicht bewirken Schmerzen eine perzeptive Verhaltensänderung des gesamten Organismus auch gegenüber nicht-perzeptiven Reizen.

Bei der *Schmerzgenese* werden ein radikulärer Kompressionsschmerz, ein neuraler Deafferenzierungsschmerz, ein nozizeptiver Rezeptorschmerz, ein vegetativer sympathischer Schmerz sowie zentral nervöse psychogene oder entkoppelte Schmerzen differenziert. *Degenerativ ausgelöste Schmerzbilder* zeigen im Allgemeinen einen Ruheschmerz, kurz dauernde morgendliche Anlaufbeschwerden mit dann zunehmendem belastungsabhängigen Beschwerden im Laufe des Tages. Nachtschmerzen treten lediglich im Schulterbereich auf. Im Falle einer *entzündlichen Ursache* besteht meist ein heftiger längerer morgendlicher Schmerz, der bei jeder Belastung auftritt und teilweise auch in Ruhe vorhanden ist; häufig werden Nachtschmerzen berichtet.

Akuter Schmerz ist von kurzer Dauer, seine Ursache ist bekannt, damit meist therapierbar; er erfüllt eine Warnfunktion im Organismus. *Chronische Schmerzbilder* sind lang andauernd bzw. wiederkehrend (monodimensionale Therapieresistenz über mehr als sechs Monate); ihre Ursache ist teilweise unbekannt und damit einer Therapie oft schlecht zugängig: Meist besteht keine Warnfunktion mehr, der Schmerz persistiert auch ohne weiter auslösende Ursache (sog. Schmerzgedächtnis). Wichtige Einflussfaktoren, die zur *Herabsetzung der Schmerzschwelle* und damit zu einer stärkeren Schmerzwahrnehmung führen, sind Schlaflosigkeit, Sorgen und Ängste, Traurigkeit, Introversion und Depression, aber auch Isolation, soziale Abhängigkeit und Langeweile.

Schmerzen sind der häufigste Grund für Arztbesuche; gemäß einer Untersuchung im Jahre 1999 leiden in Deutschland 7,5 Mio. Patienten unter chronischen Schmerzen; 1,35 Mio. hiervon seien opioidpflichtig, 555000 Schmerzpatienten würden sogar starke Opioide benötigen.

Ziel des ärztlichen Bemühens ist die weitgehende Beseitigung der schmerzauslösenden Ursachen bzw. die Linderung des Beschwerdebildes; in diesem Zusammenhang stellt die medikamenöse Behandlung einen wesentlichen Baustein dar, wobei hier seit 1996 durch die WHO eine Standardisierung im Sinne eines 3-Stufen-Schemas (Abb. 1) vorgeschlagen wurde.

Wirkstoffgruppen und Nebenwirkungen

Stufe eins der medikamentösen Therapie vor allem akuter Schmerzen (posttraumatische, postoperative, aber auch spontan auftretende Beschwerdezustände) stellt heutzutage die bekannte und weltweit verbreitete Abdeckung mit nichtsauren antipyretischen *Analgetika* (v. a. Paracetamol und Metamizol; Tabelle 1) und/oder den sog. *nichtsteroidalen Antirheumatika* (NSAR; Tabelle 2) dar. Es handelt sich hierbei um unterschiedliche Stoffgruppen, gemeinsam ist ihnen der Angriffsort im peripheren Arachidonsäure-Stoffwechsel mit Hemmung der Bildung von Entzündungsmediatoren (Abb. 2). Die einzelnen Präparate (Salizylate, Anthranilsäure-, Arylessigsäure- und Arylpropionsäurederivate, Oxikame u. a. m.) unterscheiden sich im Wesentlichen lediglich bezüglich ihrer Halbwertzeit im Organismus, was für ihre Steuerbarkeit von großer Bedeutung ist. Ibuprofen als sehr kurz wirkende Substanz sowie Piroxicam mit nur sehr zögerlicher Elimination sind in diesem Zusammenhang als die beiden Extreme zu bewerten (Tabelle 2).

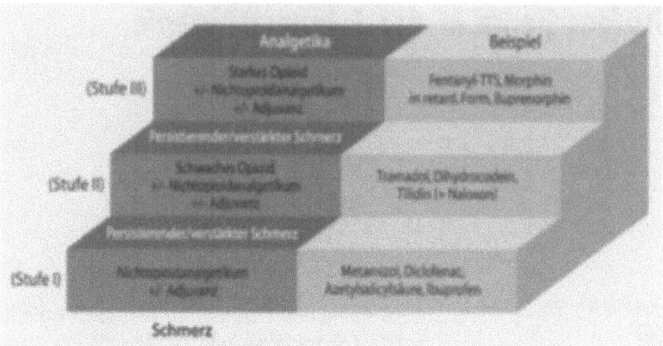

Abb. 1. Medikamentöses 3-Stufen-Schema der WHO (1996) in der Schmerztherapie

Tabelle 1. Nichtsaure antipyretische Analgetika

Chemische Substanz	Handelsnamen (Auswahl)	Halbwertzeit (h)	Tageshöchstdosis
Paracetamol			
– Monosubstanz	Ben-u-ron, Contac, Captin, Enelfa, Fensum, Mono Praecimed, Paedialgon, Togal, u. a. m.	1,5–2,5	50 mg/kg KG
– mit Codein	Gelonida, Lonarid, Nedolon, Optyprin, Talvosilen, u. a.		
Metamizol	Analgin, Baralgin, Berlosin, Metalgin, Novparin, Novalgin, Novaminsulfon	2–4	4000 mg bzw. 160 Tropfen
Nefopam	Silentan	2–4	300 mg

Die vor allem bei langer Applikation über mehrere Wochen nicht seltenen *Nebenwirkungen* – ob oral, rektal oder parenteral verabreicht – sind in aller Regel gleich, wobei vor allem Störungen des Magen-Darm-Traktes bis hin zur Gastrointestinalblutung (Tabelle 3) zu beachten sind. Durch Verabreichung von Prostaglandinen bzw. von Protonenpumpenhemmern (Tabelle 4) sollten diese minimiert werden.

Die seit einiger Zeit im Handel befindlichen sog. selektiven Cox-II-Hemmer (Rofecoxib, Celecoxib) erlauben eine gezieltere Blockierung der lokalen Gewebeentzündung und damit eine weitgehende Reduktion der gastrointestinalen Störungen.

Zu beachten sind weiterhin die *Wechselwirkungen* der NSAR mit anderen medizinischen Wirkstoffen (Tabelle 5).

Ist diese medikamentöse Maßnahme nicht ausreichend effizient, so kommen als **Stufe 2** *schwache Opioide* (z. B. Tramadol, Tilidin; Tabelle 6), auch in Kombination mit einem Nichtopioid-Analgetikum (NSAR) zum Einsatz. Hierbei handelt es sich um mittelstark wirkende zentrale Analgetika, die bevorzugt in Tropfenform verabreicht werden.

Die *Nebenwirkungen* dieser Substanzen betreffen in erster Linie die Haut, aber auch das Nervensystem und die Psyche sowie den Gastrointestinaltrakt (Tabelle 7); auch sind *Wechselwirkungen* mit dämpfenden Psychopharmaka sowie Alkohol zu beachten.

In der **dritten Stufe** der Schmerztherapie sind heutzutage die *starken Opioide (Opiate)* die wesentliche Stoffgruppe, zu denen evtl. zusätzlich auch NSAR gegeben werden können. Unterschieden werden hier das Buprenorphin, das Dihydrocodein, v. a. das Fentanyl, Morphin bzw. Morphinsulfat sowie Oxycodon (Tabellen 8, 9). Die Verabreichung erfolgt mit unterschiedlichen initialen Einzeldosen, wobei dann eine stufenweise Aufsättigung bis zum optimalen Wirkungseffekt (ohne Höchstdosis) empfohlen wird. Das Fentanyl-Pflaster (Wirkstofffreisetzung: 25–100 μg/h) bietet den Vorteil der transdermalen Applikation: über drei Tage; besteht eine kontrollierte Wirkstofffreisetzung (konstanter Wirkspiegel mit gut steuerbarer und gleichbleibender Analgesie; effektive Wirksamkeit auch bei minimaler Wirkstoffmenge). Das Präparat ist sehr gut verträglich, auch bei Daueranwendung; *Nebenwirkungen* wie Atemdepressi-

Tabelle 2. Nicht-steroidale Antirheumatika (Stand: Oktober 2004)

Stoffgruppen	Chemische Substanzen	Handelsnamen (Auswahl)	Tageshöchstdosis (mg)	Halbwertzeit (Std.)
■ Salizylate	Azetylsalizzylsäure	Acesal, Aspirin, Aspro, ASS, Thomapyrin akut, Togal, u.a.m.	2000–6000	0,2–3
■ Anthranilsäure-Derivate (Fenamate)	Mefenaminsäure	Parkemed, Ponalar	1500	2–5
■ Arylessigsäure-Derivate (sog. Fenac-Verbindungen)	Acemetacin	Acemetacin-Heumann, Acemetacin-STADA, Acemetadoc, Acephlogont, Rantudil, u.a.	180	2–5
	Diclofenac	Allvoran, Benfofen, Diclac, Diclo, Diclodoc, Diclofenac, Diclofenbeta, Diclophlogont, DICLO-PUREN, Dolgit-Diclo, duravolten, Effekton, Jenafenac, Monoflam, Myogit, Rewodina, Sigafenac, Voltaren, u.v.a.	200	1–4
	Aceclofenac	Beofenac	200	2–5
	Indometacin	Amuno, indo, indocontin, indomet, Indomsial, Indo-Phlogont, inflam, u.a.	150–175	2–5
	Lonazolac	Argun, arthro-akut	600	6
	Proglumetacin	Protaxon	600	2–5
■ Arylpropionsäure-Derivate (sog. Profene)	Ibuprofen	Aktren, Contraneural, Dismenol N, Dolgit, Dolodoc, DOLO-PUREN, Dolormin, dolo-sanol, Esprenit, Eudorlin, Gynofug, Gyno-Neuralgin, Ibu, Ibu-acis, Ibubeta, ibudolor, ibuflam, ibuhexal, Ibu-KD, Ibumerck, Ibuphlogont, ibuprof, ibu-TAD, ibutop, imbun, Jenaprofen, Kontragripp, Mensoton, Migränin, Novogent, Nurofen, Optalidon, Opturem, Parsal, Phamoprofen, ratioDolor, Spalt-Liqua, Tabalon, Tempil, Tispol, Togal-Ibuprofen, Urem, u.a.	2400	1–2,5
	Ketoprofen	Alrheumun, Gabrilen, Ketoprofen, Orudis, Spopndylon, u.a.	300	1,5–2,5
	Naproxen	Aleve, Dysmenalgit, Naproxen, Proxen	750–1000	12–14
	Tiaprofensäure	Surgam	600	1–2
■ Oxikame	Piroxicam	Brexidol, duraplrox, Felden, Flexase, Jenaprox, Piro, Pirobeta, Piroflam, Piro KD, Piro-Phlogont, Pieorheum, pirox, Piroxicam, Rheumitin, u.v.a.	20–40	45–5
	Meloxicam	Mobec	15	18–30
	Lornoxicam	Telos	16	3–4
■ Coxibe	Valdecoxib	Bextra	40 (–80)	8–11
	Celecoxib	Celebrex	400	8–12
■ Pyrazolon-Derivate	Azopropazon	Tolyprin	1800	12
	Mofebutazon	Mofesal	900	2
	Phenylbutazon	Ambene, exrheudon	600	70–75
■ Oxaceprol		AHP 200, danoprox	1200	4–8

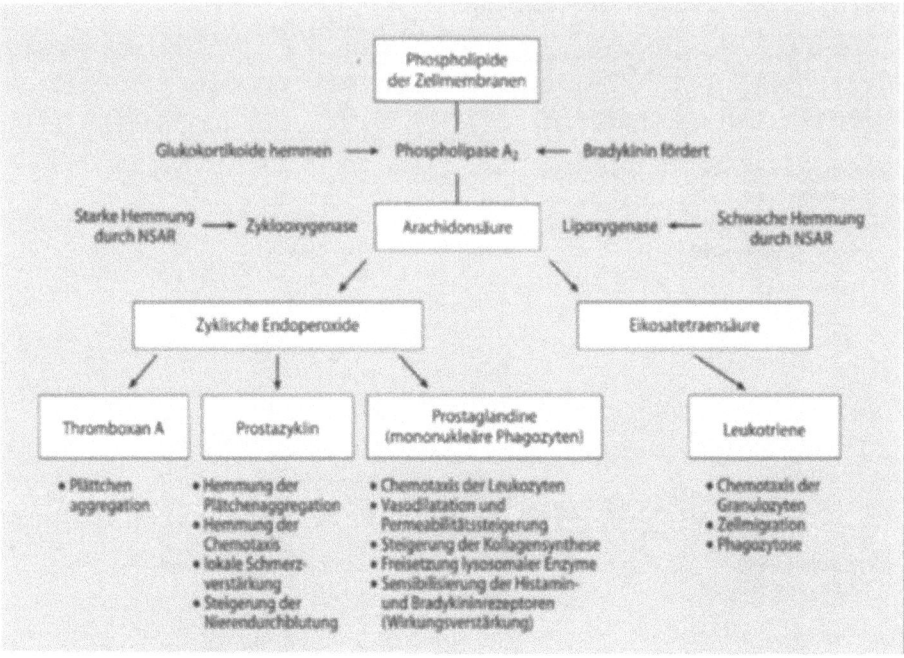

Abb. 2. Angriffspunkte der NSAR im Stoffwechsel

Tabelle 3. Übersicht über die wichtigsten Nebenwirkungen der NSAR (unabhängig von der chemischen Stoffgruppe)

Klinische Störung	Häufigkeit
■ Hautüberempfindlichkeit, Allergie	selten
■ Übelkeit, Völlegefühl, Diarrhoe	nicht selten
■ gastrointestinale Ulzerierung/ gastrointestinale Blutung	relativ selten
■ Blutbildungsstörung	selten
■ Leberfunktionsstörungen	selten
■ Nierenfunktionsstörungen	selten

on u. a. sind selten. Im Vergleich zum oral verabreichten Morphin ist die analgetische Wirkung vergleichbar gut, jedoch unabhängig von der Resorption im Magen-Darm-Trakt; gastrointestinale Störungen (v. a. Obstipation) sind seltener. Während orales Morphin maximal über 24 Stunden wirkt, hält die Wirkdauer des Fentanyl-Pflasters über 72 Stunden an.

Bei der *Therapie von Intoxikationen* muss in erster Linie auf eine Optimierung der supprimierten Atmung geachtet werden; evtl. ist sogar eine Magenspülung und/oder die Verabreichung des Antidots Naloxon notwendig.

Tabelle 4. Medikamentöse Prophylaxe von Magen-Darm-Nebenwirkungen der NSAR mit speziellen Pharmaka

Ausmaß des Nebenwirkungsrisikos	Chemische Substanzen	Handelsnamen (Auswahl)	Dosierung
■ low risk	Misoprostol (Prostaglandin-Derivat)	Cytotec	2–4-mal 200 µg/die
■ high risk	Omeprazol	Antra MUPS, Omebeta, OMEP, OME-PUREN, u. a.	2-mal 20 mg/die oder 1-mal 40 mg/die
	Pantoprazol	Pantozol, rifun	1(–2-mal) 20 mg/die
	Lansoprazol	Agopton, Lanzor	1(–2-mal) 15 mg/die
	Esomeprazol	Nexium	1-mal 20–40 mg/die

Schlussfolgerungen

In der Behandlung akuter Schmerzbilder steht heutzutage eine breit gefächerte Palette an Präparaten mit unterschiedlicher Wirksamkeit und verschiedenen Angriffspunkten im Organismus zur Verfügung. Für den behandelnden Arzt von großer Bedeutung erscheint die Berücksichtigung iatrogener Chronifizierungsfaktoren, die scheinbar leicht vermeidbar sind und dennoch häufig nicht beachtet werden wie die Überbewertung bildgebender Verfahren, eine primär schmalspurige und teilweise unangepasst euphorisierende Kommunikation mit dem Patien-

Tabelle 5. Wichtige Wechselwirkungen der NSAR mit anderen Stoffgruppen

Substanzgruppe	Klinische Auswirkung
Digoxin	erhöhte Wirkspiegel
Lithium	erhöhte Wirkspiegel
Phenytoin	erhöhte Wirkspiegel
Methotrexat	erhöhte Wirkspiegel
Diuretika	Hyperkaliämie, Wirkungsminderung
Antihypertonika	Wirkungsminderung
Glukokortikoide	gastrointestinale Blutungsgefahr erhöht
Antikoagulantien	Blutungsgefahr
orale Antidiabetika	Wirkungsverstärkung

Tabelle 6. Mittelstark wirkende zentrale Analgetika

Stoffgruppe	Chemische Substanzen	Handelsnamen (Auswahl)	Tageshöchstdosis
Triamininopyridin	Flupirtinmaleat	Katadolon, Trancopal-Dolo	600 mg oral (900 mg rektal)
schwache Opioide	Tramadol	Amadol, Jutadol, Tradol, Tramabeta, Tramadoc, Tramadolor, Tramagetic, Tramal, Tramal long, Tramundin, u.a.m.	400–600 mg per os bzw. bis zu 240 Tropfen
	Tilidin (mit Naloxon)	Andolor, Tilimerck, TILI-PUREN, Valoron-N, Valoron-N retard, u.a.	600 mg p.o. bzw. bis zu 240 Tropfen

Tabelle 7. Wichtige Nebenwirkungen der schwachen Opioide oder Opiate bei oraler Gabe

Symptome	Auftreten/Verlauf	Behandlung
Häufig		
Übelkeit, Erbrechen Mundtrockenheit, Kopfschmerz, Schwindel	initial; meist rückläufig nach 1–2 Wochen	nur in Einzelfällen antiemetischer Stufenplan: 1. Domperidon oral 3–4 × 10–20 mg bzw. Metoclopramid oral 3–5 × 10 mg 2. Neuroleptica (z. B. Haloperidol) oral 20–30 mg bzw. Antihistaminika (z. B. Triflupromazin) oral 10–50 mg 3. Ondansetron oral 2–3 × 4–8 mg
Obstipation	meist chronisch im Verlauf der Therapie	1. ballaststoffreiche Diät, ausreichend Flüssigkeit 2. Gabe von Laxantien (Quellstoffe, Lactulose, Na-Picosulfat, Gleitmittel u.a.)
Müdigkeit, Sedierung Dysphorie	v.a. initial, später rückläufig	evtl. Dosreduktion, Präparatewechsel
Selten		
Juckreiz	v.a. bei Langzeitgabe	Präparatewechsel
Libidoverlust	v.a. bei Langzeitgabe	Präparatewechsel oder, wenn möglich -pause
Sehr selten		
Atemdepression	nur im Falle einer respiratorischen Begleiterkrankung oder Intoxikation	Reduktion der Dosis und der Begleitmedikation
periphere Ödeme	v.a. bei Langzeitgabe	v.a. bei Codein, Morphin bzw. Methadon: Präparatewechsel
psychotische Syndrome	v.a. bei Intoxikation	Dosisreduktion
Myoklonie, Hyperalgesie	nur bei Überdosierung von Morphin	Präparatewechsel

Tabelle 8. Opiate

Chemische Substanz	Handelsnamen (Auswahl)	Applikation	(Initiale) Einzeldosis
Buprenorphin	Temgesic, Sobutex	p.o. (sublingual)	0,2–0,4 mg
	Transtec	transdermales Pflaster	35 µg/h (3 Tage); Steigerung auf 52,5 bzw. 70 µg/h möglich
Dihydrocodein, Codeinphosphat (retardiert)	DHC-Mundipharma, codiOPT	p.o.	60 mg
Fentanyl	Durogesic SMAT	transdermales Pflaster	25 µg/h (3 Tage)
Hydromorphon	Dilaudid	i.m., s.c., (i.v.)	2 mg (in 1 ml)
	Palladon	p.o.	4 mg
Levomethadon (Ausweichpräparat; v. a. zum Morphin-Entzug eingesetzt)	L-Polamidon	p.o., i.v.	initial 3–4-mal 2,5–5,0 mg oral
Morphinhemisulfat (retardiert)	Capros, Kapanol, MSI, MSR, MST-Mundipharma, Onkomorphin, Sevredol	p.o.	10–30 mg
Morphinsulfat	Kapanol, M-beta, M-dolor, M-long, Mogetic, Morphaton, Morphin-Merck, MORPHIN-PUREN	p.o., Tropfen	10 mg
Oxycodon (retardiert)	Oxygesic	p.o.	10–20 mg
Pethidin	Dolantin, Pethidin-hameln	i.v., rektal, Tropfen	initial 100 mg, maximal 500 mg/die
Pentazocin	Fortral	i.v., i.m. (evtl. s.c.)	Einzeldosis 0,5 mg/kp KG; maximal 360 mg/die
Piritramid	Dipidolor	i.m., i.v.	7,5–15 mg

ten, nicht selten chaotisch-springende Therapiekonzepte sowie eine unseriöse Patientenbindung. Ein zunehmender Chronifizierungsgrad eines Schmerzbildes bedeutet mehr unspezifische Symptomatik, häufigere depressive und psychovegetative Störungen, eine verminderte Belastungs- und Stresstoleranz sowie – stadienabhängig – ein sinkendes Therapie- bzw. Rehapotenzial und damit eine sozialmedizinische Problemhäufung. Unter diesem Aspekt gilt es gerade in der Therapie chronischer Schmerzbilder folgende Richtlinien zu beachten: Verabreichung möglichst langwirkender retardierender Analgetika, die nach einem festen Zeitschema und individuell nach der jeweiligen Schmerzstärke („Stundenplan" in Anlehnung an das individuelle Schmerztagebuch) eingenommen werden sollten, wobei das WHO-Stufenschema zugrunde zu legen ist.

Die häufigsten Fehler in der Pharmakotherapie mit Opiaten liegen in einer ‚Bedarfsanalgesie', dem Aufsparen bzw. dem Verweigern hochpotenter Präparate, dem Verabreichen von Mischanalgetika bzw. einer Tranquilizer-Dauermedikation sowie in der irrationalen Angst vor Sucht und Toleranz.

Literatur

1. Diener HC, Maier C (1997) Das Schmerztherapiebuch. Urban & Schwarzenberg, München Wien Baltimore
2. Freye E (1999) Opioide in der Medizin, 4. Aufl. Springer, Berlin Heidelberg New York
3. Krämer J, Nentwig CG (1999) Orthopädische Schmerztherapie. Enke, Stuttgart
4. Rote Liste (2004) Arzneimittelverzeichnis für Deutschland. Cantor, Aulendorf
5. Wörz R (Hrsg) (2001) Differenzierte medikamentöse Schmerztherapie, 2. Aufl. Urban & Fischer, München Jena

Kapitel 18

Der Psychologe als Verhaltensmoderator in der orthopädischen Schmerztherapie

M. Baum

Vorbemerkungen

Das Verständnis chronifizierter Schmerzen hat sich in den letzten Jahren in Wissenschaft und Praxis grundlegend geändert. Monokausale, einseitig organische Erklärungs- und Behandlungskonzepte wurden abgelöst durch neue Modelle, die chronifizierte Schmerzstörungen als ein interaktives Muster aus physiologisch-organischen, kognitiv-emotionalen und behavioralmotorischen Anteilen verstehen. Chronifizierte Schmerzen resultieren also aus einem Zusammenwirken der Reaktionen der gesamten Person und ihrem Umfeld auf ein bedeutsames Krankheitsereignis. Damit unterscheiden sich nach moderner Auffassung chronifizierte Schmerzstörungen in wesentlichen Gesichtspunkten von akuten Schmerzzuständen und bedürfen, basierend auf einem biopsychosozialen Störungsmodell einer speziellen, multimodalen und interdisziplinären Behandlung.

Die Einrichtungen der orthopädischen Rehabilitation verfügen seit langem über eine bewährte personelle und fachliche Ausstattung und Struktur, die eine patienten- und teamorientierte Behandlungsplanung und -durchführung möglich macht. Mit der wachsenden Beachtung der Schmerztherapie in der Medizin und Psychologie und der Erweiterung der Therapiekonzepte kommt den psychologisch-psychotherapeutischen Interventionen eine zunehmend größere Bedeutung zu.

Vom akuten zum chronifizierten Schmerz: Negative physiologische und psychologische Lernprozesse

Während akute Schmerzzustände als notwendige organismische (Stress-)Reaktion auf identifizierbare schädigende externe oder endogene Reize betrachtet werden können, die nach maximal einigen Wochen, längstens 6 Monaten remittieren, verliert der Schmerz im Laufe seiner Chronifizierung seine nützlichen Warn- und Schutzfunktionen (s. Tabelle 1a, 1b).

Vielmehr kommt es zu negativen Anpassungen und Lernprozessen auf verschiedenen Ebenen: der Physiologie, der Emotionen, der Kognitionen und des motorischen und sozialen Verhaltens. Die Schmerzschwelle sinkt, die Schmerzreaktivität nimmt zu. Die beteiligten physiologischen Strukturen „lernen", auf geringere Reize stetig schneller und anhaltender mit Schmerz zu reagieren. Emotional stehen ständige Besorgtheit, eine missmutig-traurige oder reizbare Stimmung, Ärger und latente Aggressivität gegenüber der „gesunden Umwelt" im Vordergrund. Die Patienten beschäftigen sich fast ausschließlich mit körperlichen Symptomen und fühlen sich doch hilflos angesichts der anhaltenden körperlichen Probleme und deren Auswirkungen. Auch diese emotionalen Reaktionen

Tabelle 1a. Akuter Schmerz

- Dauer < 6 Monate
- Frühe/alltägliche Erfahrung
- Reaktion auf aversive/schädigende Reize
- Identifizierbare externe/endogene Auslöser
- Warn-/Schutzfunktion
- Psychische Reaktion: Schreck, Angst, Motivation, zielgerichtetes Verhalten

Tabelle 1b. Chronifizierter Schmerz

- Dauer > 6 Monate
- Überdauert Anlass
- Reaktionen schützen nicht/beenden den Schmerz nicht
- Keine genau bestimmbaren Auslöser
- Negative physiologische und psychosoziale Konsequenzen
- Misserfolg von Behandlungs- und Bewältigungsbemühungen

stellen fehlgeschlagene Lernprozesse dar. Es sind Lösungsversuche, der unangenehmen Situation zu entgehen, führen aber gerade nicht zu einer Verbesserung der Bewältigung der gesundheitlichen Krise. Sie führen stattdessen dazu, dass die Patienten ihre sozialen Kontakte reduzieren oder gar Schritt für Schritt aufgeben. Sie verlieren das Interesse an Freizeitaktivitäten und Hobbys, schränken ihre motorischen Aktivitäten ein bis hin zu einer durchgängigen Schonhaltung. Sie büßen in ihrer beruflichen Leistung stark ein bis zu dauerhafter Arbeitsunfähigkeit. Kommt es zu einer Fehlzeit von länger als 6 Monaten am Arbeitsplatz, sinkt die Wahrscheinlichkeit einer dauerhaften Wiederaufnahme der Erwerbstätigkeit schon deutlich, dauert die Arbeitsunfähigkeitsphase länger als ein Jahr oder wird eine Frühberentung angestrebt, schwinden die Aussichten auf eine Trendwende sowohl unter körperlichen wie psychischen Aspekten auf ein Minimum. Aber nicht nur die Rolle als Erwerbstätiger, sondern auch andere wichtige soziale Rollen werden eingeschränkt. Das Denken, die Kommunikation, mitunter der gesamte Alltag wird den wahrgenommenen Schmerzen gewidmet. Schmerz, der in diesem Sinne seinen Anlass überdauert und gekennzeichnet ist von einem Misserfolg von Behandlungs- und Bewältigungsbemühungen, wird zu einer eigenständigen Störung. Das gemeinsame Kennzeichen dieser Störung sind die fehlgeschlagenen Lern- und Lösungsversuche auf allen organismischen Ebenen, die letztlich die Störung im Sinne eines Circulus vitiosus konservieren.

Risikofaktoren für die Chronifizierung von Schmerzen

Die Risikofaktoren für eine Chronifizierung können außerordentlich vielfältig und individuell sein. Hierzu gehören neben den auslösenden Bedingungen für eine Schmerzepisode vor allem die sog. aufrechterhaltenden Bedingungen, d. h. die physiologischen und psychologischen Mechanismen, die in der Folge einer gesundheitlichen Krise im Patienten und in seinem sozialen Umfeld wirksam werden. Zu den auslösenden psychologischen Bedingungen zählen u. a. andauernder psychosozialer Stress, negative Lebensereignisse, psychomentale Belastungen am Arbeitsplatz, prämobide psychische Störungen (z. B. Angststörungen, depressive Störungen, Persönlichkeitsstörungen),

Tabelle 2. Indikationen für psychologische Diagnostik und Therapie

- Andauernde, über den Anlass andauernde Schmerzen
- Ausgedehnte, generalisierte Schmerzen
- Schmerzen unterschiedlicher Lokalisation
- Störungen der psychischen und sozialen Befindlichkeit
- Überdeutliche/undifferenzierte Schmerzexpression
- Fehlende Compliance gegenüber medikamentöser Behandlung
- Medikamentenabusus/häufiger Behandlerwechsel

mangelhaftes Gesundheitsbewusstsein und damit einhergehend defizitäres aktives Gesundheitsverhalten (Bewegung, Sport!). Zu den aufrechterhaltenden psychologischen Bedingungen gehören v. a. fehlende soziale Unterstützung oder umgekehrt zu starke Entlastung von Anforderungen durch Bezugspersonen infolge einer Schmerzepisode („sekundärer Krankheitsgewinn"), generelle oder zu lange protrahierte Vermeidungs-/Schonhaltungen oder umgekehrt unangemessene Durchhaltestrategien, falsche Selbstmedikation, Medikamentenmissbrauch oder fehlende Compliance gegenüber der ärztlich verordneten Medikation. Sind mehrere dieser Bedingungen erfüllt, ist eine spezielle psychologische Diagnostik und psychologische Intervention angezeigt (s. Tabelle 2).

Psychologische (Differential-)Diagnostik bei Schmerzstörungen

Die psychologische Differentialdiagnostik bei chronifizierten Schmerzstörungen beinhaltet im Wesentlichen zwei Ebenen: Die Erkennung eventuell vorhandener komorbider psychischer Störungen nach ICD-10 und die Differenzierung der Schmerzstörung selbst, d. h. in erster Linie der psychologisch und sozial wirksamen Faktoren.

Die Differentialdiagnostik psychischer Störungen folgt dem Prinzip der Komorbidität, d. h. es werden alle, wenn nötig mehrere Diagnosen gestellt, deren Kriterien vollständig erfüllt sind und die den gesamten psychischen Status des Patienten beschreiben. Dies ist deshalb notwendig, um in der Folge eine Indikation und einen angemessenen Behandlungsplan aufstellen zu können. Liegt neben der Schmerzstörung selbst z. B. seit langem eine Angststörung vor, wird sich die psychotherapeutische Vorgehensweise deutlich anders darstellen als beim Fehlen einer entsprechenden komorbiden Störung. Häufig muss zunächst der Behandlung der originär psychischen Störung Vorrang gegeben werden, um überhaupt die Voraussetzung für eine Schmerzbewältigungstherapie zu schaffen. Der erfahrene Diagnostiker wird dieses Screening in die erste diagnostische Phase integrieren. Die Klinische Psychologie bietet hier auch eine Vielzahl ökonomischer und valider Messverfahren zu den häufigsten Störungsformen (Angststörungen, Affektive Störungen, Persönlichkeitsstörungen, Sexuelle Störungen, Schlafstörungen), die ergänzend zur klinischen Beurteilung verwendet werden können.

Dieser Teil der Diagnostk sollte dem Patienten gegenüber zu Beginn der psychologischen Arbeit (und damit Beziehung) aber nicht in den Mittelpunkt gestellt werden, sondern eher implizit und parallel zur im Vordergrund stehenden genauen Betrachtung der Schmerzstörung erfolgen. Viele Schmerzpatienten haben zum Teil berechtigte Ängste, als psychisch krank bezeichnet zu werden. Sie befürchten, die Behandler und die Gesellschaft würden ihnen dann die Schmerzsymptome nicht mehr „glauben", sondern andere Motive unterstellen („Simulation", „Krankheitsgewinn").

Der Fokus richtet sich deshalb auf die Charakteristika der Schmerzstörung, d.h. deren Verlauf, die Erlebnisqualitäten (Stärke, Empfindungen, Schwankungen, Lokalisationen etc.) sowie deren Folgen für die Lebensführung (s. Tabelle 3).

Hierzu muss dem Patienten immer zunächst ausreichend Gelegenheit (Raum und Zeit im Gespräch) gegeben werden, seine Sicht und Erklärung seiner Situation darzulegen. Erst dann wird der Psychologe durch eigene Fragen und durch die zur Verfügung stehenden diagnostischen Methoden und Instrumente (s. Tabelle 4) das Bild und damit die Diagnose(n) vervollständigen.

Tabelle 3. Psychologische Diagnostik bei Schmerzstörungen: Ziele

Analyse von:
- Auslösenden, modulierenden, aufrechterhaltenden Bedingungen
- inneren/äußeren Verstärkern
- vorausgehenden/nachfolgenden Bedingungen einzelner Episoden
- emotionalen Begleiterscheinungen
- subjektivem Störungsmodell

Tabelle 4. Psychologische Diagnostik bei Schmerzstörungen: Methoden

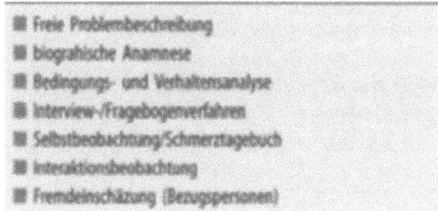

- Freie Problembeschreibung
- biografische Anamnese
- Bedingungs- und Verhaltensanalyse
- Interview-/Fragebogenverfahren
- Selbstbeobachtung/Schmerztagebuch
- Interaktionsbeobachtung
- Fremdeinschätzung (Bezugspersonen)

Im ambulanten psychotherapeutischen Setting steht hierzu mehr Zeit zur Verfügung als während einer wenige Wochen dauernden stationären Rehabilitation. Die Treffsicherheit der diagnostischen Entscheidungen ist deshalb von der Erfahrung und von speziellen Kenntnissen bei Schmerzstörungen abhängig.

Psychologische Therapie bei chronifizierten Schmerzstörungen

Auf der Grundlage der erhobenen Daten und Informationen und nach einem Austausch mit den am Behandlungsprozess Beteiligten im Team (v.a. Arzt und Physiotherapeut) wird eine Auswahl der therapeutischen Ziele (s. Tabelle 5) und der therapeutischen Angebote (s. Tabelle 6) vorgenommen. Alle Berufsgruppen sollen mit ihren methodischen Möglichkeiten an gemeinsamen Zielen arbeiten, deshalb ist die Abstimmung im Behandlungsteam so notwendig und wichtig. Diese Möglichkeit zur interdisziplinären Abstimmung ist auch eine der besonderen Stärken des stationären rehabilitativen Settings, während die geringen zeitlichen Ressourcen zur Kommunikation zwischen den Behandlern im ambulanten Behandlungssetting bei chronifizierten Schmerzstörungen nach wie vor einen bedauerlichen Mangel darstellen.

Ausgangspunkt für die Auswahl der psychologischen Behandlungsverfahren ist das o.g. klinische diagnostische Screening. Patienten ohne prä-/komorbide psychische Störung profitieren in den verhaltenstherapeutischen Schmerzbewältigungstrainings nach Jungnitsch, Basler und Kröner-Herwig von übenden Entspannungsverfahren (v.a. Progressive Muskelentspannung nach Jacobson) und von der Schulung der Selbstwahrnehmung und Selbstregulation, der Informationsvermittlung und Differenzierung

Tabelle 5. Psychologische Therapie bei Schmerzstörungen: Ziele

- Veränderung des subjektiven Krankheitsmodells
- Differenzierung der Selbstwahrnehmung
- Aktive Schmerzbewältigung
- Steigerung der psychischen Belastbarkeit
- soziale Aktivierung
- Unterstützung zur Optimierung der medikamentösen Therapie

Tabelle 6. Psychologische Therapie bei Schmerzstörungen: Methoden

- Kognitive Umstrukturierung
- Operante Verstärkung aktiver Schmerzbewältigung
- Entspannungsmethoden (Progressive Relaxation, Autogenes Training)
- Hypnotherapeutische Methoden nach M. Erickson
- EMG-Biofeedback am PC-Monitor

des eigenen Krankheitsverständnisses, der Anregung zu sozialen und motorischen Aktivitäten, der Reaktivierung eigener Interessen und Ressourcen, der Verbesserung gesundheitsfördernden Verhaltens, des Trainings der Aufmerksamkeits- und Kommunikationslenkung.

Für Patienten, deren Schmerzstörung von eindeutigen psychischen Störungen nach ICD-10 begleitet ist, genügen übende oder edukative Gruppentrainings nicht. Bei dieser Gruppe ist die Einleitung einer individuellen Psychotherapie indiziert (Verhaltenstherapie oder tiefenpsychologisch fundierte Psychotherapie). Das gleiche gilt für die Schmerzstörungen, bei denen psychischen Faktoren für die Entstehung und Aufrechterhaltung eine überwiegende Rolle zugemessen wird (sog. Somatoforme Schmerzstörung nach ICD-10).

Mit diesen Patienten nutzen wir die Zeit der Rehabilitation dafür, durch erste hilfreiche Erfahrungen mit Psychotherapie (bei uns Verhaltenstherapie) nach Möglichkeit eine Grundlage und Motivation für eine weitere ambulante Psychotherapie zu schaffen. Ziel der individuellen Verhaltenstherapie ist es, wie oben ausgeführt, zusammen mit dem Patienten auslösende, modulierende und aufrechterhaltende Bedingungen der Schmerzstörung herauszuarbeiten, die inneren kognitiven und äußeren sozialen Verstärker zu identifizieren, das subjektive Modell des Patienten über die Entwicklung der Störung zu klären und die emotionalen und sozialen Konsequenzen einzuschätzen (Bedingungs- und Verhaltensanalyse). Nach Möglichkeit soll dies schon während der Rehabilitation einmünden in ein verändertes Verhalten (Verhaltensmodifikation) und ein insgesamt verbessertes Selbstmangment. Grundlage hierfür ist der Aufbau einer vertrauensvollen Beziehung („Rapport") zum Patienten, der das psychologisch-psychotherapeutische Angebot als für ihn hilfreich und nützlich betrachten muss, so dass ein therapeutisches Arbeitsbündnis für die Zeit der Rehabilitation zustande kommt. Diagnostik und Therapie sind dabei ein sich ständig ergänzender Prozess mit dem Ziel, die psychische Befindlichkeit des Patienten zu verbessern (Abbau von Ängsten und Depressivität), seine Belastbarkeit zu steigern (mehr Selbstvertrauen und aktive Schmerzbewältigung), den Patienten sozial zu aktivieren (weniger Vermeidungsverhalten) und insgesamt sein subjektives Krankheitsverständnis zu erweitern und damit zu verändern.

Abschließende Bemerkungen

Es ist außerordentlich sinnvoll, in die Therapie chronifizierter Schmerzstörungen aus dem orthopädischen Formenkreis von Anfang an psychologische Methoden zu integrieren. Insbesondere bei Patienten, bei denen psychologischen Faktoren eine bedeutsame Rolle bei der Chronifizierung der Schmerzstörung zugemessen wird, kommt der psychologischen Verhaltensmoderation eine entscheidende Rolle zu. Es gilt, die Patienten aus einer immer stärkeren Problemorientierung ausgehend von ihrer subjektiven Situation („Pacing") in eine beginnende Lösungsorientierung zu führen („Leading"). In der stationären orthopädischen Schmerztherapie kann dieser Prozess in Gang gesetzt werden. Für eine verbesserte Behandlung wird es im ambulanten Bereich darauf ankommen, ebenfalls stärker die Möglichkeiten der medikamentösen und physikalischen Therapie mit psychotherapeutischen Behandlungsmethoden zu kombinieren. Dies erfordert eine enge Abstimmung und Verzahnung der niedergelassenen Fachbereiche aus Orthopädie und Psychologie/Psychotherapie.

Literatur

Basler HD, Franz C, Kröner-Herwig B, Rehfisch HP, Seemann H (Hrsg) (2000) Psychologische Schmerztherapie. Springer Berlin Heidelberg New York

Basler HD, Kröner-Herwig B (1995) Psychologische Therapie bei Kopf- und Rückenschmerzen. Quintessenz, München

Jungnitsch G (1992) Schmerz- und Krankheitsbewältigung bei rheumatischen Erkrankungen. Quintessenz, München

Multimodale interdisziplinäre Therapiestrategie beim chronifizierten Rückenschmerz

H.-R. Casser

Nach dem weitgehenden Versagen monomodaler Therapieregime bei der Behandlung des chronischen Kreuzschmerzes wurden in den letzten Jahren, basierend auf der Annahme einer multifaktoriellen Genese des Kreuzschmerzes, neue multimodale Therapiekonzepte entwickelt.

Die verschiedenen therapeutischen Maßnahmen dieser Programme sollen die verschiedenen Ebenen der Erkrankung mit ihren physiologischen, psychologischen und psychosozialen Aspekte ansprechen (Hazard et al. 1989). Ziel der multimodalen Therapieprogramme ist eine Wiederherstellung der Funktion, d. h. eine Verbesserung der Wirbelsäulenbeweglichkeit, Muskelkraft und Ausdauer zur Bewältigung der Alltagsanforderungen durch die Aktivierung körperlicher Reserven und Verminderung von schmerzassoziierten Verhaltensmustern (Saur et al. 1996). Gatchel et al. (1992) definieren die Ansprüche an ein solches Behandlungskonzept folgendermaßen: Es sollte interdisziplinär sein, ärztlich geführt, intensiv und individuell angepasst sein. Sie fordern das Vorhandensein von 8 wesentlichen Komponenten:

- Die standardisierte, wiederholte Quantifizierung von körperlichen Defiziten, um das körperliche Training zu lenken, individuell anzupassen und zu überwachen.
- Die Erhebung eines psychosozialen und sozioökonomischen Status um die verhaltensorientierte Therapie zu lenken, individuell anzupassen und zu überwachen.
- Ein körperliches (Wieder) Aufbautraining der verletzten funktionellen Einheit.
- Die authentische Arbeitsplatzsimulation und ein Ganzkörpertraining.
- Ein multimodales Konzept zum Management des Behinderungserlebens mittels eines kognitiv-verhaltenstherapeutischen Ansatzes.
- Eine psychopharmakologische Behandlung zur Medikamentenentwöhnung.
- Eine interdisziplinäre Teamarbeit unter ärztlicher Leitung mit häufigen Teamkonferenzen und hohen Personal-zu-Patient-Schlüsseln.
- Ergebniserfassung mittels standardisierter, objektiver Kriterien.

Die interdisziplinären, multimodalen Therapiekonzepte finden in erster Linie bei bereits chronifizierten Patienten Anwendung (Stadium II und III nach Gerbershagen), bei denen die therapeutische Erfolgsquote ohne komplexe Behandlungsprogramme unter 15% fällt (Gerbershagen 1992). Besonders erfolgreich schnitten die amerikanischen Programme mit sportmedizinischer Orientierung unter verhaltenstherapeutischen Prinzipien ab (Hazard et al. 1989, Mayer et al. 1987). Unter dem Begriff „funcional restoration" wurden unter der Vorstellung einer fortschreitenden körperlichen Dekonditionierung in erster Linie Konzepte zur Wiederherstellung der Funktionsfähigkeit des Patienten und weniger der Schmerzreduktion entwickelt (Teasell u. Harth 1996). In mehreren Studien konnten die Vorteile eines multimodalen Therapiekonzepts nachgewiesen werden (Alaranta et al. 1994, Estlander et al. 1991, Oland u. Tveiten 1991). Die Ergebnisse in den skandinavischen Ländern fielen dabei aber nicht so deutlich positiv aus wie in den USA, was in erster Linie auf die unterschiedlichen Gesundheits- und sozialpolitischen Verhältnisse zurückgeführt wird (Linton u. Bradley 1992). Eine Metaanalyse der Wirksamkeit multimodaler, interdisziplinärer Therapiekonzepte für Patienten mit chronischem Kreuzschmerz zeigte eine signifikante Überlegenheit gegenüber monomodalen Therapieversuchen, z. B. mittels Krankengymnastik oder medikamentöser Therapie allein. Die Verbesserungen zeigten sich sowohl in Bezug auf Schmerzintensität und Stimmungslage als auch in psychosozialen Variablen wie Arbeitsfähigkeit und Häufigkeit von nachfolgenden Arztkonsultationen. Zudem schienen die erzielten Ergebnisse auch über den Nachschauzeitraum stabil zu sein

(Flor et al. 1992). In Deutschland konnte der Erfolg des multimodalen Therapieprogramms durch das sog. Göttinger-Rücken-Intensivprogramm GRIP (Hildebrandt et al. 1996, Pfingsten et al. 1997, Saur et al. 1996) nachgewiesen werden. Die Ergebnisse zeigten, dass die erfolgreiche Behandlung des chronischen Rückenschmerzes von individuellen und iatrogenen sowie von gesundheits- und sozialpolitischen Bedingungen abhängt. Dem subjektiven Beeinträchtigungserlebnis des Patienten („disability") kommt dabei eine entscheidende Bedeutung zu. Nach Abschluss der ambulant durchgeführten Behandlung, die 8 Wochen intensive, tägliche edukative, sport- und physiotherapeutische, psychotherapeutische und arbeitstherapeutische Maßnahmen umfasste, nahmen 2/3 der Patienten die Arbeit wieder auf. Schmerzintensität und Krankheitsverhalten waren bei ihnen langfristig deutlich reduziert. Die Behandlungseffekte waren noch 2 Jahre nach Abschluss der Behandlung stabil.

Aufgrund positiver Einzelbeobachtungen entwickelten wir in der Orthopädischen Klinik Staffelstein ein interdisziplinäres, multimodales Therapieprogramm, das wir bei chronischen Rückenschmerzpatienten (Chronifizierungsgrad II-III nach Gerbershagen) im Rahmen des stationären Aufenthaltes durchführten und anhand einer Verlaufsstudie evaluierten. Mit der Studie sollten erste Erfahrungen gewonnen werden, ob sich im Rahmen einer stationären Rehabilitationsmaßnahme ein derartiges Konzept bei fortgeschrittenen, chronifizierten Fällen als erfolgreich erweist. Es handelt sich um eine prospektive Studie mit einem interdisziplinären multimodalen Diagnostik- und Therapieprogramm unter ärztlicher Aufsicht mit intensiven physiotherapeutischen, trainingstherapeutischen, ergotherapeutischen und balneophysikalischen Therapiemaßnahmen sowie psychotherapeutischem Schmerzbewältigungsprogramm.

Vom 1.6.97 bis zum 30.6.98 wurden 81 Patienten, die mehr als 6 Monate an Rückenschmerzen litten und sich in diesem Zeitraum keiner operativen Intervention unterzogen hatten, nach Ausschluss einer spezifischen Ursache in die Studie aufgenommen. Nach einer Bestandsaufnahme des allg. somatischen Status und einer klinischen orthopädischen Untersuchung mit Strukturanalyse und eingehender Funktionsuntersuchung wurde eine genaue Schmerzanamnese und Schmerzanalyse inklusive Schmerzmessung durch die analoge und numerische Skala (VAS und NRS) durchgeführt sowie das Chronifizierungsstadium entsprechend der Einteilung nach Gerbershagen bestimmt.

Dabei wurde besonderen Wert auf die Erfassung psychosozialer Parameter gelegt.

Im Rahmen des DGSS-Fragebogens werden folgende psychometrische Testverfahren ausgewertet:
■ Die Schmerzempfindungsskala (SES)
■ Die Allgemeine Depressionsskala (ADS)
■ Die Beschwerdeliste nach von Zerssen (1976)
■ Der Pain-disability-lndex (PDI)
■ Der Fragebogen zur Erfassung kognitiver Reaktionen auf Schmerz (KRSS).

Die Patienten wurden angehalten, ihre Schmerzstärken (VAS/NRS) anhand eines Schmerztagebuches kontinuierlich (morgens, mittags, abends, nachts) mit Angabe möglicher Einflussfaktoren aufzuzeichnen. Diese Dokumentation ermöglichte eine vergleichende Verlaufsuntersuchung der Beschwerdesituation des Patienten und wurde anhand des Veränderungsbogens der DGSS unter besonderer Berücksichtigung der aufgeführten psychometrischen Tests bei Entlassung des Patienten und 3-4 Monate nach der stationären Behandlung fortgeführt und ausgewertet.

Das multimodale Therapiekonzept enthielt von ärztlicher Seite in Abhängigkeit vom Schmerzbefund folgende Maßnahmen der konservativen Schmerztherapie:
medikamentöse Therapie, auch Entzugsmaßnahmen, Chirotherapie, gezielte Injektionstherapie und Neuraltherapie, Akupunktur, TENS sowie ein ausführliches Aufklärungsgespräch und eine regelmäßige Gesprächstherapie.

Die psychologische Betreuung bestand neben einem ausführlichen Eingangsgespräch nach Auswertung des DGSS-Fragebogen in der Regel in mind. 2 Einzelgesprächen pro Woche, 2 Einheiten Schmerzentspannungstraining pro Woche (Muskelentspannung nach Jacobsen alternativ autogenes Training), mind. 2 Einheiten Schmerzbewältigungstraining und bei ausgesuchten Fällen fortlaufende Biofeedback-Sitzungen.

Von Seiten der Physiotherapie und Sporttherapie wurden täglich Einzelkrankengymnastik, Gruppengymnastik im Bewegungsbad, täglich Trainingstherapie, Ausdauertraining auf dem Laufband bzw. Ergometer, Aquatraining (Rückenschwimmkurs, Bewegungs-/Thermalsolebad) und als begleitende Maßnahmen muskeldetonisierende Maßnahmen wie klassische Massage, Bäder, Moorpackungen oder Elektrotherapie durchgeführt. Als Verhaltenstraining wurde Rücken-

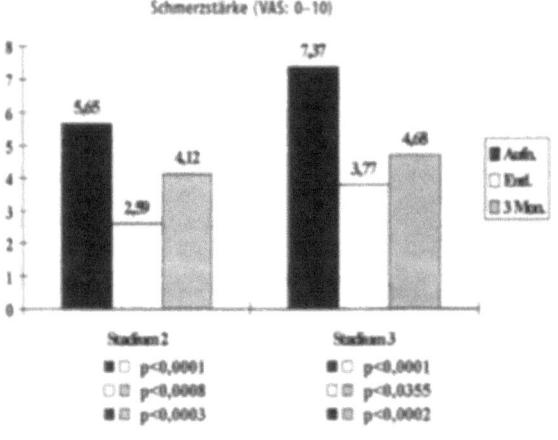

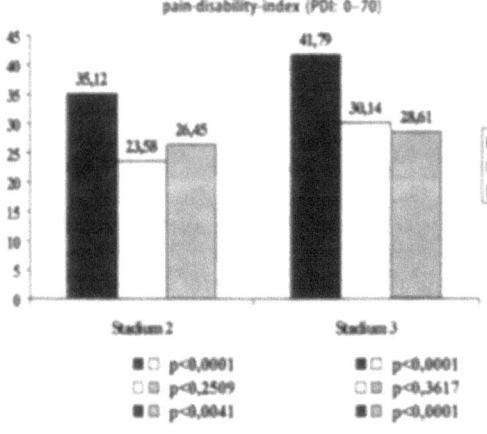

Abb. 1. Schmerzstärke und PDI zeigen eine signifikante Verbesserung des Aufnahmewertes bei Entlassung sowohl im Stadium II als auch im Stadium III. 3 Monate nach Entlassung zeigt sich ein Wiederanstieg der Werte, die aber immer noch signifikant unter dem Ausgangswert liegen. Beim PDI im Stadium III zeigt sich eine fortlaufende Reduktion der Behinderung

schule (2 × wöchentlich in 2 Leistungsgruppen) und eine Koordinationstrainingsgruppe angeboten unter ärztlicher und sporttherapeutischer Führung.

Die wichtige Kontinuität und Absprache innerhalb des therapeutischen Teams wurde gewährleistet durch Behandlerkonstanz, ständiger Kontakt unter den zusammenarbeitenden Teammitgliedern als auch durch eine wöchentlich stattfindende Schmerzkonferenz unter fachärztlicher orthopädischer Leitung mit Teilnahme des Stationsarztes, des Neurologen, Psychiaters, Internisten, der Psychotherapeuten, der zuständigen Physio- und Sporttherapeuten, der Pflegetherapeuten und des Sozialpädagogen.

Ergebnisse

Insgesamt ist festzuhalten, dass alle untersuchten Parameter während des stationären Aufenthaltes eine hochsignifikante Verbesserung zeigten. 3 Monate nach Entlassung zeigte sich bei der Beschwerdenliste, der Schmerzempfindungsskala und beim PDI nichtsignifikante und bei der allgemeinen Depressionsskala und der Schmerzstärke eine nur geringe signifikante Veränderung. Im Vergleich zur Aufnahmeuntersuchung wiesen alle Parameter 3 Monate nach der Entlassung weiter hochsignifikante Verbesserungen auf.

Diskussion

Das therapeutische Management des chronischen Rückenschmerzes ist gekennzeichnet durch eine Vielzahl unterschiedlicher Behandlungsmöglichkeiten und -versuche, deren Anwendung in erster Linie von der Einschätzung und dem Kenntnisstand des behandelnden Arztes abhängt. Trotz meist vorhandener nationaler Richtlinien für das therapeutische Vorgehen zeigt die tatsächliche Auswahl der Therapie wenig Übereinstimmung weder mit den vorhandenen Leitlinien noch unter den einzelnen Behandlern. Insbesondere für die beliebtesten Therapiestrategien fehlt häufig der wissenschaftliche Nachweis ihrer Wirksamkeit (Spitzer et al. 1987).

Die Loslösung von einem ausschließlich somatischen Erklärungsmodell des Schmerzes abgeschirmt von den Spannungen in Beruf und Familie lässt sich im stationären Bereich besser als ambulant verwirklichen. Die Vorteile des stationären Konzeptes liegen neben der Möglichkeit einer hohen Therapiehäufigkeit bzw. sinnvollen Abfolge mit Ruhe- und Entspannungsphasen in der ständigen Verfügbarkeit sowohl des Patienten als auch der Ärzte und Therapeuten mit kurzen und schnellem Wege des interdisziplinären Austauschs sowie in der Tatsache, dass es sich um ein intensives, einschneidendes Erlebnis handelt mit größtmöglicher Chance einer Bewusstseinsänderung (Keel 1996).

Literatur

Alaranta H, Rytökoski U, Rissanen A, Talo S, Rönnemaa T, Puukaa P, Karppi SL, Videman T, Kallio V, Slätis P (1994) Intensive physical and psychosocial training program for patients with low back pain. Spine 19:1339–1349

Estlander AM, Mellin G, Vanharanta H, Hupli M (1991) Effects and follow-up of a multimodal treatment program including intensive physical training for low back pain patients. Scand J Rehabil Med 23:97–102

Flor H, Linton SJ, Bradley LA, Fydrich T, Turk DC (1992) Efficacy of multidiciplinary pain treatment centers: a metaanalytic review. Pain 49:221–230

Gatchel RJ, Mayer TG, Hazard RG, Rainville J, Mooney V (1992) Functional restoration. Spine 17:988–995

Gerbershagen HU (1992) Konzept einer multidisziplinären Schmerzklinik. Anästhesiol Intensivmed Notfallmed Schmerztherap 27:377–380

Hazard RG, Hazard RG, Fenwick JW, Kalish SM (1989) Functional restoration with behavioural support. Spine 14:157–161

Hildebrandt J, Pfingsten M, Franz C, Seeger D, Säur P (1996) Das Göttinger Rücken-Intensiv-Programm (GRIP) Teil 1: Ergebnisse im Überblick. Der Schmerz 10:190–203

Linton SJ, Bradley LA (1992) An 18-month follow-up of a secondary prevention program for back pain. Clin J Pain 8:227–236

Mayer TG, Gatchel RJ, Mayer H, Koshino ND, Keeley J, Mooney V (1987) A prospective 2year-study of functional restoration in industrial low back injury. JAMA 258:1763–1767

Oland G, Tveiten G (1991) A trial of modern rehabilitation for chronic low-back pain and disability. Spine 16:457–459

Pfingsten M, Hildebrandt J, Leibing E, Franz C, Säur P (1997) Effectiveness of a multimodal treatment program for chronic low-back pain. Pain 73:77–85

Saur P, Pfingsten M Hildebrandt J, Pfingsten M, Franz C, Seeger D (1996) Das Göttinger Rücken-Intensiv-Programm (GRIP) Teil 2: Somatische Aspekte. Der Schmerz 10:237–253

Teasell RW, Harth M (1996) Functional restoration – Revolution orfad? Spine 21:844–847

Einsatz von Botulinumtoxin A in der Schmerztherapie der Haltungs- und Bewegungsorgane

R. Placzek, M. Söhling, M. Gessler, J. Jerosch

Einleitung

Seit Mitte der achtziger Jahre wird Botulinumtoxin A (Btx A) weltweit bei zahlreichen Erkrankungen, die durch pathologisch erhöhte Muskelaktivität charakterisiert sind, erfolgreich angewendet. Dazu zählen insbesondere fokale Dystonien wie der Torticollis spasmodicus, die spasmodische Dysphonie oder der Blepharospasmus sowie spastische Bewegungsstörungen, die bei der infantilen und auch der erworbenen Zerebralparese (nach Apoplex, Trauma etc.) auftreten können. In Deutschland bestehen Zulassungen derzeit für den Blepharospasmus, Hemispasmus facialis, Torticollis spasmodicus, spastischen Spitzfuß bei infantiler Zerebralparese und die Armspastik nach Schlaganfall. Die aktuelle Forschung befasst sich mit einer Vielzahl weiterer Anwendungsgebiete, insbesondere der Behandlung chronischer Schmerzpatienten. Sie werden idealerweise von Spezialisten kooperierender medizinischer Fachrichtungen behandelt. Bei der zum gegenwärtigen Zeitpunkt vorliegenden Studienlage handelt es im Wesentlichen um Kasuistiken, kleine Fallserien und unkontrollierte Studien. „Level I"-Studien d.h. placebo kontrollierte, doppelblinde und randomisierte Multicenterstudien zur dringend notwendigen Evaluierung sind für vielfache Anwendungen in Arbeit, wobei konkrete Ergebnisse noch nicht publiziert wurden.

In der vorliegenden Arbeit wird die Therapie mit Botulinumtoxin A in der Schmerztherapie der Haltungs- und Bewegungsorgane, basierend auf den Erfahrungen der Autoren und der gegenwärtigen Studienlage, aus der Sicht des spezialisierten Orthopäden dargestellt und erörtert.

Historischer Überblick

Der Begriff Botulinumtoxin geht auf das 1817 erstmalig vom Arzt und Dichter Justinus Kerner und seinem Mitbeschreiber J.G. Steinbuch beschriebene Krankheitsbild des Botulismus zurück. Beide Autoren berichteten in der Fachzeitung Tübinger Blättern für Naturwissenschaft und Arzneykunde über eine Festgesellschaft bei der es nach dem Genuss verdorbener Wurstwaren (lateinisch: Botulus, die Wurst) zu den typischen Vergiftungssymptomen wie Sodbrennen, Erbrechen, Durchfall, Abnahme der Pulsfrequenz, verminderte Speichelsekretion und Mundtrockenheit gekommen war. Im Bereich der Augen zeigte sich eine Abnahme der Tränensekretion, lichtstarre und geweitete Pupillen, die Aufhebung der Nahakkomodation sowie Ptosis bis hin zur kompletten Ophthalmoplegie [1, 2].

Chronik in Stichworten

- 1817 Erstbeschreibung des Botulismus durch Kerner und Steinbuch [3, 4]
- 1897 Entdeckung des Erregers Clostridium botulinum durch van Ermengem [5]
- 1949 Erste Beschreibung des peripheren Wirkmechanismus durch Testung des N. occulomotorius im Kaninchenmodell [6]
- 1973 Erste Beschreibung von Botulinumtoxin als therapeutische Alternative zur Schieloperation [7]
- 1979 Erstmalige Anwendung am Menschen im Bereich der Schielerkrankungen [8]
- 1985 Therapie des Blepharospasmus [9]
- 1989 Erstmalige Therapie spastischer Erwachsener [10]
- 1993 Erste Beschreibung der Behandlung bei infantiler Zerebralparese [11].

Wirkungsweise von Botulinumtoxin

Btx A wirkt an der neuromotorischen Endplatte, wo das Toxin präsynaptisch bindet und die Freisetzung des Neurotransmitters Acetylcholin verhindert (Abb. 1). Dies führt zu einer Muskelrelaxierung. Die Wirkung setzt nach etwa 4–7 Tagen ein und hält 3–6 Monate an, bevor es zu einer Regeneration der motorischen Endplatten kommt und die Störung erneut auftritt. Kontinuierliche Behandlungen bei fokaler Dystonie sind bislang über 15 Jahre beschrieben. Jährlich werden mehrere hunderttausend Patienten erfolgreich behandelt.

Sowohl bei dystonen als auch bei spastischen Bewegungsstörungen führt Btx A weiterhin zu einer erheblichen Besserung der in den meisten Fällen zusätzlich vorhandenen Muskelschmerzen. Die Linderung der Schmerzen tritt dabei häufig deutlich vor der Reduktion der Muskelaktivität ein [12]. Weiterhin kann die Schmerzreduktion stärker ausgeprägt sein als die muskuläre Relaxation. Diese klinischen Beobachtungen lassen einen komplexeren Wirkmechanismus des Btx A vermuten. So beeinflusst Btx A auch die sensorischen Muskeleigenschaften, indem die Muskelspindelaktivität reduziert wird. Zudem erlaubt die anhaltende Muskelentspannung eine Dekompression sensorischer Muskelfasern und muskulärer Blutgefäße. Weiterhin wird diskutiert, dass Btx A auch die lokale Ausschüttung von Neuropeptiden wie z.B. Substanz P hemmen könnte [13, 14].

Zur Zeit sind zwei Btx-A-Präparate auf dem deutschen Markt verfügbar: Dysport® (Fa. Ipsen Pharma, Ettlingen) und Botox® (Fa. Merz, Pharma, Frankfurt a.M.). Beide Präparate unterscheiden sich hinsichtlich ihrer Lagerung und Dosierung. 100 Einheiten des tiefkühlpflichtigen Botox® entsprechen etwa 200 bis 300 Einheiten Dysport®. Letzteres kann im Kühlschrank gelagert werden.

Neuerdings ist auch Botulinumtoxin B (Btx-B) verfügbar (NeuroBlock®, Fa. Elan Pharma, München). Bezüglich des Einsatzes in der orthopädischen Schmerztherapie ist der Stand des Wissens hier im Vergleich zum Btx-A noch unzureichend. Es bestehen Dosierungsunterschiede zu den Btx-A-Präparaten. Grundsätzlich wären auch bezüglich angenommener analgetischer Effekte [12–15] Wirkunterschiede denkbar, da sich auch der intrazelluläre Wirkmechanismus vom Btx-A unterscheidet (Abb. 1).

Abb. 1. Schematische Darstellung der Botulinumtoxinwirkung. Das Botulinumtoxin (BoNT, Botulinumneurotoxin) bindet an Rezeptoren der neuromuskulären Endplatte und wird internalisiert. Die Subtypen Btx A, Btx C und Btx E bewirken über eine Proteolyse des Proteins SNAP-25 (synaptosomal associated protein of 25 kDa) eine Hemmung der Acetylcholinfreisetzung, die Subtypen Btx B, D, F, G bewirken dies über einen VAMP (Synaptobrevin) vermittelten Mechanismus

Behandlung spastischer Bewegungsstörungen

Unabhängig von der Ätiologie führen spastische Bewegungsstörungen sehr häufig zu Fehlstellungen der Gelenke und des Achsorgans. Resultierende Kontrakturen, und Gelenkluxationen (Hüftluxationen bei Kindern) sind mit chronischen Schmerzen verbunden und führen zum Funktionsverlust bis hin zu massiver Einschränkung der Pflegefähigkeit. Die gezielte Entspannung der hypertonen Muskulatur durch Btx A zur Verbesserung der motorischen Funktion, zur Erleichterung der Pflegefähigkeit und – als häufig subjektiv wichtigstem Aspekt für die Patienten – zur Schmerzlinderung ist in der Literatur anhand zahlreicher placebokontrollierter, randomisierter Studien gut belegt [16–22].

Über die zugelassenen Indikationen (spastischer Spitzfuß, Armspastik nach Schlaganfall) hinaus gehören Btx-A-Injektionen in den meisten Zentren mittlerweile für alle spastischen Muskelgruppen zur Standardtherapieoption.

Andere klassische Therapieverfahren wie Hilfsmittelversorgung, Ergotherapie, Krankengymnastik aber auch Releaseoperationen bzw. Muskeltransferoperationen lassen sich durch die Btx-A-Therapie hilfreich ergänzen. Daher sollten Btx-A-Injektionen grundsätzlich in ein multimodales Therapiekonzept integriert werden.

Infantile Zerebralparese

Besonderes Potential besitzt die Btx-A-Therapie im Kindes- und Jugendalter, da aufgrund zahlreicher Fallbeobachtungen angenommen werden kann, dass sich durch Aufheben der Spastik in den betroffenen Muskelgruppen ein Schub in der motorischen Entwicklung der Kinder induzieren lässt. Die Reduzierung des Muskeltonus ermöglicht es, dass unter der Therapie Gang- und Bewegungsmuster erlernt werden können, von denen die Kinder lange über die Wirkdauer des Medikamentes hinaus profitieren können. Neben Erkenntnissen aus Fallbeobachtungen liegen auch einige Studien vor, die wissenschaftlichen Standards genügen [23-27].

Hüftfehlstellungen bei infantiler Zerebralparese

Bei Spastik im Bereich der Hüftgelenke wird hinsichtlich der Btx-A-Therapie eine Tonusminderung und resultierend eine Zunahme von Beweglichkeit und Funktion beschrieben [28-31]. Kinder mit Zerebralparese entwickeln häufig eine Hüftlateralisation/Subluxation aus der im weiteren Verlauf eine Hüftluxation resultiert. Die Möglichkeit einer Prophylaxe durch eine Btx A induzierte Tonusminderung der Hüftadduktoren sowie der medialen Kniebeuger wird gegenwärtig in einer placebokontrollierten Multicenterstudie untersucht, wobei Ergebnisse noch ausstehen.

Im Rahmen eines Heilversuches [32] wurden 5 Patienten, welche sich nicht in die o.g. Multicenterstudie integrieren ließen, mit einem Durchschnittsalter von 6,3 Jahren behandelt. Es wurden nach klinischem Befund Btx-A-Injektionen in die Adduktoren (Mm. adductor longus, brevis und gracilis) und medialen Kniebeuger (Mm. semitendinosus und semimembranosus) im Abstand von 3 bis 4 Monaten durchgeführt (Abb. 2).

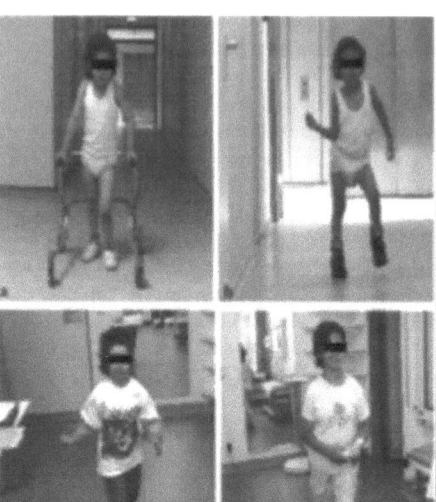

Abb. 2 a–d. Fallbeispiel eines tetraspastischen Kindes. Ein bei Erstvorstellung 5-jähriges Kind mit beinbetonter Tetraspastik. Zum Zeitpunkt der Erstvorstellung (noch keine Möglichkeit der Videodokumentation) ist das Kind ein sog. „Rutscher", d.h. es ist nicht gehfähig und bewegt sich auf den Knien rutschend vorwärts. Aufgrund des klinischen Befundes und einer Bewegungsanalyse wird zusätzlich zur laufenden physikalischen Therapie eine Multilevel-Injektionstherapie mit Btx A begonnen. Die Injektionen werden alle 3 bis 4 Monate wiederholt wobei die zu injizierenden Muskelgruppen nach dem jeweils aktuellen klinischen Befund ausgewählt werden. Die erste Videodokumentation 9 Monate nach Therapiebeginn zeigt das Kind an einem Backwalker gehend (Abb. 2a). 18 Monate nach Therapiebeginn ist das Kind in der Lage kurze Strecken frei zu gehen. Zusätzlich hat eine Versorgung mit Unterschenkelkunststofforthesen (Nancy Hylton) stattgefunden (Abb. 2b). Aufgrund mangelnder Compliance der Mutter wird das Kind zunächst nicht wie vorgesehen wiedervorgestellt. Die Injektionsbehandlung wird für 9 Monate unterbrochen. Von einer Wirkung des Btx A kann, unter allen Anwendern unbestritten, nach dieser Zeit nicht mehr ausgegangen werden. Bei der dann erfolgten Wiedervorstellung zeigt die junge Patientin nach wie vor ein freies Gehen auch über längere Strecken. Bis auf orthopädische Schuhe, welche durch den Hausarzt weiter verordnet wurden, werden keinerlei Hilfsmittel benutzt (Abb. 2c). Aufgrund des klinischen Befundes wird bei dieser Vorstellung von einer weiteren Btx-A-Injektion abgesehen. 18 Monate später, d.h. 27 Monate nach der letzten Multilevelinjektion wird die inzwischen herangewachsene Patientin erneut vorgestellt. Sie zeigt ein sicheres Gangbild bei deutlicher, spastisch bedingter Zirkumduktion der rechten Hüfte. Eine begrenzte Gehstrecke durch Schmerzen oder frühzeitige Ermüdung liegt anamnestisch nicht vor (Abb. 2d)

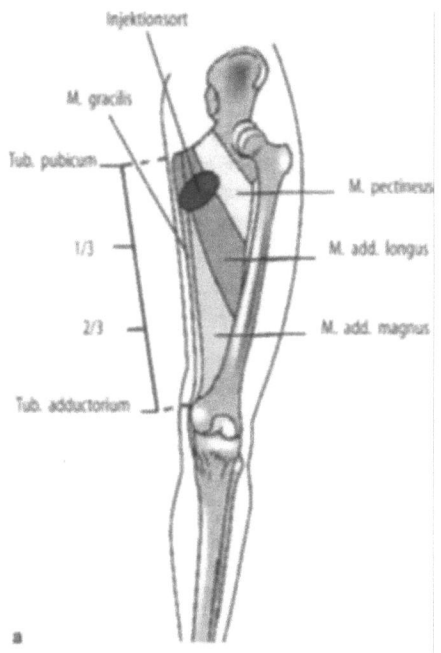

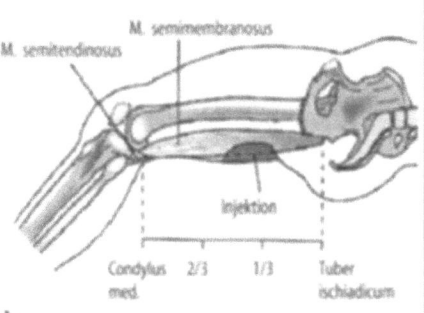

Abb. 3 a, b. Die Abbildung zeigt schematisch die Injektionsorte am Oberschenkel. **a** für die Injektion der Adduktoren. **b** für die Injektion der medialen Kniebeuger

Zur Röntgenkontrolle wurden Standardbeckenübersichtsaufnahmen angefertigt und als Parameter für das Ausmaß der Hüftlateralisation bzw. -subluxation der Migrationsindex nach Reimers [33] bestimmt. Er gilt als reliabler Parameter zur Bestimmung des Containments der Hüfte und wird kaum durch Innen- oder Außenrotationsstellung des Hüftgelenkes beeinflusst [34]. Bei einem Follow-up von insgesamt 24 Monaten zeigte sich eine Abnahme des Reimers-Index, also eine Verbesserung des Containments der Hüfte von durchschnittlich 51 auf 44% nach 9 Monaten; 37% nach 18 Monaten und 34% nach 24 Monaten (Abb. 3). Für den Zeitraum von 9 bis 18 Monaten war diese verbesserte Hüftstellung statistisch signifikant (Wilcoxon Test, p = 0,04).

Basierend auf den Ergebnissen der o.g. Heilversuchsstudie und weiterer klinischer Erfahrungen wird die Btx-A-Injektionstherapie bei Patienten mit spastisch bedingter Hüftlateralisation bzw. -subluxation als Prophylaxe, in Kombination mit Hilfsmitteln wie etwa Spreizkissen, Nachtlagerungskeilen etc. und Physiotherapie von den Autoren standardmäßig angewandt. Entscheidend ist jedoch, wie auch bei der Behandlung anderer spastischer Bewegungsstörungen, dass eine passiv überwindbare Spastik und keine reine Kontraktur vorliegt.

Spastik und Endoprothesen

Bei Patienten mit spastischer Lähmung zeigt sich im Falle einer endoprothetischen Versorgung mit einer Hüft- oder Knieendoprothese an der betroffenen Extremität im Einzelfall ein positiver Effekt bzgl. der postoperativen Mobilisation und des Wundschmerzes. Die rechtzeitig d. h. ca. eine Woche präoperativ durchgeführte Btx-A-Injektion kann die durch den Wundschmerz getriggerte Spastik deutlich reduzieren. Ebenso kann im Einzelfall bei langfristiger Therapie ein prophylaktischer Effekt bzgl. einer spastisch bedingten aseptischen Endoprothesenlockerung angenommen werden [35].

Schmerzen bei Fraktur und Spastik

Bezüglich der begleitenden Btx-A-Therapie zur konservativen und operative Frakturbehandlung gibt es keine Literaturhinweise. Bei den Autoren bestehen dennoch positive Einzelfallerfahrungen. So kann etwa die durch den Frakturschmerz getriggerte Spastik, welche durch Krafteinwirkung auf die Fragmente wiederum den Frakturschmerz erhöht, wirkungsvoll gemindert werden.

Fallbeispiel. Ein 27-jähriger Mann mit Tetraparese und spastischem Spitzfuß rechts erleidet eine nicht dislozierte Tibiafraktur rechts. Bei massiver

Schwellung des Unterschenkels wird zunächst durch die behandelnden Chirurgen eine dorsale Oberschenkelgipsschiene angelegt. Aufgrund der erheblichen Schmerzen und einer deutlichen Zunahme der Spastik wird durch den konsiliarisch betreuenden Orthopäden der M. gastrocnemius und die medialen Kniebeuger mit Btx-A (je 250 Einheiten Dysport®) injiziert. Etwa 5 Tage nach der Injektion kommt es zu einer deutlichen Abnahme der Schmerzen und nach Rückgang der Schwellung kann ein zirkulärer Gips angelegt werden. Der Schmerzrückgang hält über den gesamten Zeitraum der Frakturheilung an.

Ansatztendinosen

Epikondylitis radialis humeri (Tennisarm)

Der Tennisarm stellt die häufigste Myotendinose der Unterarmstreckmuskulatur dar [36]. Zur Anerkennung der Epikondylitis radialis humeri als Berufskrankheit (BK-Nr. 2101) werden gleichförmig anhaltende, schnell hintereinander ausgeführte Bewegungen z. B. bei Schreibkräften, Maurern, Packern, Transportarbeitern oder bei Montierarbeiten zugrunde gelegt [37].

Ätiologisch wird eine chronische Überbeanspruchung mit Degeneration im Sehnenansatzbereich der an den Epikondylen entspringenden Muskulatur mit Bildung eines degenerativen Granulationsgewebes angenommen (Abb. 4) [38]. Der Epikondylus ist dadurch druckempfindlich und die Funktion von Hand und Unterarm schmerzhaft eingeschränkt.

Für die Injektion mit Btx A lässt sich als Wirkmechanismus neben der naheliegenden biomechanischen muskulären Entlastung am Sehnenursprung durch die passagere Denervierung der entspringenden Muskulatur auch ein analgetischer Effekt, wie im Zusammenhang mit der Behandlung von kraniozervikalen Dystonien und Spastik beschrieben wurde, diskutieren [12, 14, 39].

Eine erste Anwendung von Btx A an 14 Patienten mit Epikondylitis radialis humeri wurde 1997 von Morré veröffentlicht und zeigte vielversprechende Ergebnisse [40]. Die Arbeitsgruppe ver-

Tabelle 1. Dosierung von Botulinumtoxin A (Dysport®)

Therapiegebiet (Muskel)	Injektionspunkte Anzahl (li/re)	Dosis pro Triggerpunkt	Gesamtdosis pro Seite (li/re)
HWS			
Splenius capitis	1	20–40 U	20–40 U
Trapezius	3–4	20–40 U	60–160 U
Pro Seite (li/re) max.	4		80–160 U
LWS			
Erector spinae	2	40–60 U	80–120 U
Latissimus dorsi	2	40–60 U	80–120 U
Quadratus lumborum	2	40–60 U	80–120 U
Gluteus maximus	1–2	20–40 U	20–80 U
Gluteus medius	1–2	20–40 U	20–80 U
Pro Seite (li/re) max.	4		120–240 U
Epikondylitis			
Extensoren	1–2	20–40 U	40–80 U

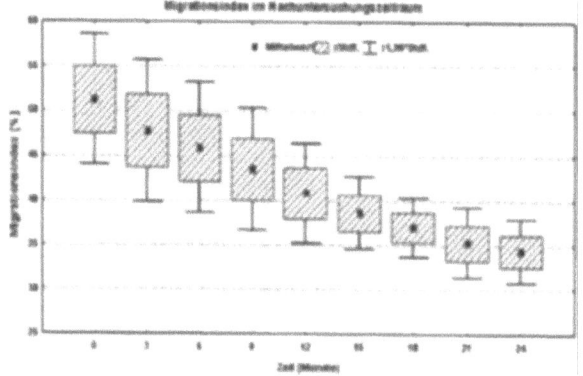

Abb. 4. Graphische Darstellung der Veränderung des Reimers' Migrationsindex im Behandlungs- und Nachuntersuchungszeitraum

Einsatz von Botulinumtoxin A in der Schmerztherapie der Haltungs- und Bewegungsorgane 145

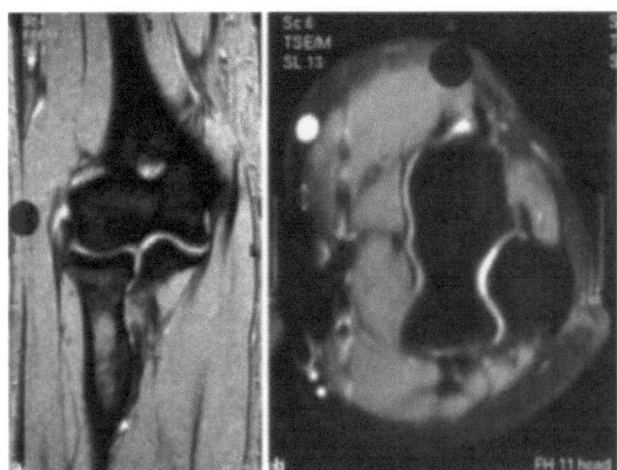

Abb. 5a, b. Die Kernspinaufnahme (**a** Frontalschnitt, **b** Transversalschnitt) zeigt das typische Bild einer chronischen Epikondylitis radialis humeri mit ödematöser Veränderung am bindegewebigen Ursprung der Unterarmextensoren

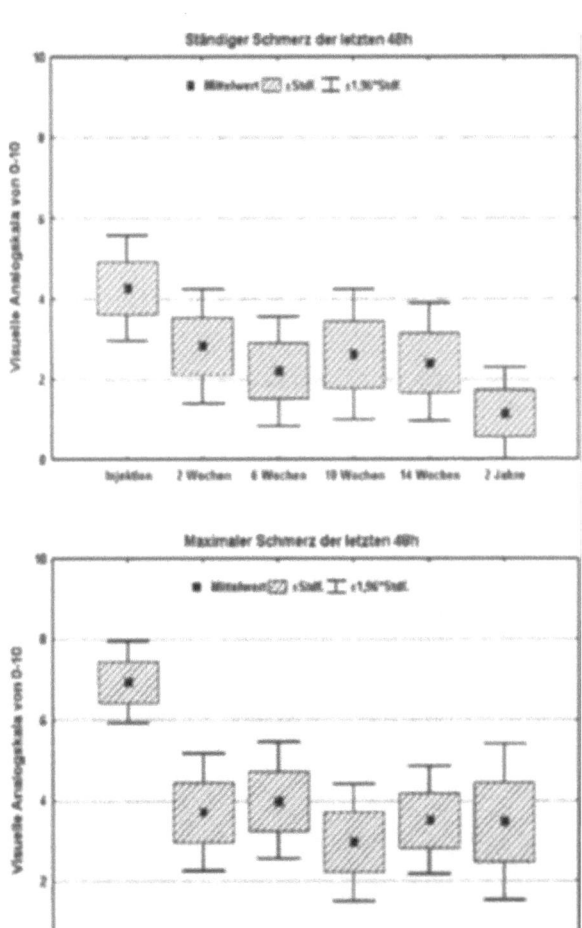

Abb. 6. Die Graphik zeigt die Punktwerte auf der Visuellen Analogskala (0–10) für den ständigen Schmerz der letzten 48 h (Wilcoxon-Test: $p \leq 0{,}015$ ab Woche 14) nach einmaliger Injektion mit Btx A bei der chronischen Epikondylitis radialis humeri

Abb. 7. Die Graphik zeigt die Punktwerte auf der Visuellen Analogskala (0–10) für den maximalen Schmerz der letzten 48 h (Wilcoxon-Test: $p \leq 0{,}009$ ab Woche 2) nach einmaliger Injektion mit Btx A bei der chronischen Epikondylitis radialis humeri

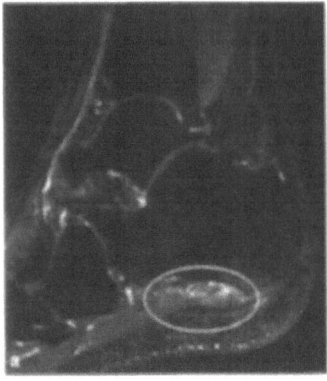
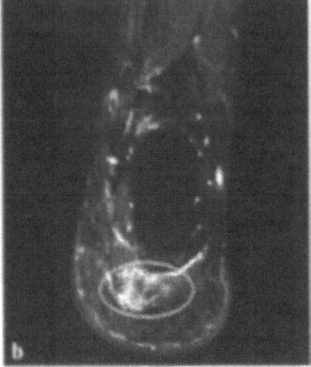

Abb. 8a,b. Im Kernspin zeigt sich unter Kontrastmittelgabe (hier 15 ml Gadolinium) ein deutliches Enhancement im Bereich der Plantarfaszieninsertion am Calcaneus als typisches Zeichen einer chronisch inflammatorisch-degenerativen Veränderung (umkreister Bereich). Abb. 8a zeigt den Sagittalschnitt, Abb. 8b den Frontalschnitt

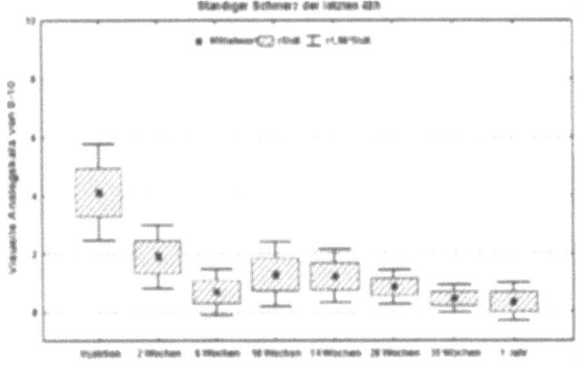

Abb. 9. Die Graphik zeigt die Punktwerte auf der Visuellen Analogskala (0–10) für den ständigen Schmerz der letzten 48 h (Wilcoxon-Test: $p \leq 0{,}05$ ab Woche 2) nach einmaliger Injektion mit Btx A bei der chronischen Plantarfasziitis

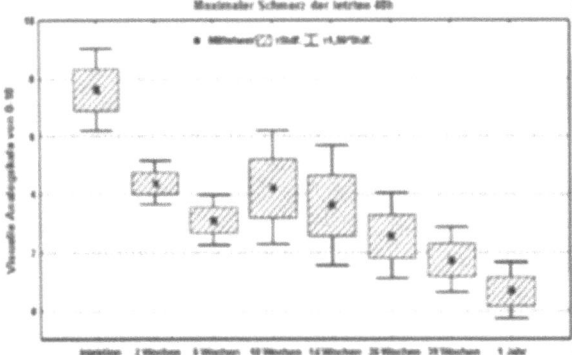

Abb. 10. Die Graphik zeigt die Punktwerte auf der Visuellen Analogskala (0–10) für den maximalen Schmerz der letzten 48 h (Wilcoxon-Test: $p \leq 0{,}03$ ab Woche 2) nach einmaliger Injektion mit Btx A bei der chro-

glich daraufhin in einer randomisierten Pilotstudie (Patienten) Btx-A-Infiltrationen mit chirurgischen Verfahren, die den Patienten als letzte Möglichkeit zur Verfügung stehen [41]. Nach einem Jahr zeigten 65% der mit Btx A behandelten Patienten und 75% der operierten Patienten gute bis sehr gute Ergebnisse, die auch zwei Jahre nach der entsprechenden Behandlung weiterhin bestanden (75 bzw. 85%). Da die Evaluation anhand eines Gesamtpunktesystems keine Unterschiede beider Methoden ergab, kann die Behandlung mit Btx A als wenig invasive Therapieoption eine gleichwertige Alternative darstellen.

In einer eigenen Pilotstudie [42] wurden sowohl die Dosierung als auch die Injektionstechnik von Morré und Keizer modifiziert, um ein praxisnahes Vorgehen zu ermöglichen. So erfolgt die Injektion nach klinischem Palpationsbefund. Auf ein Nadel-EMG wird verzichtet. Ziel der Injektion ist nicht die komplette Lähmung [40, 41] sondern lediglich eine, zur Entlastung des Sehnenursprungs führende, Schwächung der Extensorenmuskulatur durch eine niedrigere Dosierung. Hierdurch soll eine weitgehende Funktionsfähigkeit der Unterarmextensoren erhalten und eine noch bestehende Arbeitsfähigkeit des Patienten nicht gefährdet werden (Tabelle 1).

Im Rahmen der o. g. Pilotstudie wurden insgesamt 16 Patienten behandelt für die inzwischen ein Nachuntersuchungszeitraum von 2 Jahren besteht. Obwohl in 3 Fällen keine 2-Jahresuntersuchung möglich war (missing data) zeigte sich nach einer einmaligen Injektion eine statistisch signifikante Verbesserung auf der Visuellen Analogskala (VAS) bezüglich der subjektiv empfundenen Schmerzen (Wilcoxon-Test). Es handelt sich um noch unveröffentlichte Daten.

Aufgrund der vielversprechenden Ergebnisse wird gegenwärtig eine doppelblinde, placebo-kontrollierte Multicenterstudie durchgeführt, deren Abschluss für Mitte 2004 vorgesehen ist.

Fasziitis plantaris (Fersensporn)

Basierend auf den positiven Ergebnissen in der Behandlung der Epikondylitis radialis humeri wurden im Rahmen einer Pilotstudie 9 Patienten mit chronischer Plantarfasziitis mit Btx A behandelt (n=9). Abbildung 7 zeigt die typischen kernspintomographischen Befunde.

Alle Patienten waren länger als 4 Monate erkrankt und es waren mindestens zwei konservative Standardtherapieanwendungen durchgeführt worden ohne dass eine ausreichende Besserung erzielt werden konnte. Nach einer einmaligen Injektion mit Btx A (Dysport®) zeigte sich eine statistisch signifikante Besserung sowohl des ständigen Schmerzes als auch des maximalen Schmerzes auf der visuellen Analogskala (VAS, 0-10). Inzwischen liegt ein Nachuntersuchungszeitraum von einem Jahr vor (Abb. 8 und 9). Es handelt sich um noch unveröffentlichte Daten.

Für die Wirksamkeit von Btx A bei der Behandlung der Ansatztendinosen werden zusätzlich zu den oben beschriebenen analgetischen Effekten auch antinozizeptive Effekte auf inflammatorisch ausgelöste Schmerzen diskutiert [43]. Aufgrund der vielversprechenden Ergebnisse bei der Behandlung der chronischen Plantarfasziitis wurde zur weiteren Evaluierung eine doppelblinde, placebo-kontrollierte Multicenterstudie initiiert, welche zur Zeit durchgeführt wird.

Therapie myofaszialer Schmerzen der Skelettmuskulatur

Eine weit verbreitete Ursache chronischer regionaler Schmerzen der Skelettmuskulatur ist das myofasziale Schmerzsyndrom. Die Muskulatur weist einzelne oder multiple schmerzhafte und palpierbare Muskelverhärtungen, sog. Triggerpunkte auf. Die Pathophysiologie der muskulären Triggerpunkte ist bisher nur zum Teil untersucht und wird diskutiert. Im Rahmen der Endplattenhypothese geht man davon aus, dass die Triggerpunkte durch ein lokales Muskeltrauma und zeitweise Überlastung mit Ischämie entstehen, sodass lokal vermehrt Acetylcholin ausgeschüttet und eine begrenzte Population neuromuskulärer Endplatten geschädigt wird. Durch die anticholinerge Wirkung und anhaltende Muskelentspannung kann Btx A das Muskeltrauma ursächlich beenden [44]. Seit 1994 wurden erfolgreiche Therapien im Rahmen von Einzelfallberichten und Studien zur Behandlung myofaszialer Schmerzen der Schulter- und Nackenregion sowie im Bereich der Mm. piriformis, iliopsoas und scaleneus beschrieben [45-47]. Weiterhin wurde eine erfolgreiche Anwendung von Btx A beim assoziierten Muskelschmerz nach Schleudertrauma publiziert [48].

Die Injektionsstrategie sollte individuell für jeden Patienten festgelegt werden und die Injektionen gezielt in die Triggerpunkte erfolgen.

In eigenen Untersuchungen wurden 54 Patienten mit myofaszialem Schmerzsyndrom der Schulter- und Nackenregion mit Btx A behandelt. Die Patienten gaben Schmerzen mit Ausgangswerten von 8-10 auf der numerischen Analogskala (NAS) an [15]. Patienten, die kurzzeitig von therapeutischen Lokalanästhetika profitierten, wurden in die 4 schmerzhaftesten Druckpunkte jeder Körperseite injiziert (je 25 Units Dysport®). Sechs Wochen nach der Injektion profitierten 96% (52/54) der Patienten von der Therapie. Die Schmerzreduktion auf der NAS betrug 6 oder mehr Punkte bei 61% (33/54), 4 bis 5 Punkte bei 22% (12/54) und 2 bis 3 Punkte bei 13% (7/54) der Patienten.

Somit können bereits geringe Dosen Btx A (Tabelle 1) zu deutlich längeren schmerzfreien Intervallen führen. Dadurch kann die Schmerzmedikation erheblich gesenkt werden und die Patienten können die schmerzfreie Zeit nutzen, um mit individuellem Muskelaufbautraining Dysbalancen in den behandelten Regionen zu beheben und auch verlorengegangenes Körperempfinden wiederzuerlangen.

Chronischer Rückenschmerz („Low back pain")

Auch Schmerzen an der Lendenwirbelsäule (unspezifische Lumbalgien, low back pain) ohne Bezug zu einzelnen Nervenwurzeln haben häufig eine muskuläre Ursache, die mit Triggerpunkten und einer erhöhten paraspinalen Muskelaktivität einhergeht. Das Rationale der Behandlung mit Btx A besteht darin, die muskulären Dysbalancen zu beheben und den Circulus vitiosus von Schmerz, Verspannung und wiederum Schmerz zu durchbrechen [49]. Die Injektionen werden paravertebral, im sicheren Abstand zur Wirbelsäule, in die muskulären Triggerpunkte appliziert (Tabelle 1).

Behandlung der Schulterteilsteife

Gute Ergebnisse zeigt gleichfalls die durch Btx-A-Injektionen unterstützte Behandlung der chronischen Schulter(teil)steife bei Patienten mit Therapieresistenz unter derzeit üblichen Therapieverfahren (Krankengymnastik, physikalische Therapie und analgetische Medikation). Für den akuten Schulterschmerz wurde eine wirksame Schmerzreduktion und Beweglichkeitsverbesserung durch Behandlung mit Analgetikum und Muskelrelaxans beschrieben [50].

In Eigenbeobachtung wurden 39 Patienten – bislang therapieresistent – durch gezielte Triggerpunktinjektionen mit Btx A (Dysport®) und der nachfolgenden Muskelrelaxierung schmerzfreier und für die begleitende Physiotherapie erreichbarer. Dies zeigte sich bereits kurzfristig an dem deutlich gebesserten Bewegungsausmaß im Schultergelenk.

Perioperative Therapie der Rotatorenmanschettenruptur

Die Sehnenruptur des M. supraspinatus ist eine häufige Verletzung des älteren Menschen. Nicht alle Rupturen werden klinisch symptomatisch. Bei den Patienten mit manifesten klinischen Symptomen findet sich neben dem Verlust der aktiven Armhebung vor allen Dingen eine erhebliche Einschränkung der Lebensqualität aufgrund der anhaltenden Schulterschmerzen. Diese Schmerzsensationen treten typischerweise in der Nacht auf und führen zu einem erheblichen Schlafverlust der Patienten.

Ist die konservative Therapie frustran, so stellt die operative Rekonstruktion der Sehne die Therapiemethode der Wahl dar. Neben der ossären Reinsertion erfolgt vielfach eine gleichzeitige anteriore partielle Resektion des Akromion sowie eine Resektion des Lig. coracoacromiale.

Intraoperativ ist es nicht immer einfach, die retrahierte Sehne zu mobilisieren. In vielen Fällen müssen aufwendige Operationsschritte durchgeführt werden, um den M. supraspinatus soweit zu mobilisieren, dass seine Sehne an die ursprüngliche Insertionsstelle wieder readaptiert werden kann. Dieses erfolgt mit transossären Nahttechniken. Diese Naht muss über die ersten Wochen möglichst spannungsarm/-frei gehalten werden, um die knöcherne Integration der Sehne zu erlauben.

Eine präoperativ durchgeführte Relaxation des Muskels könnte zum einen die intraoperative Mobilisation erleichtern, zum anderen kann eine temporäre Muskelrelaxation die ungestörte Sehneneinheilung fördern.

Die frühe postoperative Phase ist gekennzeichnet durch erhebliche Nachtschmerzen im Bereich der Muskulatur der rekonstruierten Sehnen. In vielen Fällen ist eine systemische Gabe von btm-pflichtigen Schmerzmitteln notwendig (Opiumderivate), um den Patienten zumindest eine kurze Nachtruhe zu ermöglichen. Auch diese Phase der Wundheilung stellt aus schmerztherapeutischer Sicht zur Zeit noch ein weitgehend ungelöstes Problem dar.

Zur Zeit laufen Untersuchungen, mit welcher die Wirksamkeit und Verträglichkeit einer einmaligen präoperativen Injektion von Btx A

(Dysport®) im Vergleich zu Placebo bei Patienten mit operativer Versorgung einer Supraspinatussehnenruptur beurteilt werden sollen.

Stellen sich hier die erwarteten Ergebnisse ein, so könnten viele Nachbehandlungskonzepte im Bereich der Sehnenchirurgie modifiziert werden.

Klinische Relevanz

Botulinumtoxin A (Btx A) wirkt sicher und effektiv. Im orthopädischen Fachgebiet sind systemische Nebenwirkungen eher selten. Die zu beobachtenden lokalen unerwünschten Effekte sind häufig durch ein „zuviel an Wirkung" gekennzeichnet und, wenn auch oft erst nach Monaten, immer reversibel.

In der Hand des Erfahrenen stellt es mittlerweile, etwa im Bereich der Kinderorthopädie, einen wichtigen Therapiepfeiler neben den etablierten operativen und konservativen Verfahren dar. Hierbei kommt der sich ergänzenden Kombination der einzelnen Therapieoptionen ein besonderer Stellenwert zu.

In der orthopädischen Schmerztherapie wie etwa beim chronischen Rückenschmerz, dem myofaszialen Schmerzsyndrom oder der Therapie von Ansatztendinosen zeigen sich vielversprechende erste Ergebnisse.

Entscheidend für den Therapieerfolg sind jedoch neben praktischer Erfahrung die exakte Indikationsstellung und das richtige Verständnis für den Wirkmechanismus des Präparates. Unter Berücksichtigung dieser Wirkprinzipien sind auf orthopädischem Fachgebiet vielfache Anwendungen denkbar, welche aber einer genauen Evaluierung im Rahmen wissenschaftlichen Standards entsprechender Studien bedürfen, um eine vielversprechende Therapieoption nicht in Verruf zu bringen.

Alle Dosisangaben sind Empfehlungen und beziehen sich auf Einheiten (U) des Arzneimittels Dysport® (IPSEN PHARMA GmbH). Die Dosisangaben sind nicht auf andere Btx-A-Präparate übertragbar. Für die Injektionen haben sich 1 ml Tuberkulinspritzen und 27G-Kanülen bewährt. Bei Erkrankungen mit pathologisch erhöhter Muskelaktivität, Dystonien im HWS-Bereich (Tortikollis) werden in der Regel bis 500 U Dysport®, in Einzelfällen bis 1000 U Dysport® appliziert.

Literatur

1. Grüsser OJ (1986) Die ersten systematischen Beschreibungen und tierexperimentellen Untersuchungen des Botulismus. Zum 200. Geburtstag von Justinus Kerner am 18. September 1986. Sudhohhs Arch 70(2):167–187
2. Grüsser OJ (1987) Justinus Kerner als Arzt. Münch med Wschr
3. Kerner J (1817) Vergiftung durch verdorbene Würste. Tübinger Blätter f Naturwissensch u Arzneykunde 3:1–25
4. Steinbuch JG (1817) Vergiftung durch verdorbene Würste. Tübinger Blätter f Naturwissensch u Arzneykunde 3:26–35
5. Ermengem van EP (1897) Ueber einen neuen anaeroben Bacillus und seine Beziehungen zum Botulismus. Z Hyg Infektionskrankh 26:1–56
6. Ambache N (1949) The peripheral action of Cl. botulinum toxin. J Physiol 108:127–141
7. Scott AB, Kennedy RA, Stubbs HA (1973) Pharmacologic weakening of extraocular muscles. Invest Ophthalmol 12:924–927
8. Scott AB (1980) Botulinum toxin injection into extraocular muscles as an alternative to strabismus surgery. Ophthalmol 87:1044–1049
9. Scott AB, Kennedy RA, Stubbs HA (1985) Botulinum toxin A injection as a treatment for blepharospasm. Arch Ophthalmol 103:347–350
10. Das TK, Park DM (1989) Effects of treatment with botulinumtoxin on spasticity. Postgrad Med J 65:208–210
11. Koman LA, Mooney JF 3rd, Smith B et al (1993) Management of cerebral palsy with botulinum-A toxin: preliminary investigation. J Pediatr Orthop 13:489–495
12. Chalkiadaki A, Rohr UP, Hefter H (2001) Early pain reduction in the treatment of spasticity after a single injection of botulinum toxin A. Dtsch Med Wschr 126:1361–1364
13. Göbel H, Jost WH, Arbeitsgruppe Schmerz im Arbeitskreis Botulinumtoxin der Deutschen Gesellschaft für Neurologie (2003) Botulinum-Toxin in der speziellen Schmerztherapie. Schmerz 17:149–165
14. Kelm S, Gerats G, Chalkiadaki A, Hefter H (2001) Reduction of pain and muscle spasm by botulinum toxin A. Nervenarzt 72:302–306
15. Söhling M (2002) Botulinumtoxin A in the treatment of myofascial pain syndrome of the shoulder and neck region. Naunyn-Schmiedeberg's Archives of Pharmacology, S2, 365:R42
16. Burbaud P, Wiart L, Dubos JL et al (1996) A randomized, double-blind, placebo-controlled trial of botulinumtoxin in the treatment of spastic foot in hemiparetic patients. J Neurol Neurosurg Psychiatry 61:265–269
17. Feve A, Decq P, Filipetti P, Karavel Y (1998) Treatment of spasticity with injections of botulinum toxin. Review of the literature. Neurochirurgie 44:192–196
18. Hesse S, Reiter F, Konrad M, Jahnke MT (1998) Botulinumtoxin type A and short-term electrical sti-

mulation in the treatment of upper-limb flexor spasticity after stroke: a randomised, double-blind, placebo-controlled trial. Clin Rehabil 12:381–388
19. Porta M (2000) A comparative trial of botulinumtoxin type A and methylprednisolone for the treatment of myofascial pain syndrome and pain from chronic muscle spasm. Pain 85:101–105
20. Snow BJ, Tsui JK, Bhatt MH et al (1990) Treatment of spasticity with botulinumtoxin: a double blind study. Ann Neurol 28:512–515
21. Smith S, Ellis E, White S et al (2000) A doubleblind placebo-contolled study of botulinum toxin in upper -limb spasticity after stroke or head injury. Clin Rehabil 14:5–13
22. Simpson DM, Alexander DN, O'Brien CF et al (1996) Botulinumtoxin type A in the treatment of upper extremity spasticity: a randomised, double-blind, placebo-controlled trial. Neurology 46:1306–1310
23. Corry IS, Cosgrove AP, Walsh EG et al (1997) Botulinum toxin A in the hemiplegic upper limb: a double-blind trial. Dev Med Child Neurol 39:185–193
24. Fehlings D, Rang M, Glazier J et al (2000) An evaluation of botulinumtoxin-A injections to improve upper extremity function in children with hemiplegic cerebral palsy. J Pediatric 137:331–337
25. Koman LA, Mooney JF 3rd, Smith BP et al (2000) Botulinum toxin type A neuromuscular blockade in the treatment of lower extremity spasticity in cerebral palsy. A randomised, double-blind, placebocontrolled trial. J Pediatr Orthop, 20:108–115
26. Ubhi T, Bhakta BB, Ives HL et al (2000) Randomized double-blind, placebo-controlled trial of the effect of botulinum toxin on walking in cerebral palsy. Arch Dis Child 83:481–487
27. Wissel J, Heinen F, Schenkel A et al (1999) Botulinum toxin A in the management of spasticity gait disorders in children and young adults with cerebral palsy: a randomised, double-blind study of „high-dose" versus „low-dose" treatment. Neuropediatrics 30:120–124
28. Heinen F, Wissel J, Mall V, Philipsen A, Leititis JU, Bernius P, Stücker R, Korinthenberg R (1996) Interventionelle Neuropädiatrie. Behandlungsmöglichkeiten mit Botulinumtoxin A. In: Boltshauser E, Schmitt B, Steinlin M (Hrsg) Aktuelle Neuropädiatrie. Novartis Pharma Verlag, Nürnberg, S 251–259
29. Konstanzer A, Ceballos-Baumann AO, Dressnandt J, Conrad B (1993) Lokale Injektionsbehandlung mit Botulinumtoxin A bei schwerer Arm- und Beinspastik. Nervenarzt 64:517–523
30. Mall V, Heinen F, Kirschner J (2000) Evaluation of botulinumtoxin A therapy in children with adductor spasm by gross motor function measure. J Child Neurol 15:214–217
31. Philipsen A, Heinen F, Scheidt CE, Korinthenberg R (1996) Psychosoziale Veränderungen unter Langzeitbehandlung mit Botulinumtoxin A. In: Boltshauser E, Schmitt B, Steinlin M (Hrsg) Aktuelle Neuropädiatrie. Novartis Pharma, Nürnberg, S 260–263
32. Placzek R, Deuretzbacher G, Meiss AL (2004) Treatment of lateralisation and subluxation of the hip in cerebral palsy with Botulinum toxin A: Preliminary results based on the analysis of migration percentage data. Neuropediatrics 35:6-9
33. Reimers J (1980) The stability of the hip in children. A radiological study of the results of muscle surgery in cerebral palsy. FADLs Forlag, Copenhagen, Århus, Odense
34. Scrutton D, Baird G (1997) Surveillance measures of the hip of children with bilateral cerebral palsy. Arch Dis Child 76:381–384
35. Placzek R, Meiss L (2001) Behandlung mit Botulinumtoxin A innerhalb und außerhalb der Standardindikationen. Osteologie 10(Supp. 2):69
36. Niethard FU, Pfeil J (1989) Orthopädie. Hippokrates, Stuttgart
37. Rompe G, Erlenkämper A (1988) Begutachtung der Haltungs- und Bewegungsorgane, Georg Thieme, Stuttgart, New York
38. Krämer KL, Stock M, Winter M (1992) Klinikleitfaden Orthopädie. Jungjohann Verlagsgesellschaft, Neckarsulm, Stuttgart
39. Tarsy D, First ER (1999) Painful cervical dystonia: clinical features and response to treatment with botulinum toxin. Mov Disord 14:1043–1045
40. Morré HH, Keizer SB, van Os JJ (1997) Treatment of chronic tennis elbow with botulinum toxin. Lancet 349:1746
41. Keizer SB, Rutten HP, Pilot P, Morre HH, v Os JJ, Verburg AD (2002) Botulinum toxin injections versus surgical treatment for tennis elbow. Clin Orthop 401:125–131
42. Placzek R, Meiss L (2002) Temporary chemical denervation with botulinumtoxin A in Epicondylitis radialis – a therapy trial in 14 patients. NaunynSchmiedeberg's Archives of Pharmacology, S2, 365:R34
43. Cui ML, Khanijou S, Rubino J, Aoki KR (2000) Botulinum toxin inhibits the inflammatory pain in the rat formalin model. Society of Neuroscience Annual Meeting, Poster 246.2
44. Mense S (1999) Neurobiologische Grundlagen von Muskelschmerz. Schmerz 13:3–17
45. Acquadro MA, Borodic GE (1994) Treatment of myofascial pain with botulinum A toxin. Anesthesiology 80:705–706
46. Cheshire WP, Abashian SW, Mann JD (1994) Botulinumtoxin in the treatment of myofascial pain syndrome. Pain 59:65–69
47. Richardson D, Sheean G, Werring D et al (2000) Evaluation in the role of botulinum toxin in the management of focal hypertonia in adults. J Neurol Neurosurg Psychiatry 69:499–506
48. Freund BJ, Schwartz M (2000) Treatment of whiplash associated neck pain with botulinum toxin-A: a pilot study. J Rheumatol 27:481–484
49. Foster L, Clapp L, Erickson M, Jabbari B (2001) Botulinum toxin A and chronic low back pain. A randomized, double-blind study. Neurology 56:1290–1293
50. Gessler M, Schreiner H (1994) Behandlung der Periarthropathia humeroscapularis mittels einer Chlormezanon/Paracetamol-Kombination. Orth Praxis 12:766–770

Epiduralkatheter

C. Royé

Anatomische Grundlagen

Das Rückenmark ist umgeben von drei Hüllen, von innen nach außen von der Pia Mater, der Arachnoidea und der Dura Mater. Um die Dura herum liegt der Epiduralraum, der von Nervenstrukturen, Fettgewebe und Venenplexus ausgefüllt wird. Im pathologischen Fall finden sich im Epiduralraum Bandscheibensequester, postoperative fibrotische Veränderungen, Tumoren, Blutungen oder Abszesse.

Diese Veränderungen können durch mechanischen Druck Kompression von Nervenstrukturen oder Gefäßen auslösen. Schon sehr geringer Druck führt z. B. zu einer deutlichen Reduktion des Blutflusses in den Vasa nervorum. Das Gewebe des Bandscheibenkerns löst inflammatorische Veränderungen an den Nervenstrukturen aus, was zu radikulären Schmerzen und Funktionsstörungen der Nerven führen kann.

Ziel des Epiduralkatheters

Ziel von Single-shot-Injektionen oder Epiduralkathetern ist die ein- oder mehrfache topische Applikation von Medikamenten, Lokalanästhetika, Cortison, Hyaluronidase oder NaCl 10% in den Bereich pathologischer Veränderungen mit dem Ziel, die durch mechanischen Druck oder chemisch ausgelösten Entzündungsreaktionen und Durchblutungsstörungen zu bessern.

Von Gabor Racz werden in der Originalarbeit im Einzelnen folgende Indikationen angegeben:
- Failed back surgery
- Anulus fibrosus Ruptur
- Traumatische Wirbelkörperfrakturen
- Osteoporotische Wirbelkörperfrakturen
- Metastasenbedingte Wirbelkörperfrakturen
- Degenerative Wirbelgelenksarthritis über mehrere Etagen
- Facettenschmerz
- Epidurale Vernarbungen nach Meningitis
- Schmerz, der nicht auf SCS anspricht
- Schmerz, der nicht auf epidurale Opiate anspricht
- Okzipitalisneuralgie.

Unabhängig von ursächlich Wirbelsäulenbedingten Erkrankungen, die heutiges Thema sind ist die epidurale Opioidapplikation, meist über längere Zeit und über Pumpen, geeignet, ansonsten therapieresiste Schmerzen zu behandeln oder aber ein günstigeres Verhältnis zwischen Wirkung und Nebenwirkung der Opioide zu ermöglichen.

Komplikationen

Die Komplikationsmöglichkeiten ergeben sich aus der Anatomie des Epiduralraumes.
1. Primär oder sekundär durch Patientenbewegungen ausgelöst kann zu einer intravenösen Katheterfehllage und damit zu einer intravenösen Injektion der Medikamente kommen.
- Opioide führen eher nicht zu Komplikationen, da die epidurale Dosis nur 1/10 der intravenös erforderlichen Dosis beträgt.
- Lokalanästhetika können zu Krampfanfällen oder Herzrhythmusstörungen führen.
- Kristallin gebundenes Cortison kann zu Rückenmarkschäden führen.

Aspiration auch in mehreren Ebenen schließt eine intravenöse Lage nicht aus. Injektion einer adrenalinhaltigen Testdosis löst eine Steigerung der Herzfrequenz aus. Die radiologische Lagekontrolle mit Kontrastmittel stellt die Katheterlage sicher dar.

2. Durch Duraperforation kommt es zu einer intrathekalen Lage und Injektion der Medikamente
   - Opioide können zum Atemstillstand führen, da die epidurale Dosis 10 Mal höher ist als die intrathekal erforderliche Dosis.
   - Lokalanästhetika können zur Ausbildung einer hohen Spinalanästhesie mit Atemlähmung und durch Sympaticusblockade zu einem schweren Blutdruckabfall mit Bradycardie führen.
   - Kristallin gebundenes Cortison kann zur Arachnoiditis führen.

Durch Injektion einer spinaltypischen Testdosis von Lokalanästhetika oder durch radiologische Lagekontrolle können die Komplikationen vermieden werden.

3. Durch Punktion von Gefäßen kann es zu epiduralen Blutungen mit Kompression von Nervenstrukturen bis hin zur Querschnittslähmung kommen.
   - Quick > 50%
   - PTT < 50″
   - Thrombozyten > 100 000
   - Keine anamnestischen Gerinnungsstörungen
   - Absetzen von ASS 5 Tage vor Injektion
   - Sicherheitsabstand zu Heparininjektionen 4–6 h
   - Sicherheitsabstand zu Injektionen mit fraktionierten Heparinen 10–12 h.

Bei Einhaltung der obigen Kriterien ist zumindest eine juristische Sicherheit gegeben.

4. Primär, beim Einlegen des Katheters oder sekundär, entlang des Katheters kann es zu einer bakteriellen Infektion des Epiduralraumes kommen mit Ausbildung eines Abszesses und dadurch bedingter Nervenkompression bis hin zur Querschnittslähmung oder auch zu einer epiduralen Fibrose.
Nur ein hochsteriles Arbeiten unter OP-Bedingungen kann das Infektionsrisiko minimieren.

Technik

Voraussetzungen für die Anlage eines Epiduralkatheters ist ein sicherer venöser Zugang und Reanimationsmöglichkeiten und selbstverständlich Reanimationsfähigkeiten.

Es besteht die Möglichkeit der blinden, an Tastmarken orientierten, Einlage eines Epiduralkatheters.

Wir sind der Meinung, dass die Anlage eines Epiduralkatheters radiologisch kontrolliert erfolgen sollte, um bei den o.g. Komplikationsmöglichkeiten des Verfahrens die Möglichkeit der noch gezielteren Medikamentenapplikation im Vergleich zu single-shot-Techniken optimal ausnutzen zu können.

Nach 2-maliger gründlicher chirurgischer Desinfektion und sterilem Abdecken wird in Lokalanästhesie 1–2 Segmente von der Zielstelle entfernt der Epiduralraum punktiert und mit Kontrastmittel die korrekte Nadellage überprüft. Auf diese Weise kann der Katheter mindestens 4–6 cm im Epiduralraum vorgeschoben werden, bevor die Katheterspitze ihr Ziel erreicht.

Zur Opioidapplikation sollte die Katheterspitze in Höhe des dem Schmerzareal entsprechenden, also deutlich höher liegenden, Rückenmarksegmentes plaziert werden.

Zur besseren Steuerbarkeit verwenden wir bei lokalen Behandlungen spezielle Epiduralkatheter nach Racz mit biegsamer Spitze und Mandrin. Zur besseren Langzeitverträglichkeit kommen für die Opioidapplikation spezielle Silikonkatheter zur Anwendung.

Auch der Katheter selbst wird wieder mit Röntgenkontrastmittel auf seine korrekte Lage hin überprüft und die Lage dokumentiert.

Wichtig scheint mir dabei v.a. auch die Überprüfung der Kontrastmittelausbreitung, die evtl. durch leichte Lagekorrektur des Katheters möglichst optimal an die zu behandelnde Pathologie angepasst werden sollte.

Der Katheter wird dann mindestens 10 cm nach lateral subcutan untertunnelt und mit einer Naht fixiert. Anschließend erfolgt eine sterile Abdeckung der Einstich- und der Austrittsstelle und der Anschluss eines Bakterienfilters. Wenn Cortisonkristallsuspensionen injiziert werden sollen, muss dafür der Filter abgenommen werden, d.h. es ist ein höchststeriles Vorgehen erforderlich.

Eigene Ergebnisse

In unserer Klinik werden Epiduralkatheter zur Behandlung radikulärer Beschwerden benutzt, ausgelöst durch Prolaps oder epidurale Fibrose, anfangs auch von spinalen und lateralen Engen. Die beiden letzten Indikationen wurden wegen unzureichender Wirkung relativ schnell wieder verlassen.

Behandelt werden Patienten, deren Schmerzen nicht durch orale Medikation und Krankengymnastik/Physiotherapie ausreichend gebessert werden können und bei denen deshalb über einen Zeitraum von mindestens 6 Wochen, je nach Verlauf auch länger, mindestens 4–6 epidurale oder periradikuläre Single-shot-Behandlungen ohne Erfolg durchgeführt wurden, selbstverständlich auch immer radiologisch kontrolliert.

Wir verwenden im Rahmen der Katheterbehandlungen einmalig bei Einlage des Katheters 40 mg Volon-A-Kristallsuspension und dann über 4–5 Tage je einmal 300 E Hyaluronidase in 2 ml Naropin 0,2% und 2 ml NaCl 10%.

Entsprechend diesen Kriterien wurden bis jetzt 256 Patienten behandelt. Bei 179 d.h. ca. 70% ist es zu einer guten Beschwerdebesserung gekommen. Als gut bzw. erfolgreich haben wir eine Behandlung dann angesehen, wenn während des folgenden Jahres keine weiteren invasiven Behandlungen mit Injektionen, Kathetern oder OP erforderlich waren. Eine Behandlung mit Krankengymnastik/Physiotherapie und/oder Medikamenten war bei einem Teil der Patienten trotzdem erforderlich.

Diese hier vorgetragenen Daten sollen lediglich eine Falldarstellung sein und wurden retrospektiv aus den Krankenakten ermittelt.

Offizielle Beurteilung der Methode

Am 28.3.2003 erfolgte nach umfangreicher Auswertung der Literatur und Befragung wissenschaftlicher Fachgesellschaften, Einzelgutachtern und Patientenorganisationen eine Bewertung durch die HTA (Health Technology Assessment) Arbeitsgruppe der BÄK und der KBV, insbesondere bezogen auf die Kathetertechnik nach Racz mit Einsatz von Hyaluronidase und NaCl 10%. Festgestellt wurde:
- dass z.Zt. weder einheitliche Standards für die Durchführung noch für den Zeitpunkt der Anwendung vorliegen
- dass nur eine prospektive Studie existiert, die die Anwendung der Technik bei epiduraler Fibrose untersucht
- dass Hyaluronidase nicht zur epiduralen Applikation zugelassen ist.

Das Verfahren wird deshalb als experimentell und nicht etabliert eingestuft. Weitere Untersuchungen sind erforderlich.

Fazit

1. Zur Anwendung von Epiduralkathetern im Rahmen von lokalen Wirbelsäulenerkrankungen muss eine strenge Indikationsstellung erfolgen.
2. Weniger invasive Techniken sollten eingesetzt und ausgereizt werden.
3. Der Patient muss nicht nur über die Technik allgemein aufgeklärt werden, sondern auch über den experimentellen, nicht allgemein anerkannten Charakter.

Literatur

Astra Chemicals GmbH (Hrsg) (1989) Regionalanästhesie-operativer Bereich Geburtshilfe-Schmerztherapie, Gustav Fischer, Stuttgart

Schockenhoff (Hrsg) (2002) Spezielle Schmerztherapie, Urban & Fischer, München Jena

Waldmann W (Hrsg) (1996) Interventional Pain Management, Saunders Company

Kapitel 22

Schmerztherapie
Präventive und präemptive Konzepte im Akutkrankenhaus

O. Kremer, E. Eypasch

Einleitung

Beschreibung des klinischen Problems

Die Therapie akuter perioperativer Schmerzen in deutschen chirurgischen Kliniken lässt immer noch zu wünschen übrig. Die schmerztherapeutische Versorgung von Patienten nach Verletzungen und Operationen weist immer noch gravierende Defizite auf [30]. Umfragen bestätigen, dass weiterhin 30 bis 75% aller chirurgisch betreuten Patienten während ihres stationären Aufenthaltes unter unzumutbar starken bis stärksten Schmerzen leiden [1–4].

Definition von Schmerz

Die Empfindung von Schmerzen ist ein subjektives Erlebnis, das zahlreichen Einflüssen unterliegt. Zum einen ist Schmerz ein Signal zur Überlebensstrategie, das rechtzeitig über drohende Gefahren und Noxen für den Körper informieren kann. Zum anderen stellt Schmerz den gravierendsten negativen Faktor für die subjektiv erlebte Lebensqualität dar.

Um das mehrdimensionale Problem Schmerz zu verstehen, ist es wichtig, sich über Definition und unterschiedliche Qualitäten klar zu werden. Laut einer internationalen Expertenkommission ist Schmerz „ein unangenehmes Sinnes- und Gefühlserlebnis, das mit aktueller oder potentieller Gewebeschädigung verknüpft ist, oder mit Begriffen einer solchen Schädigung beschrieben wird" [5]. Der Schmerz stellt neben einer reinen Sinnesempfindung häufig gleichzeitig ein unlustbetontes Gefühl dar und enthält sowohl eine somatische als auch psychische Komponente. Der Schmerz ist bezüglich Entstehungsort, Verlaufsform und diverser Schmerzkomponenten unterteilbar. Schmerz ist also ein komplexes subjektives Gesamterlebnis.

Patientenrecht auf Schmerzlinderung

Schmerz als Negativerlebnis ist einer der häufigsten Gründe, warum Patienten zum Arzt gehen [6]. Schmerzlinderung ist neben der Lebensrettung und Lebenserhaltung daher eine der zentralen ärztlichen Grundaufgaben [7].

Umso unverständlicher ist, dass zwischen den Möglichkeiten, die das moderne Schmerzmanagement den Klinikern bietet, und der Realität im Stationsalltag am Krankenbett eine so große Lücke klafft.

Die unzureichende Therapie akuter Schmerzen in deutschen Kliniken beruht insbesondere auf einem mangelnden Problembewusstsein und unzureichenden Kenntnissen im ärztlichen und pflegerischen Bereich [4, 6, 8, 9]. Es bestehen zu wenig präventive und präemptive Konzepte.

Das größte Potential, sich zu verbessern, haben vor allem die Chirurgen, da durch ihr Handeln postoperative Schmerzen, z.B. durch Inzisionen, verursacht werden. Da das Interesse des Chirurgen jedoch vielfach auf die Operationstechnik selbst fokussiert ist, bleiben für Fragen des Schmerzmanagements oft nur Desinteresse, vielleicht sogar Ignoranz, Arroganz und zu wenig Zeit übrig.

Ein Patient, der seine schriftliche Einwilligung zur Operation gibt, hat auch einen Anspruch auf adäquate postoperative Schmerzbehandlung. Es bestehen hierzu eindeutige rechtliche Vorgaben.

Ein Arzt, der es unterlässt, starke Schmerzen zu lindern, kann sich gleich nach drei Paragraphen (§§ 223, 230 und 323c StGB) des Strafgesetzbuches (StGB) wegen unterlassener Hilfeleistung und Körperverletzung durch Unterlassung strafbar machen.

Ziel der Arbeit

Die Gründe des Strebens nach verbesserter Akutschmerztherapie sind mannigfaltig. Vor allem und zuerst ist der erhöhte Patientenkomfort mit verbesserter Lebensqualität zu nennen. Darüber hinaus wird durch Minderung der Schmerzen sogar eine Reduktion der Stressfaktoren und der Morbidität erzielt [6, 10]. Eine ausgewogene Schmerztherapie senkt die Thromboserate, die pulmonale und gastrointestinale Belastung [10–12].

Insgesamt können das „Outcome" verbessert, die Rekonvaleszenz unterstützt, der Krankenhausaufenthalt verkürzt und die Kosten gedämpft werden [4, 9]. Ein weiterer Punkt ist die Verhinderung der Chronifizierung akuter Schmerzen (symptomatische Reflexdystrophie/Phantomschmerz) durch rechtzeitigen adäquaten Einsatz schmerztherapeutischen Handelns [11, 13].

Eine situationsadaptierte Schmerztherapie verschleiert den Schmerz als diagnostisches Symptom nicht, im Gegenteil: Sie hilft, Komplikationen (Infektionen, Hämatome) rechtzeitig zu erkennen und zu behandeln.

In einer Zeit heftigster Konkurrenz von Krankenhäusern um den Patienten als „Kunden" können Schmerztherapie und Zufriedenheit sogar zum Marketingfaktor werden, wenn man denn die Ökonomie soweit vordringen lassen möchte.

Ziel der Arbeit ist die Entwicklung einer effizienten situationsadaptierten Schmerztherapie mit Etablierung fester präventiver und präemptiver Konzepte im klinischen Alltag, unter Einbeziehung der beiden verantwortlichen, am Patienten tätigen Gruppen: Pflegepersonal und Ärzte. Dadurch soll den noch bestehenden erheblichen Defiziten bei Realisierung des Patientenanspruches auf ausreichende Schmerzlinderung entgegengewirkt werden. Die Schmerztherapie muss ein integraler Bestandteil des chirurgischen Handelns werden, basierend auf dem Leitsatz: „Wenn es um den Schmerz geht, hat der Kranke recht und nicht der hektische Chirurg oder die erfahrene Schwester" [6].

Inhalt und Ziel der Arbeit ist der Vergleich zweier Patientengruppen vor und nach Etablierung eines systematischen, patientenorientierten Schmerzmanagements in einer Chirurgischen Klinik, also in einem Akutkrankenhaus. Die zu prüfende Hypothese war, dass durch die Einführung eines systematischen Schmerzmanagements mit Schmerzmessung, Dokumentation und standardisierter Behandlung, unter Einbeziehung und Fortbildung aller beteiligten Personengruppen (Ärzte, Pflegepersonal, Patient), die Patientenzufriedenheit mit der Schmerztherapie deutlich steigt.

Material und Methode

Patientenserien: Ein- und Ausschlusskriterien

Die vorliegende Arbeit wurde an stationären, konsekutiven Patienten der Chirurgischen Klinik des Malteser Krankenhauses St. Hildegardis in Köln durchgeführt. Es wurden sowohl operierte als auch konservativ behandelte Patienten in die Studie mit aufgenommen, ohne weitere Berücksichtigung der Art und Schwere ihrer Grunderkrankung. Sämtliche Patienten wurden persönlich vor ihrer Entlassung mittels Fragebogen nach der Zufriedenheit mit der an ihnen geleisteten Schmerztherapie befragt.

Insgesamt wurden zwei Befragungsserien an je 100 konsekutiven Patienten durchgeführt. Die erste Befragung erstreckte sich auf den Zeitraum vom 15.9.1997 bis 23.12.1997 (Serie 1) und wurde somit vor Etablierung eines Schmerzmanagements vollzogen. Nach Entwicklung und Einführung eines veränderten Schmerzmanagements inklusive präventiver und präemptiver neuer Leitlinien und Konzepte zur Behandlung akuter Schmerzen wurde eine zweite Befragung von weiteren 100 konsekutiven Patienten in der Zeit vom 15.8.1998 bis 28.10.1998 (Serie 2) durchgeführt.

Beschreibung des Fragebogens und Erfassung des Ist-Zustandes, Befragung der ersten Patientenserie (Serie 1)

Der Ablauf der Studie erfolgte in mehreren Einzelschritten und gliederte sich zeitlich wie folgt:
1. Befragung der Serie 1 im Zeitraum 15.9.1997 bis 23.12.1997.
2. Etablierung eines verbesserten Schmerzmanagements durch Entwicklung von präventiven und präemptiven Leitlinien und Konzepten zur Behandlung akuter postoperativer Schmerzen.
3. Befragung der Serie 2 im Zeitraum 15.8.1998 bis 28.10.1998.
4. Auswertung und Vergleich beider Befragungsserien.

Zur Erhebung der Basisinformationen über Wirksamkeit und Zufriedenheit der an Patienten durchgeführten Schmerztherapie wurde ein von uns überarbeiteter und erweiterter Fragebogen der Klinik für Anästhesiologie und operative Intensivmedizin der Universität zu Kiel verwendet (s. Anhang).

Dieser Fragebogen wies folgende Eigenschaften auf: Kurz und leichte Verständlichkeit, einfache Anwendbarkeit, adäquates Mittel, um den Begriff der „Zufriedenheit" zu erfassen sowie Anwendbarkeit auf ein breites Patientenkollektiv.

Wir erfassten neben soziodemographischen und klinischen Variablen auch symptombezogene Messungen und die Effektivität der Schmerztherapie. In der ersten Serie wurden 100 konsekutive Patienten (Serie 1) zu Schmerzintensität, Zufriedenheit und Wirksamkeit der angewandten Schmerztherapie, vegetativen Begleitsymptomatik und Reaktionen des Personals auf geäußerte Schmerzreize befragt.

Verbessertes schmerzadaptiertes Verhalten beteiligter Personengruppen

Nach Erhebung des Ist-Zustandes durch die oben beschriebene Befragung wurden sämtliche ärztlichen Mitarbeiter, Schwestern, Pfleger, die Pflegedienstleitung sowie die Krankenpflegeschule durch externe und interne Klinikreferenten inklusive der Verfasser dieser Arbeit über das einzurichtende patientenorientierte Schmerzmanagement detailliert fortgebildet und regelmäßig geschult. Diese wiederholt durchgeführten eintägigen Fortbildungsveranstaltungen dienten der Ausarbeitung situationsadaptierter Schmerztherapiekonzepte, die Teilnehmer erbrachten einen Leistungsnachweis durch eine Abschlussklausur. Wir fixierten die Ergebnisse und Leitlinien schriftlich in einem Manual. Dieses Manual war jedem Mitarbeiter zugänglich, hierdurch konnten wir sicherstellen, dass die erarbeiteten Ergebnisse jedem Fortbildungsteilnehmer in übersichtlicher und verständlicher Form jederzeit auch zur persönlichen Rekapitulation zur Verfügung standen.

Entwicklung von Leitlinien

Die Einführung eines verbesserten Schmerzmanagements begann mit der Intensivierung des Basiswissens durch Information über Schmerzdefinition, Entstehung, Physiologie und Pathophysiologie.

Da Prävention der beste Schutz vor Schmerzentstehung ist und die intensive klare Aufklärung die Schmerzen reduziert, erfolgte parallel zu den Schulungsprogrammen sowohl im ärztlichen als auch im pflegerischen Bereich eine intensive präoperative Patienteninformation und Aufklärung.

Schmerztherapieschemata

Die Möglichkeiten der nicht-medikamentösen und medikamentösen Therapie wurden umfangreich ausgenutzt. An nicht-medikamentösen Verordnungen wurde die physikalische Anwendung von Kälte, Wärme, Ruhigstellung, das Tragen von Bauchbinden und die Verschreibung krankengymnastischer Übungsbehandlungen konsequent bei entsprechender Indikation angewandt.

Auf dem Gebiet der medikamentösen Maßnahmen wurde den Richtlinien der WHO zur Behandlung akuter Schmerzen nach einem Stufenplan gefolgt. Dabei kamen Nicht-Opioide, mittelstark und stark wirkende Opioide zum Einsatz.

Das angewandte Therapiekonzept beruhte auf einem Stufenplan [13]. Dieses war gegenläufig zum Therapiekonzept der WHO zur Behandlung chronischer Schmerzen.

Die Auswahl des Analgetikums erfolgte nach Art und Größe des Eingriffs, bestehender Basismedikation und nach dem Zusatzbedarf.

Bei leichten Schmerzen ist die orale oder rektale Applikation von Nicht-Opioiden häufig ausreichend. Bei mittelstarken Schmerzen muss auf die i.v.-Gabe und Auswahl einer Basismedikation umgestellt werden. Wir verwendeten einen „Schmerztropf" mit 400 mg Tramal, 2,5 g bis 5 g Novalgin und 100 mg bis 200 mg Vomex in 500 ml NaCl 0,9% bei einer Laufgeschwindigkeit von 20 ml bis 40 ml pro Stunde.

Sollte hierdurch keine ausreichende Analgesie erzielt werden, erfolgte die zusätzliche i.v.-Gabe eines stark wirksamen Opioides unter Kontrolle der Vigilanzparameter.

Diese Grundprinzipien der medikamentösen Schmerztherapie wurden durch die Nutzung der „Patienten-kontrollierten-Analgesie" = PCA (= Patient-Controlled-Analgesia) unterstützt. Hierbei wurde der Patient an eine sogenannte „Schmerzpumpe" angeschlossen, nach entsprechender Instruktion konnte er sich damit per Knopfdruck ohne Rücksprache mit Arzt oder Schwester ein Schmerzmittel intravenös applizieren.

Die Wirkung der Opioide wurde durch gleichzeitige Gabe von Koanalgetika wie Antikonvulsiva, Antidepressiva und Spasmolytika unterstützt. Typischen Nebenwirkungen wie Übelkeit, Erbrechen oder Obstipation wurde durch rechtzeitigen Einsatz von Antiemetika und Laxanzien entgegengewirkt.

Schmerzmessung und Dokumentation

Eine sinnvolle und effektive Schmerztherapie erfordert eine enge Rückkoppelung zwischen Patient und Therapeut [14]. Somit steht die Schmerzmessung und Dokumentation am Beginn einer effizienten Schmerzbehandlung [15].

Wir führten regelmäßige Schmerzmessungen bereits präoperativ im Rahmen eines Aufklärungsgespräches durch. Weiterhin wurde postoperativ am ersten Tag alle zwei Stunden gemessen, nach jeder Schmerzäußerung des Patienten, nach jeder schmerztherapeutischen Maßnahme in einem geeigneten zeitlichen Intervall und routinemäßig zweimal pro Tag, d. h. regelmäßig mit Fieber- und Blutdruckmessung. Die Schmerzmessung wurde dabei jeweils vom Patienten selbst durchgeführt, d. h. durch Selbsteinschätzung und nicht durch Arzt oder Schwester.

Instrumente zur Schmerzmessung

Die Möglichkeiten der Schmerzmessung sind vielfältig. Das gewählte Messinstrument muss der Differenziertheit des Patienten mit seinem emotionalen psychischen und kognitiven Status Rechnung tragen. Ferner muss es einfach, schnell, preisgünstig und praktikabel sein. Wir wählten zur Durchführung unserer Messung daher die verbale Ratingskala aus, da sie diesen Anforderungen nachkam und bei Patienten und Personal eine hohe Akzeptanz erfuhr.

Befragung der zweiten Patientenserie (Serie 2)

Nach Durchführung oben genannter Maßnahmen, mit Umsetzen des verbesserten schmerztherapeutischen Verhaltens im Stationsalltag, einschließlich der Einführung konsequenter Schmerzmessung und Dokumentation, erfolgte eine erneute prospektive und konsekutive Befragung von 100 Patienten in der Zeit vom 15.08.1998 bis 28.10.1998 mit Hilfe des bereits oben genannten Fragebogens (Serie 2).

Abschließend wurden beide Patientenumfragen miteinander verglichen.

Ergebnisse

Der Vergleich zweier Patientenserien vor und nach Einführung des verbesserten Schmerzmanagements zeigt bezüglich der soziodemographischen Variablen keine klinisch relevanten Unterschiede (Tabelle 1). Bei den symptombezogenen Messungen und den Variablen der Effektivität der Schmerztherapie zeigen sich jedoch deutliche Unterschiede und positive Veränderungen (Abb. 1–12).

Der subjektive Schmerzscore der höchsten Schmerzen während des stationären Aufenthaltes (Abb. 1 und Abb. 2) wurde um 2,1 Punkte von 6,3 Punkten der Serie 1 auf 4,2 Punkte der Serie 2 gesenkt. Hieraus resultiert eine signifikante und klinisch relevante Reduktion des Schmerzniveaus um 20%. Zusätzlich konnte ebenso der zur Zeit der Entlassung vorliegende Schmerz (Abb. 3 und Abb. 4) von 2,2 Punkten (Serie 1) auf 1,7 Punkte (Serie 2) gesenkt wer-

Tabelle 1. Soziodemographische Variablen

	Serie 1	Serie 2
Frauen/Männer (N)	56/54	59/41
Alter (Durchschnitt)	51,8 J.	54,72 J.
Operative Therapie	76%	73%
Gesamt (N)	100	100

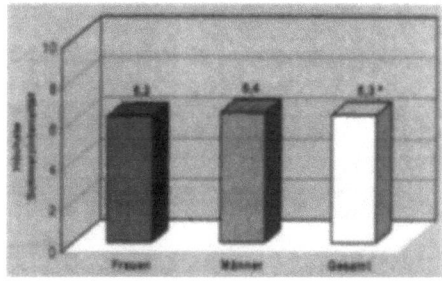

Abb. 1. Subjektiver Score der höchsten Schmerzen während des stationären Aufenthaltes der Patientenserie 1 (Bereich 0–10)

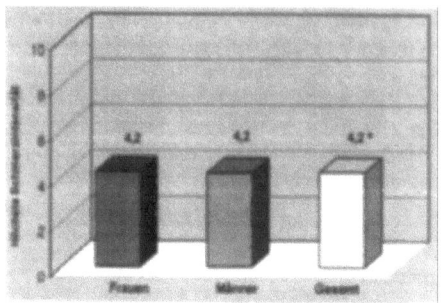

Abb. 2. Subjektiver Score der höchsten Schmerzen während des stationären Aufenthaltes der Patientenserie 2 (Bereich 0–10). *Der Vergleich der Serien zeigt einen signifikanten Unterschied (p=0,0001/Wilcoxon-Test)

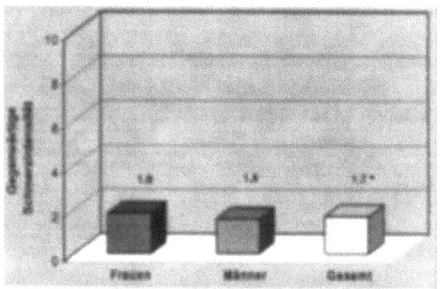

Abb. 3. Durchschnittliche Messergebnisse des gegenwärtigen Schmerzes vor Entlassung der Patientenserie 1

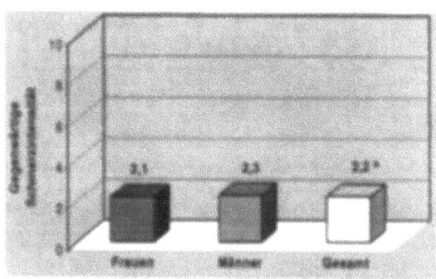

Abb. 4. Durchschnittliche Messergebnisse des gegenwärtigen Schmerzes vor Entlassung der Patientenserie 2. *Der Vergleich der Serien zeigt einen signifikanten Unterschied (p=0,0014/Wilcoxon-Test)

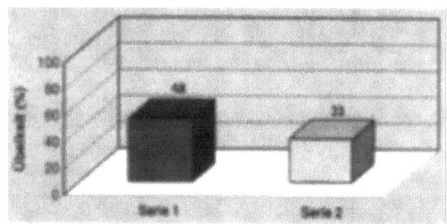

Abb. 5. Häufigkeit der Übelkeit beider Patientenserien während des stationären Aufenthaltes. Der Vergleich der Serien zeigt einen signifikanten Unterschied (p=0,03/Chiquadrat-Test)

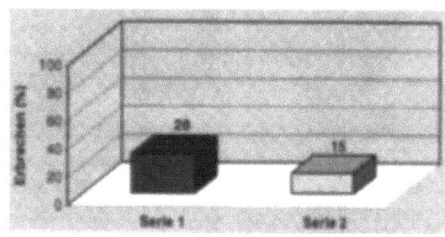

Abb. 6. Häufigkeit des Erbrechens beider Patientenserien während des stationären Aufenthaltes. Der Vergleich der Serien zeigt einen signifikanten Unterschied (p=0,02/Chiquadrat-Test)

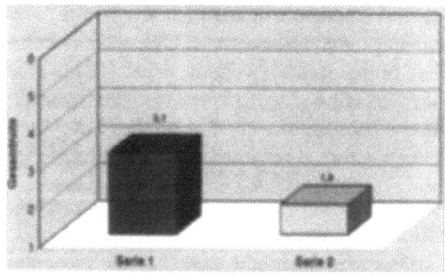

Abb. 7. Subjektive Beurteilung über Wirksamkeit der Schmerztherapie. Es zeigt sich eine deutliche Verbesserung um mehr als eine Note auf 1,8. Der Vergleich der Serien zeigt einen signifikanten Unterschied (p=0,0001/Wilcoxon-Test)

den. Auch dies entspricht einer statistisch signifikanten Verbesserung (p=0,0014).

Neben der Wirksamkeit der Schmerztherapie (Abb. 7, p=0,0001) konnte auch die Zufriedenheit der Patienten über die angewandte Schmerzbehandlung signifikant gesteigert werden (Abb. 8, p=0,0001). Die Zahl der zufriedenen Patienten wurde verdoppelt, diejenigen der sehr zufriedenen sogar verdreifacht. Damit stieg die Häufigkeit von zufriedenen Patienten um mehr als 150%.

Weitere klinisch relevante und statistisch signifikante Verbesserungen konnten erzielt werden in der Zufriedenheit über die Schmerzaufklärung mit einer Steigerung von 63 auf 90% (Abb. 9, p=0,001), der Reduktion einer fehlenden Therapie trotz bestehender Schmerzen von 19 auf 4% (Abb. 11, p=0,001) und der Reduktion der Schmerzpersistenz trotz bereits eingeleiteter Therapie von 43 auf 12% (Abb. 12, p=0,001).

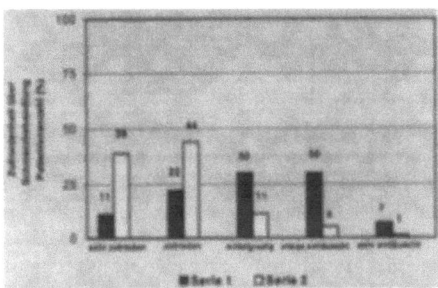

Abb. 8. Subjektive Zufriedenheit der Patienten über die Schmerztherapie. Der Anteil der sehr zufriedenen Patienten ist mit 39% auf über das Dreifache in Serie 2 angestiegen, der Anteil zufriedener Patienten hat sich mit 44% verdoppelt. Der Vergleich der Serien zeigt einen signifikanten Unterschied (p = 0,0001/Wilcoxon-Test)

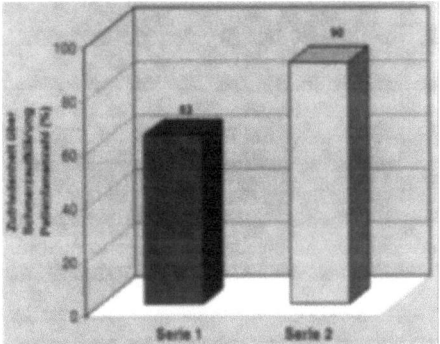

Abb. 9. Subjektive Zufriedenheit der Patienten über durchgeführte Schmerzaufklärung. Der Vergleich der Serien zeigt einen signifikanten Unterschied (p = 0,001/Chiquadrat-Test)

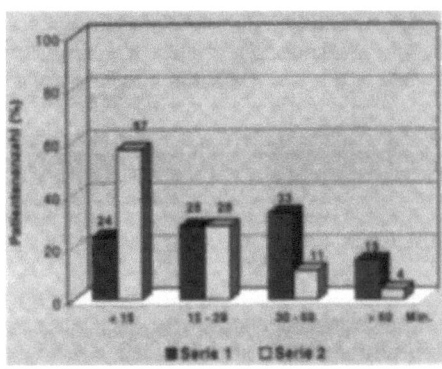

Abb. 10. Zeitspanne zwischen Schmerzäußerung der Patienten und Reaktion des Personals. Der Anteil der Patienten, die innerhalb von 15 Minuten nach Schmerzäußerung seitens des Personals versorgt wurden, stieg in Patientenserie 2 mit 57% auf über das Doppelte an. Gleichzeitig sank die Anzahl der Patienten, die bis zu 60 Minuten auf eine Reaktion des Personals warten mussten, um $^1/_3$ auf 11%. Der Vergleich der Serien zeigt einen signifikanten Unterschied (p = 0,0001/Wilcoxon-Test)

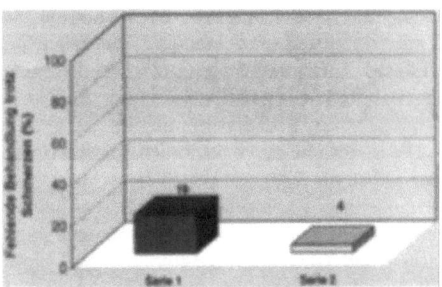

Abb. 11. Häufigkeit der nicht durchgeführten Schmerztherapie trotz bestehender Schmerzen. Der Vergleich der Serien zeigt einen signifikanten Unterschied (p = 0,001/Chiquadrat-Test)

Die Zeitspanne zwischen Schmerzäußerung des Patienten und Reaktion des Personals konnte ebenfalls signifikant verkürzt werden (Abb. 10, p = 0,0001).

Bei der Erfassung von Schmerzen, die eine vegetativ-autonome Komponente enthalten, ist insbesondere die Beurteilung von Übelkeit und Erbrechen von Bedeutung.

Die allgemeine Annahme, dass durch den regelmäßigen und intensiven Einsatz von Opiaten bereits bestehende reflektorische Reaktionen auf Schmerzreize mit Auslösung von Übelkeit und Erbrechen verstärkt würden, konnten durch Abb. 5–6 widerlegt werden.

Klagte mit 48% noch knapp die Hälfte der Serie 1 über bestehende Übelkeit, konnte dieser Prozentsatz auf 33% in Serie 2 trotz des intensiven Einsatzes von Opiaten gesenkt werden (Abb. 5, p = 0,03).

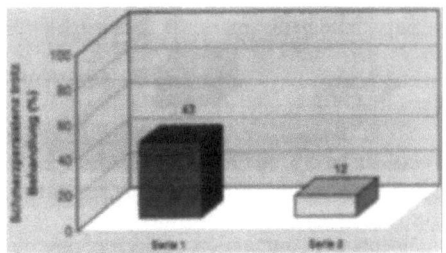

Abb. 12. Häufigkeit der Schmerzpersistenz trotz eingeleiteter Schmerztherapie. Die Häufigkeit der Schmerzpersistenz sank um 31%. Der Vergleich der Serien zeigt einen signifikanten Unterschied (p = 0,001/Chiquadrat-Test)

Ein ähnlich überraschend gutes Ergebnis wie bei der Senkung der Häufigkeit von Übelkeit konnte in der Reduktion des Erbrechens um 13 von 28% der Serie 1 auf 15% der Serie 2 erzielt werden (Abb. 6, p = 0,02).

Diskussion

Die vorliegende Studie ist durchgeführt worden, um die schmerztherapeutische Versorgung von Patienten nach Verletzungen und Operationen zu verbessern und diese Verbesserung zu evaluieren. Durch Entwicklung einer effizienten patientenorientierten und situationsadaptierten Schmerztherapie mit Etablierung fester präventiver Konzepte im klinischen Alltag sollte den bestehenden erheblichen Defiziten bei der Schmerzlinderung entgegengewirkt werden.

Die Ergebnisse zeigen klinisch relevante und statistisch signifikante Verbesserungen der Schmerztherapie bezüglich der Reduktion von Schmerzintensität und Frequenz, bezüglich der erhöhten Zufriedenheit und Wirksamkeit über angewandte Schmerztherapie und Reduktion der vegetativen Begleitsymptomatik.

Die insgesamt hervorragenden Ergebnisse haben selbst die Untersucher überrascht. Für die Verringerung der vegetativen Begleiterscheinungen mögen zwei Gründe entscheidend sein. Zum einen wird die vegetativ-autonome Komponente der Schmerzen durch den Analgetikaeinsatz verringert. Zum anderen sind die emetischen Nebenwirkungen der Opiate bekannt, die Applikation eines Opiates wurde mit der Gabe eines Antiemetikums kombiniert.

Die wesentliche Reduktion der vegetativen Begleitsymptomatik muss als zusätzliches Ergebnis der Studie verstanden werden. Sie war, im Gegensatz zur Verbesserung der Schmerztherapie, nicht vorrangiges Ziel der Arbeit.

Durch die einfachen präventiven Konzepte konnten klinisch signifikante und effektive Veränderungen erzielt werden. Hierfür waren mehrere Komponenten verantwortlich.

Die intensive Interaktion, Integration und Kooperation aller beteiligten Personengruppen durch wiederholte Schulungsprogramme, Meinungsaustausch und schriftliche Niederlegung der Ergebnisse waren Grundvoraussetzungen zur Schaffung verbesserter Konzepte.

Hieraus resultierten zufriedenere Patienten und Personal, die Arbeit der Schmerztherapie wurde erleichtert. Die erzielten effektiven Maßnahmen waren somit auf ein persönliches Engagement der unterschiedlichen Berufsgruppen zurückzuführen.

Schmerztherapie ist einfach und machbar. Überträgt man unser Vorgehen auf Kliniken anderer Größenordnungen, so können auch Sinn und Notwendigkeit eines sog. Schmerzdienstes ernstlich in Frage gestellt werden. „Aus einer patientenorientierten Schmerztherapie muss kein Hochamt gemacht werden" (Troidl; persönliche Mitteilung 1997).

Es darf jedoch nicht unerwähnt bleiben, dass die signifikanten Verbesserungen auch durch die verbesserungswürdige Ausgangssituation der Serie 1 bedingt war. Die hier noch festgestellten unbefriedigenden Ergebnisse können somit als Wegbereiter einer adäquateren und intensivierten Schmerztherapie verstanden werden.

Die vorliegende Arbeit zeigt, dass die verminderte Schmerzintensität, Wirksamkeit und erhöhte Zufriedenheit mit der angewandten Schmerztherapie, die Reduktion der Schmerzfrequenz, die zusätzliche Abnahme der vegetativen Begleitsymptomatik und der daraus resultierende erhöhte Patientenkomfort durch die Entwicklung und Etablierung der genannten festen Konzepte im klinischen Alltag bedingt sind.

Anhang

Die Ergebnisse dieser Studie spiegeln sich in der folgenden Tabelle und in den Abbildungen wider. Darüber hinaus ist dem Anhang eine Kopie des verwendeten Fragebogens zur Datenerfassung beigefügt.

Soziodemographische Variablen

Die soziodemographischen Variablen der Patienten sind in Tabelle 1 dargestellt. Die Patientenserien weisen keine klinisch relevanten Unterschiede auf.

Symptombezogene Messungen

Die Ergebnisse der symptombezogenen Messungen sind in den Abbildungen 1–6 dargestellt.

Malteser Krankenhaus
St. Hildegardis

Klinik für Chirurgie und
Unfallchirurgie
CA Prof. Dr. med. Ernst Eypasch
Ärztlicher Direktor
Telefon: 0221/4003 211
Telefax: 0221/4003 342
e-mail: eypasch@netcologne.de

Malteser Krankenhaus St. Hildegardis · Bachemer Straße 29-33 · 50931 Köln

Köln, den _____

Name, Vorname: _____ geb. am _____
Diagnose: _____ ASA: _____
Therapie: _____ OP-Datum: _____
Aufenthalt von _____ bis _____ Station: _____

Sehr geehrte Patientin, sehr geehrter Patient,

Sie wurden in den letzten Tagen in der chirurgischen Klinik behandelt, ggf. auch operiert. Da wir den Erfolg unserer Tätigkeit überprüfen wollen (Qualitätskontrolle), bitten wir Sie um Beantwortung der folgenden einfachen Fragen. Selbstverständlich wird die Erfassung der Daten streng vertraulich behandelt, die Auswertung erfolgt ausschließlich anonym.

1. Bitte kreuzen Sie auf der folgenden Skala an, wie stark bei Entlassung Ihre gegenwärtigen Schmerzen sind

   (0)...(1)...(2)...(3)...(4)...(5)...(6)...(7)...(8)...(9)...(10)
   keine   unerträgliche
   Schmerzen   Schmerzen

2. Bitte kreuzen Sie auf der Skala die schlimmsten Schmerzen während Ihres stationären Aufenthaltes an.

   (0)...(1)...(2)...(3)...(4)...(5)...(6)...(7)...(8)...(9)...(10)
   keine   unerträgliche
   Schmerzen   Schmerzen

3. Litten Sie an Erbrechen? ja / nein   Litten Sie an Übelkeit? ja / nein

   Wenn ja, kreuzen Sie auf der Skala bitte die maximale Stärke der Übelkeit während Ihres stationären Aufenthaltes an.

   (0)...(1)...(2)...(3)...(4)...(5)...(6)...(7)...(8)...(9)...(10)
   keine   unerträgliche
   Übelkeit   Übelkeit

Abb. 13.

4. Bitte beurteilen Sie die durchschnittliche **Wirksamkeit der Schmerzbehandlung**, die Sie während Ihres Krankenhausaufenthaltes erhielten. Geben Sie hierfür eine Zensur von 1 (sehr gut) bis 6 (unzureichend)

    Zensur: _____

5. Bitte sagen Sie uns, wie zufrieden Sie mit der **Schmerzbehandlung** waren.

    Sehr zufrieden / zufrieden / mittelgradig / etwas enttäuscht / sehr enttäuscht

6. Wie lange dauerte es, bis ein Arzt oder eine Krankenschwester auf Ihre Schmerzen reagierte und Ihnen ein Schmerzmittel verabreichte?

    < 15 min. / < 30 min. / < 60 min. / > 60 min.

7. Gab es eine Situation, in der Sie trotz Schmerzen keine Behandlung erhielten?

    ja   nein

8. Gab es eine Situation, in der Sie trotz Behandlung weiterhin starke Schmerzen hatten?

    ja   nein

9. Wenn Sie mit „ja" geantwortet haben, wie lange dauerte es, bis die Behandlung verbessert wurde?

    sehr rasch / in den nächsten Stunden / mehr als einen Tag / gar nicht

10. Waren Sie zufrieden mit der **Aufklärung** über die Schmerzbehandlung und die Möglichkeit der **Schmerzentstehung**, z. B. durch Untersuchungen oder Operationen?

    ja   nein

11. Haben Sie Vorschläge, wie die Schmerzbehandlung in unserer Klinik weiter verbessert werden könnte?

    _____
    _____
    _____

Wir danken Ihnen für Ihre Mitarbeit!

Abb. 13 (Fortsetzung)

Effektivität der Schmerztherapie

Die Variablen der Effektivität der Schmerztherapie sind in den Abbildungen 7–12 dargestellt

Literatur

1. Cartwright PD (1991) Introducing an acute pain service. Anaesthesia 46:188–191
2. Donovan M, Dillon P, McGuire I (1987) Incidence and characterstcs of pain in a sample of medical-surgical pateints. Pain 30:69–78
3. The Royal College of surgeons of England. The Collegeof anaesthetists (1990) Commission on the provision of surgical services. Report of the working party on pain after surgery
4. Ure BM, Troidl H, Neugebauer E (1995) Therapie des akuten Schmerzes in der Chirurgie. Grundlagen der Chirurgie. Veröffentlichungen der Deutschen Gesellschaft für Chirurgie Heft 3
5. Merskey H (1979) Pain terms: A list with definitions and notes on usage. Pain 6:249–252
6. Troidl H, Neugebauer E (1990) Akuter Schmerz in der Chirurgie. Klinische Bedeutung, Messmethoden und Therapie. Chirurg 61:485–493
7. Weissauer W (1993) Juristische Aspekte der postoperativen Schmerzbehandlung. Anästh Intensivmed 34:361–365
8. Ure BM (1992) Akuter Schmerz in der Chirurgie: Die Bedeutung eines vernächlässigten Problems. Langenbecks Arch Chir 377:352–359
9. Wulf H, Neugebauer E, Maier C (Hrsg) (1997) In: Die Behandlung aktuer perioperativer und posttraumatischer Schmerzen. Thieme, Stuttgart New York
10. Grond S, Lehmann KA (1993) Auswirkungen des postoperativen Schmerzes auf die Rekonvalenszens. In Lehmann KA (Hrsg) Der postoperative Schmerz. Springer, Berlin Heidelberg New York, S 120–147
11. Jage J, Hartje H (1997) Postoperative Schmerztherapie. Anaesthesist 46:65–77, 161–173
12. Liu S, Carpenter RL, Neal JM (1995) Epidural anesthesia and analgesia. Their role in postoperative outcome. Anesthesiology 82:1474–1506
13. Holthausen U, Troidl H (1996) Postoperative Schmerztherapie in der stationären Behandlung. Chirurg 67:671–680
14. Lehmann KA (Hrsg) (1990) In: Der postoperative Schmerz. Springer, Berlin Heidelberg New York
15. Neugebauer E (1993) Schmerzmessung und -dokumentation. Anästh Intensivmed 34:391–397

Perioperatives Schmerzmanagement beim Erwachsenen

U. Junker

Der Qualität des perioperativen Schmerzmanagements wird aus Patientensicht hohe Bedeutung beigemessen. Vor dem Hintergrund einer politisch gewollten Ausweitung des ambulanten Operierens und einer zunehmenden Vernetzung zwischen Kliniken und Praxen wird eine effektive Schmerztherapie, möglichst ohne Nebenwirkungen, mehr und mehr zu einem Konkurrenzfaktor, der die Auswahl einer Klinik oder eines Praxiszentrums für einen elektiven Eingriff bestimmt.

Auch heute noch – vor dem Hintergrund eines scheinbar grenzenlosen klinischen Fortschritts in der Medizin hinsichtlich Diagnostik und Therapie – leidet ein großer Prozentsatz frisch operierter Patienten unter starken Schmerzen. Das ist bedauerlich, da zweifelsohne effiziente sowohl medikamentös-konservative, als auch interventionelle Verfahren zur Verfügung stehen. Trotz zunehmender Verbreitung von Leitlinien zur Akutschmerztherapie in den operativen Fächern hat sich die Schmerztherapie chirurgischer Patienten nur geringfügig verbessert. Die Ursachen sind:
- Zeitmangel der verantwortlichen Ärzte und des Pflegepersonals
- unzureichende Organisationsstrukturen
- ungenügende Erfolgskontrolle durch konsequente Schmerzmessung
- mangelndes Fachwissen der Beteiligten
- Sorge vor Komplikationen.

Nationale und internationale Untersuchungen konnten immer wieder zeigen, dass dem Schmerz aus Sicht des Patienten eine hohe Bedeutung (> 90%) beigemessen wird. Er kann eine adäquate intra- und postoperative Schmerztherapie juristisch einfordern; denn diese zu gewährleisten ist nicht nur moralische, sondern zugleich rechtliche Verpflichtung jeden Arztes (OLG Frankfurt, VersR 1984, 298 u. BGH, VersR 1985, 486 ff.).

Grundlagen der perioperativen Schmerztherapie

Nutzen einer suffizienten Analgesie

Schmerz ist ein Stressfaktor, der die perioperative Pathophysiologie negativ beeinflusst und das Behandlungsergebnis verschlechtern kann. Ein stressbedingt erhöhter Sympathikotonus geht für Koronarkranke mit einem gesteigerten Herzinfarktrisiko einher – 30–50% der über 65-jährigen Patienten gehören zu dieser Risikogruppe. Ein Patient, der Schmerzen beim Atmen hat, hustet schlechter ab und hat folglich ein höheres Risiko, eine Pneumonie zu erwerben. Bei Gelenkoperationen ist die frühe postoperative Mobilisation mit entscheidend für den langfristigen Operationserfolg. Schmerzfreie Patienten üben intensiver, haben einen größeren Bewegungsradius und eine kürzere Rehabilitationszeit. Somit ist eine effektive Schmerztherapie perioperativ keineswegs „nur" eine Verbesserung des Patientenkomforts, sondern sie trägt auch wesentlich zu einer Verminderung von Komplikationen (z.B. Infektionen), der Morbidität (Pneumonie, Thrombose, Embolie) und nicht zuletzt auch der Letalität bei.

Organisatorische Voraussetzungen

Die Qualität schmerztherapeutischer Betreuung in der Akutphase hängt ganz entscheidend von klar definierten und reibungslos funktionierenden Organisationstrukturen ab.

Gute Schmerztherapie beginnt mit einer realistischen, in ruhiger Atmosphäre durchzuführenden *Patientenaufklärung*. Dabei erhält der Patient Hintergrundinformationen über die medizinische Notwendigkeit des geplanten Eingriffs und die unterschiedlichen Aspekte des Schmerzgeschehens (z.B. Intensität, Dauer) sowie die zur Verfügung stehenden Therapieverfahren. In unserer Klinik hat sich diesbezüglich gerade für ambulante Patienten die Einführung einer Anästhesiesprechstunde sehr bewährt, der ein Gespräch mit den jeweils zuständigen operativen Kollegen vorgeschaltet ist.

Schmerzmessung und -dokumentation in der Krankenakte ist unabdingbar. Für die Routine der Akutschmerztherapie sind einfache eindimensionale Schätzskalen wie eine Visuelle Analog-Skala (VAS), Verbale Rating-Skala (VRS) oder Numerische Rating-Skala (NRS) dafür völlig ausreichend.

Das nicht ärztliche Personal hat den engsten und häufigsten Kontakt zum Patienten und sollte daher regelmäßig schmerzbezogen fortgebildet werden, um kompetent genug zu sein, innerhalb eines *möglichst einfachen und klar formulierten Stufenkonzeptes* auch selbstständig Analgetika applizieren zu können.

Medikamentöse und regionalanästhesiologische Therapiealgorithmen

Umgekehrtes WHO-Stufenschema

1986 verabschiedete die Weltgesundheitsorganisation ihr WHO-Stufenschema für die Therapie von Tumorschmerzen, das inzwischen als gedankliche Leitstruktur auch für die Therapie chronischer Schmerzen akzeptiert ist. Die systemische Therapie bei chronischen Schmerzen beginnt mit Nicht-Opioidanalgetika und baut sich dann über mittelstarke Opioide bis hin zu den potentesten Morphinderivaten auf. Im Bereich der Akutschmerztherapie wird dieses Stufenschema umgekehrt angewendet, d. h. man beginnt bei starken Schmerzen unmittelbar postoperativ mit den stärksten Analgetika. Dabei werden - wie bei der Therapie chronischer Schmerzen auch - Opioid- mit Nichtopioidanalgetika kombiniert, zusätzlich können regionalanästhesiologische Techniken eingesetzt werden. Eine gängige postoperative analgetische Basismedikation ist beispielsweise die Kombination von Metamizol und Piritramid.

Opioide

Opioide werden auf Grund ihrer analgetischen Potenz perioperativ breit eingesetzt. In Deutschland finden vor allem Piritramid und Morphin aus der Gruppe der starken Opioide sowie Tramadol und Tilidin/Naloxon als mittelstarke Opioidanalgetika Verwendung. Dosiert wird individuell nach Wirkung, die folgende Aufzählung zeigt die Durchschnittswerte:

- Dipidolor iv.   7,5–15 mg   0,05–0,1 mg/kg KG
- Morphin iv.   3–5 mg   0,05–0,15 mg/kg KG
- Tramadol iv.   50–100 mg   0,75–1,5 mg/kg KG
- Tilidin/Naloxon p.o. 50–150 mg   0,71–2,1 mg/kg KG

Tilidin/Naloxon steht nur zur oralen Applikation in Form von Tropfen oder Tabletten zur Verfügung, bietet bei niereninsuffizienten Patienten aber den Vorteil fehlender Kumulation.

Kurz bzw. sehr kurz wirkende hochpotente Opioide wie Fentanyl, Sufentanil und Alfentanil sind der Behandlung kurzfristiger Schmerzspitzen vorbehalten (z. B. in der Anästhesie und zur Analgosedierung auf Intensivstationen, bei Verbandswechsel oder Umlagerung) und für die ambulante Akutschmerztherapie eher ungeeignet.

In der ersten postoperativen Phase sollte die Applikation der Opioide zur Titrierung der effektiven Wirkdosis intravenös erfolgen. Die intramuskuläre Injektion – leider in Deutschland immer noch weit verbreitet – ist wegen völlig unkalkulierbarer Plasmaspiegel, aber auch wegen des Risikos von Spritzenabszessen, Nervenläsionen und Nekrosen entschieden abzulehnen. Nach intravenöser Injektion ist der Gipfel des Plasmaspiegels in der Regel nach ein bis zwei Minuten erreicht. Zunächst sollten kleine Dosen in kurzen Zeitintervallen bis zum Eintritt von Schmerzfreiheit bzw. einer deutlichen Schmerzlinderung verabreicht werden. Auf diese Weise lässt sich bereits nach kurzer Zeit feststellen, ob der Patient in der Folgezeit einen kleineren oder größeren Opioidbedarf haben wird bzw. ob die gewählte Substanz die geeignete ist. Dabei ist zu beachten, dass bei zu früher Nachinjektion die sedierende Nebenwirkung der Opioide in den Vordergrund treten kann, bei zu später die erwünschte Wirkung am Opiatrezeptor aber nicht erreicht wird. Denn inzwischen hat eine weitere Verteilung des Opioids im Organismus stattgefunden und die Dosis müsste höher gewählt werden, um einen therapeutischen Effekt zu haben.

Muss für mehrere Tage postoperativ mit stärkeren Schmerzen gerechnet werden (z.B. Kniearthroplastik, Kreuzbandrekonstruktion) so ist die einmalige, tägliche Gabe eines modernen Retardopioids wie Oxycodon sinnvoll und der bedarfsorientierten Applikation von schnell freisetzenden Einzeldosen überlegen.

Relative und absolute Überdosierungen können bei allen Opioiden zu *Komplikationen und Nebenwirkungen* wie Atemdepression, starker Sedierung, Übelkeit, Erbrechen, Obstipation und Harnverhalt führen. Bei einer sorgfältig und individuell nach Schmerzintensität titrierten Dosierung tritt die am meisten befürchtete Komplikation einer manifesten Atemdepression nicht auf; denn Schmerz stimuliert die Atmung und ist somit ein physiologischer Antagonist der atemdepressiven Opioidwirkung. *Erstes Zeichen einer Überdosierung ist die zunehmende Sedierung des Patienten und nicht die Atemdepression.* Zur Therapieüberwachung ist daher die Beurteilung des Sedierungsgrades besonders wichtig. Um einer Beeintächtigung der Atmung keinen Vorschub zu leisten, ist die Gabe von Sedativa bei akuten Schmerzen kontraindiziert, zumal Sedativa zur Schmerzlinderung auch nicht beitragen. Risikofaktoren für eine Atemdepression sind extreme Altersklassen, respiratorische Vorerkrankungen inclusive eines Schlafapnoesyndroms sowie eine Insuffizienz des Eliminationsorgans Niere. Letztere erfordert eine entsprechende Dosisreduktion und einen erhöhten Überwachungsaufwand. Die *Behandlung einer manifesten Atemdepression* (Patient nicht ansprechbar, Atemfrequenz unter 10/Minute) erfolgt mit Sauerstoffapplikation, Opioidantagonisierung mittels Naloxon (0,1–0,2 mg intermittierend iv.) und ggf. Beatmung.

Übelkeit und Erbrechen sind häufige unerwünschte Wirkungen nach intavenöser Gabe schnell wirkender Opioidanalgetika. Sie sollten konsequent therapiert werden, da sie ebenso wie Schmerzen Patientencompliance und -komfort erheblich beeinträchtigen können. Die folgende Aufzählung zeigt die gebräuchlichsten Antiemetika und ihre Dosierung für die Akutphase.

- Metoclopramid 1 Amp./2 ml/10 mg iv. Tagesdosis – 4 Amp.
- Dimenhydrinat 1 Amp./10 ml/62 mg iv. Tagesdosis – 3 Amp.
- Ondansetron 1 Amp./4 ml/ 8 mg iv. Tagesdosis – 4 Amp.
- Tropisetron 1 Amp./2 ml/2 mg iv. Tagesdosis – 3 Amp.

Angst, durch Verwendung von Opioiden in der Akutphase eine *Opioidabhängigkeit* zu erzeugen, ist bei kurzfristiger, nach Schmerzstärke titrierter Zufuhr keinesfalls gerechtfertigt.

Bei *Patienten*, die wegen eines chronischen Schmerzsyndroms *unter einer Opioiddauermedikation* stehen, muss diese Medikation perioperativ weiter gegeben werden und eine Akutschmerzmedikation zusätzlich verabreicht werden. Ist nach einem Eingriff eine längere Nahrungskarenz notwendig, empfiehlt es sich, bereits präoperativ auf parenterale Applikation umzustellen.

Bei Opioidabhängigen ist eine Entzugsbehandlung perioperativ kontraindiziert. Eine evtl. bestehende Substitutionsbehandlung mit Methadon wird fortgesetzt und hinsichtlich der Akutschmerztherapie sollte bevorzugt ein Therapieregime gewählt werden, das Regionalanästhesieverfahren mit Nicht-Opioidanalgetika kombiniert.

Nichtopioidanalgetika

Nichtopioidanalgetika verfügen über eine antipyretische und meist auch antiphlogistische Wirkung (Abb. 5). Sie können nach kleineren Eingriffen einzeln oder nach größeren in Kombination mit Opioiden eingesetzt werden. Sinnvolle Kombinationen sind z.B.:

- Opioid + NSAR bei Muskel- und Gelenkschmerzen
- Opioid + Metamizol bei krampfartigen oder anderen viszeralen starken Schmerzen
- Opioid + Metamizol + NSAR bei kombinierten Muskel-, Skelett- und Weichteilschmerzen mit entzündlicher Komponente.

Im Gegensatz zu den Opioiden werden werden die Nichtopioidanalgetika auch in der Akutphase in regelmäßigen Abständen in Abhängigkeit von ihrer Wirkdauer oder kontinuierlich unter Beachtung ihrer Tagesmaximaldosis gegeben:

Paracetamol	Ibuprofen	Metamizol
500–1000 mg	200–600 mg	500–1000 mg
max.	max.	max.
6000 mg	2400 mg	6000 mg
alle	alle	alle
4–6 Std.	8 Std.	6 Std.

Paracetamol ist intravenös applizierbar. *Metamizol* ist nach wie vor das in Deutschland am breitesten eingesetzte Nichtopioidanalgetikum. Die Substanz ist analgetisch sehr potent, allerdings wird die Möglichkeit, durch ihren Einsatz die schwere Komplikation einer Agranulozytose auszulösen, immer wieder kontrovers diskutiert. Während ältere Untersuchungen von einer Agranulozytosewahrscheinlichkeit von 1:1 000 000 ausgingen, geben neuere, skandinavische Daten sie mit 1:1439 und 1:31 000 an. Hier spielen sicher auch genetische Polymorphismen eine Rolle. Dennoch fordern einige namhafte Autoren bereits, bei jedem Patienten vor Metamizolgabe eine Leukozytenkontrolle durchzuführen und ihn über die Gefahr einer Agranulocytose gezielt aufzuklären. *Paracetamol* erfreut sich wegen seines hohen Sicherheitsprofils großer Beliebtheit, das seinen Einsatz auch bei Schwangeren und Stillenden erlaubt. Die intravenöse Applikationsform ist anderen Darreichungsarten durch das Erreichen wirksamer Liquorspiegel hinsichtlich ihrer analgetischen Potenz zwar überlegen, aber als Monoanalgetikum in der Akutphase meist nicht ausreichend und auf die Kombination z.B. mit einem Opioid angewiesen. Insgesamt ist die Substanz mehr antipyretisch als analgetisch wirksam, die Gefahr einer Leberzellnekrose bei Überschreiten der Tagsmaximaldosis darf nicht unterschätzt werden.

Ketamin ist ein analgetisch wirkendes Phencyclindinderivat ohne antiphlogistische oder antipyretische Wirkung. Die hauptsächliche Wirkung der Substanz besteht in einer Blockierung NMDA-Rezeptoren-gekoppelter Ionenkanäle im Rückenmark, die für die Fortleitung nozizeptiver Rezeptoren verantwortlich sind. Daraus ergibt sich eine wichtige *Indikation* für Ketamin in der perioperativen Analgesie: Neuere Untersuchungen konnten zeigen, dass niedrige Dosen von 0,05-0,1 mg/kg/KG intravenös bei Narkoseeinleitung die Gefahr postoperativer Phantomschmerzen deutlich mindern können. Ketamin bietet somit eine wertvolle Option, gerade bei solchen Patienten, bei denen ein Regionalanästhesieverfahren zur Phantomschmerzprophylaxe (s. u.) wegen Gerinnungsstörungen kontraindiziert ist. Heute sollte dem isolierten S-Ketamin gegenüber der älteren Razemat der Vorzug gegeben werden, da die bekannten psychomimetischen Nebenwirkungen deutlich geringer ausgeprägt sind bei gleichzeitig um den Faktor 3 höherer analgetischer Potenz.

Regionalanästhesieverfahren

Wundinfiltration

Die Wundinfiltration ist ein ebenso einfaches wie effektives Prinzip. Die Infiltration der Wunde vor Verschluss der Hautnähte mit einem langwirksamen Lokalanästhetikum (z. B. Bupivacain oder Ropivacain bis zu 2 mg/kg KG = ca. bis zu 30 ml 0,5% Lösung) kann sehr zu einer effektiven Analgesie beitragen.

Rückenmarksnahe Analgesieverfahren

Für die peri- bzw. postoperative Schmerztherapie hat sich besonders die Epiduralanalgesie bewährt. Mögliche Vorteile gegenüber einer systemischen Schmerztherapie sind:
- eine oft bessere Analgesiequalität
- eine begrenzte, segmentale Wirkung
- geringere systemische Nebenwirkungen
- eine Sympathikolyse mit Verbesserung der Perfusion
- ein präventiver Effekt bzgl. einer Schmerzchronifizierung (effektivste Phantomschmerzprophylaxe).

Die Epiduralanalgesie ist daher *besonders indiziert bei* Eingriffen mit zu erwartenden Phantomschmerzen oder mit der Notwendigkeit intensiver postoperativer Bewegungstherapie. *Kontraindikationen* sind in erster Linie schwere Gerinnungsstörungen.

Wesentliche *potentielle Komplikationen* sind bei epiduraler Anwendung von *Lokalanästhetika* hämodynamische Reaktionen mit Blutdruckabfall durch Sympathikolyse und Vasodilatation, eventuell auch eine unerwünschte motorische Blockade durch eine zu hoch gewählte Konzentration des Lokalanästhetikums.

Die offene perineurale Katheterpositionierung am N. ischiadicus ist ein spezielles Verfahren, das durch den Operateur zur Phantomschmerzprophylaxe bei distalen Operationen im Oberschenkelbereich durchgeführt werden kann. Dabei ist wichtig, dass die Katheterplatzierung und initiale Nervenblockade mit einem Lokalanästhetikavolumen von 20 ml mindestens ca. 15 Minuten vor Durchtrennung des N. ischiadicus erfolgt, an die sich dann eine 48-stündige kontinuierliche Lokalanästhetikainfusion anschließt.

An der oberen Extremität bieten *Katheterverfahren des Plexus brachialis* interessante Optionen für eine differenzierte Schmerztherapie.

Interskalenäre Plexuskatheter sind beispielsweise indiziert bei:
- größeren Weichteilverletzungen an der Schulter oder am Oberarm
- Schultermobilisierungen
- Amputationen im Oberarmbereich zur Phantomschmerzprophylaxe.

Axilläre Plexuskatheter werden z. B. eingesetzt bei:
- Amputationen am Unterarm oder an der Hand zur Phantomschmerzprophylaxe
- akzidentellen intraarteriellen Injektionen
- Erfrierungen.

Hinsichtlich der technischen Durchführung dieser Nervenblockaden und ihrer potentiellen Komplikationen sei an dieser Stelle auf die Lehrbücher der Anästhesiologie und Regionalanästhesie verwiesen.

Die Qualität perioperativer Schmerztherapie hängt insgesamt entscheidend davon ab, in welchem Maße es gelingt, ein differenziertes analgetisches Konzept innerhalb reibungslos funktionierender Organisations- und Kommunikationsstrukturen individuell auf den einzelnen Patienten abzustimmen.

Literatur

1. Ballantyne JC, de Ferranti S, Suarez T, Lau J, Chalmers TC, Angelillo GF, Mosteller F (1998) The comparative effects of postoperative analgetic therapies on pulmonary outcome: cumulative meta-analysis of randomized controlled trials. Anaesth Analg 86:598–612
2. Bürkle H, Gogarten W, van Aken H (2003) Injizierbare Nicht-Opioid-Analgetika in der Anästhesie – Die Rolle von Paracetamol, Metamizol, Tenoxicam und Parecoxib in der perioperativen Akutschmerztherapie. Anästhesiologie und Intensivmedizin 44:311–322
3. Capdevila X, Barthelet Y, Biboulet P, Rubenovitch J, dAthis F (1999) Effects of perioperative analgesic technique on the surgical outcome and duration of rehabilitation after major knee surgery. Anesthesiology 91:8–15
4. Cheville A, Chen A, Oster G, McGarry L, Narcessian E (2001) Arandomized trial of controlled-release oxycodone during inpatient rehabilitation following unilateral total knee arthroplasty. The Journal of Bone & Joint Surgery 4:572–576
5. Diener HC, Maier C (Hrsg) (2003) Das Schmerztherapiebuch. 2. Aufl, Urban & Fischer, München
6. Donner B, Willweber-Strumpf A, Zenz M (2001) Schmerzmessung. In: Zenz M, Jurna I (Hrsg) Lehrbuch der Schmerztherapie, Wissenschaftliche Verlagsgesellschaft, Stuttgart, S 109–123
7. Junker U (2003) Die postoperative Herausforderung: Differenzierte Schmerztherapie. Vortrag auf dem Deutschen Schmerztag, Frankfurt am Main
8. Neugebauer EAM (Hrsg) (2003) Akutschmerztherapie – ein Kompendium für Chirurgen, Uni-Med, Bremen
9. Neugebauer EAM, Wulf H (1999) Leitlinien zu Behandlung akuter perioperativer und posttraumatischer Schmerzen, Grundlagen der Chirurgie, Veröffentlichung der Deutschen Gesellschaft für Chirurgie, Mitteilungen der Deutschen Gesellschaft für Chirurgie (Suppl 2):1–6
10. Reuben SS, Connelly NR, Maciolek H (1998) Postoperative analgesia with controlled-release oxycodone for outpatient anterior cruciate ligament surgery. Anaesth Analg 88:1286–1291
11. Ulsenheimer K (1997) Ethisch-juristische Aspekte der perioperativen Patientenversorgung. Anästhesist (Suppl.2) 46:S114–S119
12. Zinganell K, Hempel K (1992) Vereinbarungen des Berufsverbandes Deutscher Anästhesisten und des Berufsverbandes Deutscher Chirurgen zur Organisation der postoperativen Schmerztherapie. Chirurg BDC 31:232

MIX
Papier aus verantwortungsvollen Quellen
Paper from responsible sources
FSC® C105338

If you have any concerns about our products,
you can contact us on
ProductSafety@springernature.com

In case Publisher is established outside the EU,
the EU authorized representative is:
**Springer Nature Customer Service Center GmbH
Europaplatz 3, 69115 Heidelberg, Germany**

Printed by Libri Plureos GmbH
in Hamburg, Germany